La invención de la histeria

Charcot y la iconografía fotográfica de la Salpêtrière

Georges Didi-Huberman

La invención de la histeria
Charcot y la iconografía fotográfica de la Salpêtrière

Traducción de Tania Arias y Rafael Jackson

SÉPTIMA EDICIÓN

ENSAYOS ARTE CÁTEDRA

Título original de la obra:
Invention de l'hystérie.
Charcot et l'iconographie photographique de la Salpétrière

1.ª edición, 2007
7.ª edición, 2026

Diseño de cubierta: aderal

Ilustración de cubierta: Lámina XXVIII. Inicio de un ataque. Grito.
Régnard. Fotografía de Augustine. *Iconographie photographique*
de la Salpétrière, tomo II.

© 1982 by Editions Macula, París
© Ediciones Cátedra (Grupo Anaya, S. A.), 2007, 2026
Valentín Beato, 21. 28037 Madrid
Depósito legal: M. 22.435-2007
I.S.B.N.: 978-84-376-2381-8
Printed in Spain

Argumento

La Salpêtrière era, en el último tercio del siglo XIX, lo que nunca había dejado de ser: una suerte de infierno femenino, una *città dolorosa* con cuatro mil mujeres, incurables o locas, encerradas allí. Una pesadilla en un París listo para vivir su *belle époque.*

Será precisamente en este lugar donde Charcot *redescubrirá la histeria.* ¿De qué manera? En estas páginas intentaremos contarlo, y para ello rebuscaremos entre todas las tácticas clínicas y experimentales, a través de la hipnosis y de las espectaculares presentaciones de las enfermas en crisis en el anfiteatro durante las célebres «lecciones de los martes». Con Charcot descubriremos de qué es capaz un cuerpo histérico: ahora bien, todo ello tiene algo de prodigio. Posee algo de prodigioso y que supera toda imaginación, e incluso, como suele decirse, «toda esperanza».

Pero ¿qué imaginación, qué esperanza? Todo está encerrado allí. Lo que las histéricas de la Salpêtrière mostraban con sus cuerpos sugería una extraordinaria complicidad entre médicos y pacientes. Una relación alimentada por deseos, miradas y conocimientos. Y es esto lo que se pone en tela de juicio.

Hasta hoy nos han llegado las series de imágenes de la *Iconographie photographique de la Salpêtrière.* Ahí aparece todo: poses, ataques, gritos, «actitudes pasionales», «crucifixiones», «éxtasis», todas las posturas del delirio. Parece como si todo estuviese encerrado en esas fotos porque la fotografía era capaz de cristalizar idealmente los vínculos entre el fantasma de la histeria y el fantasma del saber. Se instaura así un *encanto* recíproco: médicos insaciables de imágenes de «la Histeria» e histéricas que consienten e incluso exageran la teatralidad de sus cuerpos. De este modo, la clínica de la histeria se convirtió en espectáculo, en *invención de la histeria.* Se identificó incluso, soterradamente, con una especie de manifestación artística. Un arte muy próximo al teatro y a la pintura.

Pero el movimiento siempre exagerado del encanto produjo esta situación paradójica: a medida que la histérica se dejaba, a capricho, ser progresivamente reinventada y captada en imágenes, de algún modo su mal empeoraba. En un determinado momento, la fascinación se desvanecía y el consentimiento se tornaba en odio. Este giro será también objeto de nuestras pesquisas.

Freud fue testigo desorientado de esa inmensa cautividad de la histeria y de la fabricación de esas imágenes. Dicha desorientación nada tendrá que ver, sin embargo, con los inicios del psicoanálisis.

La evidencia espectacular

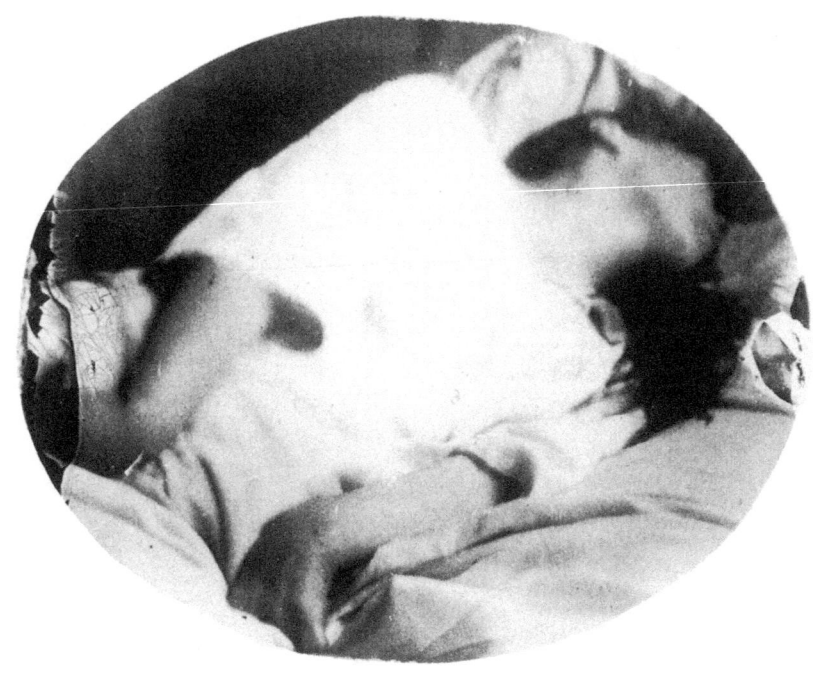

Régnard, «Ataque. Periodo epileptoide: fase tónica», *Iconographie...*, tomo I.

Capítulo primero

Los desencadenamientos

El espectáculo

Lo que intento, en el fondo, es relanzar esta pregunta: ¿qué puede haber significado el término «espectáculo» en la expresión *«espectáculo del dolor»?* En mi opinión, se trata de una pregunta íntimamente infernal, llena de aristas, estridente.

Así pues, ¿cómo en nuestra aproximación a las obras y a las imágenes puede aparecer proyectado, desde el primer momento, un vínculo con el dolor? ¿Cómo llega el dolor a la obra?, ¿cuál podría ser la forma, la temporalidad de su llegada, o de su aparición, ante nuestros ojos y en nuestro interior, ante nuestra mirada? Y también: ¿mediante qué rodeo un dolor verdadero logra que accedamos, en silencio y pese a todo, a la cuestión de las formas, de los significantes?

Al final no me es posible denominar este suceso, la histeria, de otra forma que no sea la de *dolor.* Y esto incluso en el propio paso de su terrible encanto (es justamente en ese punto donde se abre en primer lugar el interrogante).

Pongo en cuestión esta atroz paradoja: la histeria fue, a lo largo de toda su historia, un dolor que se vio forzado a ser inventado como espectáculo y como imagen; que llegó a inventarse a sí misma (la coacción era su esencia) mientras decaía el talento de los considerados inventores de la Histeria. Una invención: un *acontecer* de los significantes. Pero en el acontecer mismo de los dolores, de unos dolores histéricos demasiado evidentes, me gustaría hablar del sentido de su *extrema visibilidad.*

INVENCIÓN

Ya *inventar* cuenta con tres acepciones distintas:

Imaginar; imaginar hasta el punto de «crear», como suele decirse. Además, *fingir,* es decir, exagerar en la imaginación, sobrecrear; en una palabra, es mentir por facultad del ingenio, si no del genio. Aunque, según Littré, «fingir» se emplea erróneamente, se emplea, pese a todo, en el sentido de *forjar embustes.* Inventar es, finalmente, toparse y caer, en seco, al chocar con la cosa, con la «cosa misma»; es volver sobre ella, *invenire,* y desvelarla, quién sabe...

Inventar es una suerte de milagro (el mismo por el cual la Cruz de Cristo fue desenterrada del templo de Venus que coronaba el Santo Sepulcro y después «reconocida» entre otras dos cruces por Santa Elena, milagro que se celebra en la liturgia de la denominada «Invención y Exaltación de la Santa Cruz». Entre el cuerpo lleno de estigmas venéreos y la dolorosa crucifixión, lo que se intentará precisamente es escribir párrafos relacionados con la tardía reinvención de un «cuerpo cristiano»...). Un milagro siempre *emponzoñado:* que en este caso recubre todo uniformemente, su creación y su invención, el abuso de las imágenes, la necesidad de mentir y desmentirlo; y, por último, el choque.

Emponzoñado, pero ¿con qué? Nietzsche escribió lo siguiente:

> Actuamos así incluso en presencia de los sucesos menos ordinarios, nos inventamos la mayor parte de ellos y somos casi incapaces de no asistir como «inventores» de cualquier fenómeno. Esto significa que estamos fundamentalmente y desde siempre *habituados a mentir.* O para expresarlo en términos más virtuosos e hipócritas, es decir, en términos más agradables al oído, somos mucho más artistas de lo que creemos[1].

---

[1] Nietzsche, 1886, pág. 105.

Ahora bien, cuatro páginas después, habla de «compromisos ante el peligro que amenaza a la persona desde el interior»[2]...

Me gustaría cuestionar este compromiso y esta amenaza cuando, tratándose de la histeria, un médico apenas es capaz de no asistir como Artista al dolor suntuoso de un cuerpo abandonado a sus síntomas. Y ni yo mismo me libro de esta atroz paradoja, viéndome casi obligado a considerar la histeria, tal como fue pergeñada en la Salpêtrière durante el último tercio del siglo XIX, como un capítulo de la historia del arte.

EL DESENCADENAMIENTO DE LAS LOCAS

Pero hubo sin duda una extraordinaria imposición de las imágenes. Charcot trabajaba ya bajo la égida del cuadro de Fleury[3], que exhibe en primer plano esas cadenas y herramientas, las mismas que cuentan el encadenamiento de las locas de la Salpêtrière y su «liberación» por Pinel [1]: se representa el giro, o más bien el *quiasmo* decisivo que éste operó, según se dice, en la mitología de la locura[4]. Este quiasmo fue, en primer lugar, el de un concepto de locura que Hegel formuló al declararse, precisamente, deudor de Pinel: no debe suponerse a la locura como una pérdida abstracta de la razón, no es más que un mero trastorno, «una simple contradicción en el interior de la razón»: es decir, que en principio debe suponerse, o presuponerse, escribe Hegel, que una loca es un ser razonable, simple y llanamente[5]. Este quiasmo fue también el de una nueva relación, filantrópica, con la locura: una indignación *democrática* frente a la miseria de esa infortunada clase de la humanidad, la de las locas y los locos —y el cuadro de Fleury también fue pintado para contar esto. Y por último: la Salpêtriere de Pinel, como Asilo en el sentido moder-

---

[2] *Ídem*, pág. 109.
[3] En todo caso, bajo la influencia de un retrato de Pinel. Cfr. Freud, 1893, pág. 19.
[4] Cfr. Foucault, 1961, págs. 483-497; Gauchet y Swain, 1980, págs. 68-100.
[5] Cfr. Hegel, 1817-1830, págs. 376-377; Foucault, 1961, pág. 501.

1. Fleury, *Pinel liberando a las locas de la Salpêtrière* (detalle), Bibliothèque Charcot, Salpêtrière.

no de la palabra, se abrió con el objetivo primordial de *cuidar* la locura. Una curabilidad que podía, incluso, ser traducida en cifras; se abría paso una ciencia nueva, una ciencia terapéutica: «... hay una probabilidad, del 0,93, de que el tratamiento adoptado en la Salpêtrière se complete con éxito si la alienación es reciente y no ha sido tratada en otro lugar»[6].

---

[6] Pinel, 1809, pág. 437.

Pero esto no fue más que un quiasmo: cruzado, pero simétrico.

ALMAS NOBLES

Ciertamente, Pinel liberó a las locas de la Salpêtrière; las sustrajo a su puro secuestro, les ofreció una coexistencia (la del trabajo, principalmente); pero esta apertura supuso también una inserción: inventó el Asilo como «pequeño Gobierno», según solía llamarlo, con su «jefe de Policía interna» y, siempre, con sus «celdas», «celdillas», «calabozos», «jaulas de locos» y «mazmorras»... E incluso fue en calidad, no de médico sino de vigilante, como Esquirol entró en la Salpêtrière en 1811.

En suma, el «quiasmo» filantrópico habrá encadenado otros lazos, los de la culpabilidad carcelaria que vuelve a aislar, de otro modo, la locura. *Cuidar* se encadena con *internar,* justificando oportunamente que no se las «somete» a la organización del asilo: sencillamente, entran allí. Se entra allí como en el funcionamiento mismo de lo cotidiano, un funcionamiento infinitesimal y, al mismo tiempo, ilimitado. El banal paternalismo del Estado. Y la particularidad de este quiasmo nos es devuelta como el resultado constante de una división en la que se han igualado divisor y dividendo: ¿acaso no se habrá experimentado la «conciencia psiquiátrica» como la desafortunada escisión entre la confianza de su saber inmediato y el fracaso de este saber cuando pasa a la acción?

El fracaso consistió en lo siguiente: la locura cambia de forma e, incluso si queremos, en un 93 por ciento (véase la histeria), pero la locura jamás se habrá vuelto a curar, ni en la Salpêtrière ni en ningún otro sitio.

Ahora bien, una ciencia que fracasa cuando pasa a la acción, ¿no tiene todos los motivos para engendrar unos sabios *angustiados,* sobre todo si su objeto de estudio es la locura que, sea cual sea el concepto buscado, no cesa de *manifestarse,* y como efecto de la palabra, es decir, como algo incoercible? Y por otra parte, ¿no suele decirse que los locos se asemejan en cierta manera a nosotros? ¿Y acaso un médico que trata la locura puede rechazar ver el desamparo de su propia semejanza? Y, sin embargo, este rechazo tendrá lugar. De modo vital, existencial, epistemológico. La «conciencia psiquiátrica» no habrá podido más que rechazar el ser una conciencia desgarrada, como poco una conciencia desgraciada. Habrá sido firme en preservar su convicción de universalidad; incluso habrá preferido rechazar pasar a la acción, o inventar actos adecuados a sus convicciones; habrá rechazado, en este riesgo de angustia, mancillar el esplendor de su convicción, de su genialidad.

Por lo tanto, se habrá mostrado ahí como *Artista*. Pero artista en el sentido de religión estética, en el sentido hegeliano de *alma noble*.

Hipocresía

También podemos calificar esto de *hipocresía:* hipocresía, lo que establece como acto, léase decreto en la realidad, un simple juicio; y que, incluso de forma confusa, lo sabe bien[7]. Hipocresía, el desplazamiento equívoco, *Verstellung*, de la conciencia íntima de una verdad fingida a la asunción delante de todos de una simulación de verdad —y el desvío de ese desplazamiento mismo. La hipocresía caracteriza, ciertamente, un problema de ética, pero es preciso cuestionarla según la siguiente amplitud: ¿qué habrá visto una ciencia en la hipocresía para convertirla en principio constituyente de su exigencia metódica, en el mismo momento en que se estaba procurando los fundamentos de su eficacia? Sostengo que todo lo que ocurrió en la Salpêtrière, esta gran epopeya de la clínica, salió de la hipocresía, si queremos entender este término como la complejidad de prácticas que designa y si no queremos desentramar dicha complejidad.

Hipocresía: es el acto del juicio, de la decisión, de la elección; es distinguir, separar y resolver. Es explicar. Pero sólo un poco de cada, o en todo caso: en su interior *(upo)*, en secreto. El verdadero hipócrita (de tradición griega, el *upokriter)* es ante todo el que sabe discernir, pero discretamente (en de-

---

7 Cfr. Hegel, 1807, II, págs. 193, 195, 168.

recho, es el que dirige la investigación), y es el que sabe dar una *respuesta interpretante:* adivino y terapeuta, es quien explica vuestros sueños; presta con humildad su persona a la voz de la verdad y la recita, convirtiéndose así en el rapsoda. Esto es, también en *el actor.* La hipocresía es el arte griego, el arte clásico del teatro; recitar lo verdadero empleando medios escénicos, es decir, hechos, contrahechos y simulaciones, de la respuesta interpretante.

«Es un hipócrita, un *hipnotizador,* me ha hecho desmayar, ahora tengo los ojos cerrados, ahora veo el mundo con otros ojos», decía una mujer de su amado a punto de volverse loca[8].

Pues la hipocresía, como teatro y como respuesta interpretante, comporta un extraordinario beneficio epistemológico: y éste es el amor. Pinel había permitido la libre y pública «perturbación» de las locas[9], y las locas se cargaron por su parte con una inmensa deuda de amor para con él. Ahora bien, es el efecto conjugado de la permisión y de la deuda lo que dejaba vislumbrar a Pinel la posibilidad de delimitar la locura en su totalidad. Y es esta hipocresía, *como puesta en escena,* la que pondré en tela de juicio a propósito de Charcot: un «dejar ser» táctico, una respuesta que simula prolongar a su ritmo la palabra ajena, pero una respuesta siempre interpretativa, luego oracular. Es la hipocresía como *método,* un ardid de la razón teatral en su presunción de inventar la verdad.

EL DESENCADENAMIENTO DE LAS IMÁGENES

Deberemos enjuiciar su fracaso, con todo rigor. Pero no por ello el fenómeno dejó de resultar menos clamoroso, e incluso eficaz: un desencadenamiento de las imágenes —temiblemente eficaz.

Insisto en el hecho de que Charcot se habría visto forzado a emplear este método: condenado a la imaginación, y ante todo a esta *imaginatio plastica,* la que figura la intuición en el espacio[10], tal como sostiene Kant, en los límites de una trans-

---

[8] Cfr. Freud, 1915d, pág. 113.
[9] Pinel, cit. por Gauchet y Swain, 1980, pág. 131.
[10] Cfr. Kant, 1798, págs. 52-53.

misión. Y tal era, siempre renovada, la gran promesa, clínica y pedagógica, de Charcot: «Por decirlo de algún modo, haré que toquen ese dolor con sus propias manos en un instante; les haré reconocer todas sus letras» —¿cómo?— «presentándoles a cinco enfermas» —y las hacía entrar en la escena de su anfiteatro[11]. (Quizá se acordaba aquí del «postulado escópico» de Claude Bernard: «Para aprender cómo viven el hombre y los animales, *es indispensable ver morir a un gran número de ellos*[12]...).

Figurar y llevar a escena, pero siempre al límite de una falsificación: es la invención (el método) experimental en sí misma, medio sólido de la moderna «conquista del mundo en tanto que *imagen concebida*» —«die Zeit des Weltbildes»[13]. Pero el método no pudo escapar a ese problema, a ese *problema figurativo* que obsesiona a toda clínica médica: el del vínculo, el vínculo fantasmático, de la vista al saber, y de la vista al sufrimiento. ¿Cómo se ha producido este alarde de representaciones del Dolor? Se trata de un problema fenomenológico crucial, el de la aproximación al cuerpo del prójimo y a la intimidad de su dolor. Es también un problema político, el del *interés espectacular* que paga el sujeto observado por la «hospitalidad» (la capitalización hospitalaria) de la que se beneficia en tanto que enfermo. Es el problema de la *violencia del ver* en su pretensión científica de la experimentación sobre los cuerpos. Y que esta experimentación sobre los cuerpos se lleve a cabo para hacer visible cualquier cosa de ellos, su esencia, no es, por tanto, dudosa. Entonces, ¿por qué seguir suponiendo a Charcot como *obligado por la imagen,* léase por lo imaginario?

Y es que lo visible es una modalidad incomprensible.

Pues, en primer lugar, lo visible tiene una manera muy personal de entrelazar lo imborrable de la angustia con su propio dominio. Y además, Charcot no estuvo solo en su debate práctico con lo visible: las locas también tienen una práctica, no menos sofisticada, de la ineludible modalidad de lo visible.

---

[11] Charcot, *OC,* I, pág. 321.

[12] Bernard, 1865, pág. 173 (la cursiva es mía).

[13] Cfr. Heidegger, 1949, pág. 123.

CRISTAL DE LA LOCURA

La cuestión posee, por este motivo, una complejidad inusitada: jamás queda reducida a una relación plana, sin ángulo, del hecho de ver y del de ser visto. ¿Cómo abordarlo entonces? ¿Estrellando un cristal contra el suelo? Mientras se perdía en circunloquios al investigar la noción de instancia psíquica, Freud ya imaginaba esto, estableciendo una relación... ¿cómo expresarlo?... cristalina, facetada, reflejando brillos, de la locura a la vista:

> Ahí donde la patología nos revela una brecha o una grieta, ahí hay probablemente una fisura. Si lanzamos un cristal contra el suelo, no se romperá de cualquier forma, sino que seguirá las líneas de la fisura, en fragmentos cuya delimitación, aunque invisible, estaba sin embargo determinada con anterioridad por la estructura del cristal. Esta estructura resquebrajada se corresponde con la de los enfermos mentales. Con respecto a los dementes, conservamos algo del temor respetuoso que inspiraban en los pueblos de la Antigüedad. Estos enfermos se han desviado de la realidad exterior y, justamente por esta razón, saben mucho más que nosotros de la realidad interior y pueden revelarnos ciertos aspectos que, sin ellos, permanecerían impenetrables. Nos referimos a una categoría dentro de estos enfermos que sufren la locura de la vigilancia. Se quejan de ser continuamente observados por poderes desconocidos, unos poderes que después de todo no son otra cosa que personas; se imaginan escuchar a estas personas enunciar lo que están observando: «Y ahora dirá: mírale, se está vistiendo para salir, etc.» Esta vigilancia, si bien no alcanza el grado de persecución, se acerca bastante a ella. Los enfermos así observados creen que nadie se fía de ellos, que se está a la espera de sorprenderlos cometiendo una mala acción por la cual serán castigados. ¿Qué ocurriría si estos seres delirantes tuviesen razón?[14].

Dejo, así, en suspenso, su extraña pregunta. Tengan paciencia.

---

[14] Freud, 1933, págs. 80-81.

MORAL DEL JUGUETE

Vuelvo a lo anterior: lo que se construyó en la Salpêtrière fue como una gran máquina óptica capaz de descifrar los invisibles lineamientos de un cristal: la enorme máquina, territorial, experimental, mágica, de la histeria... Y para descifrar el cristal, era preciso romperlo, sentir la fascinación de su caída, romperlo de nuevo, inventar máquinas adecuadas para hacer que la caída resultara más visible, más definida... ¡y aún volver a romperlo, para llegar a ver!

Por eso, el saber psiquiátrico del siglo XIX debe ser sometido a un examen más allá de sus afirmaciones, designaciones y descubrimientos: ya que también es como una prodigiosa difracción de su propio discurso, en conductas a menudo contradictorias; se organiza a sí mismo según discrepancias, divergencias, incompatibilidades, transgresiones salidas de un alma cándida. Si la eficacia de la psicología *estuvo tan mal fundamentada,* y por todas las partes de su método[15], es porque quizá tampoco pudo pasarse, a menudo, de dirigir hacia los demás el mismo gesto, mortífero, de un horrible niño demasiado curioso; y por ello, evidentemente, perdonable: ya que *quiere saber,* simplemente saber... Dicho esto, destaco lo siguiente:

> La mayoría de los chiquillos quieren, sobre todo, *ver el alma,* unos después de invertir un tiempo en ejercitarse, otros *enseguida.* Será la mayor o menor rapidez en la invasión de este deseo la que condicione la mayor o menor longevidad del juguete. No me veo con el suficiente coraje como para censurar esta manía infantil: es una tendencia metafísica básica. Cuando este deseo queda fijado en la médula cerebral del niño, llena sus dedos y uñas de una agilidad y de una fuerza singulares. El niño da vueltas una y otra vez a su juguete, le propina arañazos, lo agita, lo golpea contra las paredes, lo tira al suelo. De vez en cuando, le obliga a recomenzar sus movimientos mecánicos, a veces en senti-

---

[15] Cfr. Canguilhem, 1958, pág. 365.

do inverso. La vida maravillosa se detiene. El niño, como el pueblo que asedia las Tullerías, realiza un esfuerzo supremo: por fin lo abre, es el más fuerte. Pero ¿*dónde está el alma?* Es en este punto donde comienza el desconcierto y la tristeza. Hay otros que se aprestan a romper el juguete apenas lo atrapan en sus manos, apenas comienzan a examinarlo; por lo que respecta a éstos, reconozco que ignoro el misterioso sentimiento que les lleva a proceder así. ¿Les ha arrebatado una cólera supersticiosa contra estos diminutos objetos que imitan a la humanidad, o bien les obliga a pasar una especie de prueba de iniciación antes de introducirles en la vida infantil? —*Puzzling question!*[16].

2. *La terrible matanza de mujeres* en la Salpêtrière en 1792 (detalle), Musée Carnavalet, París.

¿Se tratará acaso de una introducción al método experimental en psicología?

---

[16] Baudelaire, *OC,* I, pág. 587.

DESASTRES DE LA EFICACIA

Así pues, volver a trazar los protocolos experimentales de esta gran máquina óptica de la Salpêtrière. Convocar al mismo tiempo una preocupación por sus defectos, por mínimos que sean —la soberanía de lo accidental: apelar al mismo desastre como horizonte de su eficacia.

¿Y cuál habrá sido esta «gota de crueldad», común a toda esta voluntad de conocer?[17]. ¿Esta sangre de las imágenes?

Pero permanezcan ya a la escucha de las conmociones significantes: *Salpêtrière,* el gran asilo de mujeres, el antiguo polvorín, el error histórico de 1792 (un «complot de las mujeres» que habría estado asociado al «complot de las cárceles»), y esa *«Terrible matanza de mujeres que la Historia jamás ha mostrado»*[18] [2]...

---

[17] Cfr. Nietzsche, 1886, pág. 148.
[18] Cfr. Guillain y Mathieu, 1925, pág. 48.

CAPÍTULO 2

Saberes clínicos

EL ESCENARIO DE LOS CRÍMENES

La Salpêtrière: lugar señero de la reclusión a gran escala. Lugar conocido como «el pequeño Arsenal». Y el mayor hospicio de Francia. Su «patio de las matanzas». Sus «mujeres libertinas», revolucionarias de Saint-Médard, «anormales constitucionales» y otras «asesinas natas», todas ellas encerradas ahí, en la otra Bastilla[1]. Éste fue el Hospital general de las mujeres, o más bien, de todos los desechos femeninos; «se había prohibido incluso a los médicos del Hospital principal de París, que las acogiesen y ofreciesen sus cuidados», pues era únicamente en la Salpêtrière donde se «recogía», entre otras, a las aquejadas de enfermedades venéreas; nada más llegar se las azotaba, luego se les cumplimentaba el «Certificado de castigo» y, por último, eran internadas[2]. El hospicio de mayores dimensiones de toda Francia, el hospicio de las mujeres. Debemos realizar un esfuerzo, o intentarlo al menos, para imaginarnos la Salpêtrière como ese inverosímil lugar consagrado a la feminidad en el mismísimo corazón de París: quiero decir, como una ciudad de mujeres, *la ciudad de las mujeres incurables*.

---

[1] Cfr. Guillain y Mathieu, 1925, pág. 41.
[2] «Délibération de l'Hôpital général», 1679, cit. por Foucault, 1961, pág. 97.

Tres mil mujeres encerradas desde 1690. ¡Tres mil! Tres mil indigentes, vagabundas, mendigas, «mujeres caducas», «viejas pueriles», epilépticas, «mujeres chochas», «inocentes mal proporcionadas y contrahechas», muchachas incorregibles... en una palabra: locas. Y en 1873 sumaban un total de 4.383 personas, de las cuales 580 eran empleadas, 87 «en reposo», 2.780 «administradas», 853 «dementes» y 103 niños[3]. Lugar señero de la muerte femenina en 275.448 metros cuadrados [3], que albergaba, en su centro, una espléndida iglesia de planta cruciforme[4].

En 1863, el Director de la Administración general de la Asistencia pública, el señor Husson, presentaba al Senador y Prefecto del Sena, el señor Dupont, su voluminosa *Relación sobre el servicio prestado a los dementes del departamento del Sena para el año 1862*[5]: el mismo año en que Charcot ingresó en la Salpêtrière. Veamos a continuación unas interesantes estadísticas. Aproximadamente un médico por cada quinientos enfermos. Tres regímenes alimenticios: dementes a dos raciones diarias, dementes a una ración diaria y dementes a dieta. Ciento cincuenta y tres crisis epilépticas al año. Coeficiente de curación estimado en el 9,72 por ciento. Doscientas cincuenta y cuatro mujeres fallecidas en 1862, «presuntamente a causa de su demencia». Pero ¿qué causas para ser exactos? El señor Husson enumeró sesenta: treinta y ocho de tipo físico (entre ellas, el onanismo, las escrófulas, los golpes y las heridas, el vicio y el libertinaje, el cólera, la erotomanía, el alcoholismo y las violaciones); veintiuna causas morales (el amor, la alegría, las «malas lecturas», la nostalgia y la desgracia...), y una que reagrupaba todas las «causas desconocidas»[6].

La histeria aún no aparece formando parte de ese vocabulario.

Las mejoras del señor Husson en la gestión de la Salpêtrière en 1862: una parte del patio se convirtió en jardín y se compró un piano[7].

---

[3] Cfr. Losserand, 1978, pág. 429.
[4] Cfr. Sonolet, 1958, *passim.*
[5] Cfr. Husson, 1863, *passim.* Véase también Husson, 1862, *passim.*
[6] *Ídem,* págs. LVI-LVII y ss.
[7] *Ídem,* pág. 11.

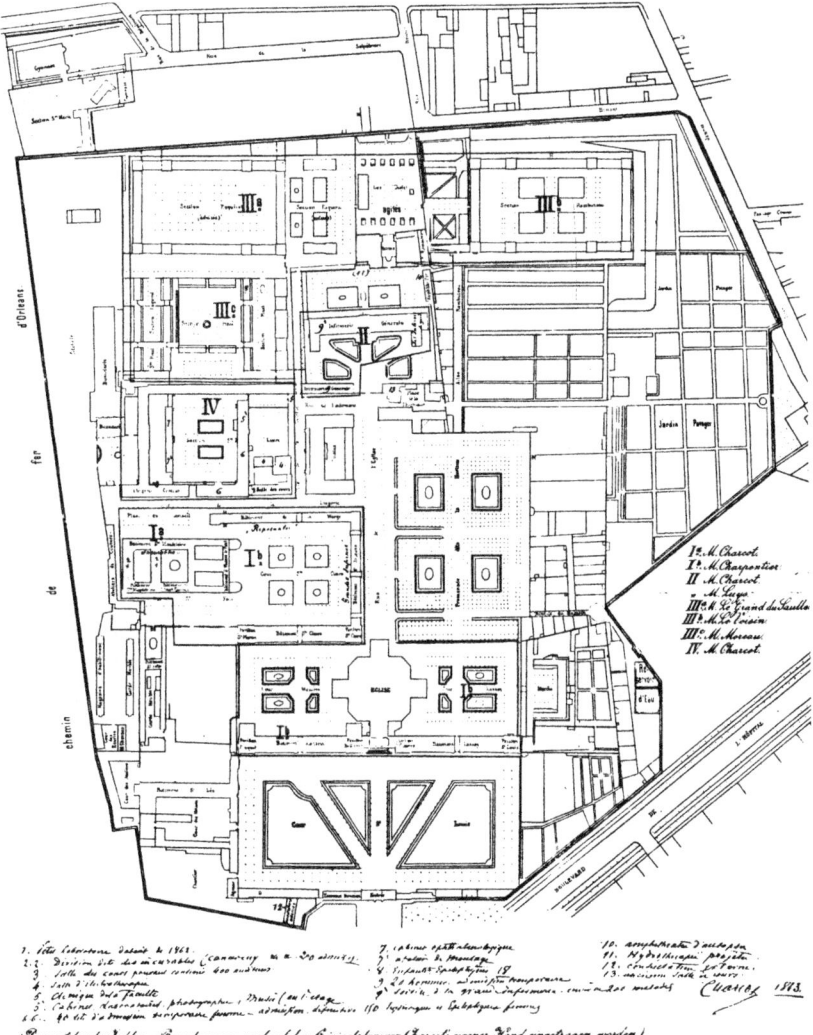

3. Plano de la Salpêtrière, con anotaciones de Charcot.

DESCENSO A LOS INFIERNOS

Aquel sitio fue, sin embargo, lo más parecido a un infierno. La imaginería, por otra parte, no se equivocaba [4]; existieron las conmiseraciones literarias de los admiradores de Charcot, que venían a «visitar» la Salpêtrière y «asistían» a las célebres lecciones de los martes, como atestigua el siguiente texto de Jules Clarétie (nada menos que miembro de la Academia francesa):

> Detrás de estas murallas vive, se agita y se arrastra, a la vez, toda una población muy particular: ancianas, pobres mujeres y *reposantes* esperando la muerte sentadas en un banco, dementes que expresan a gritos su dolor o con llantos su tristeza en el «patio de los agitados» o en la soledad de sus celdas. Los muros gruesos y grises de esta *città dolorosa* parecen haber conservado, en su solemne vetustez, el carácter majestuoso de un barrio de los tiempos de Luis XIV olvidado en el París de los tranvías eléctricos. Aquello es como el Versalles del dolor[8].

Dicho texto (titulado *Charcot, el Consolador)* de hecho no hacía más que dirigir sus esfuerzos a lo siguiente: en esa ciudad dolorosa, Charcot fue no sólo un Rey Sol o un César, sino también un apóstol: el que «dominó su época y la consoló»[9]. Charcot también fue identificado con Napoleón Bonaparte.

Pero, sobre todo, rasgos como su «bella frente pensativa», «rostro sombrío», «cejas graves», «ojos escrutadores, hundidos profundamente en la sombra de las órbitas», «labios habituados al silencio» o «cabeza modelada a la antigua» provocaron la identificación de Charcot con Dante, el mismísimo Dante del Descenso a los Infiernos...[10]. «Lasciate ogni speranza voi ch'intrate»... «Quebrantó el alto sueño de mi mente un

---

[8] Clarétie, 1903, págs. 179-180.

[9] *Ídem,* pág. 179.

[10] Cfr. Souques, 1925, págs. 3-4; Daudet, 1922, pág. 205; Gilles de la Tourette, 1893, pág. 245.

4. El patio de las
reclusas en
la Salpêtrière.
Dibujo de Vierge,
publicado en *Paris
illustré,* 24 de
septiembre
de 1887.

grave trueno, y vime recobrado como aquel que despiertan bruscamente; volvime en torno con mirar pausado y, puesto en pie, con la mirada atenta, quise saber adónde había llegado. De que estaba en la proa me di cuenta del valle del abismo doloroso que de quejas acoge la tormenta»: círculo primero, limbo...[11].

Las hagiografías de Charcot no han pasado por alto el hecho de que durante años estuvo confrontado a esas *infernales mujeres,* que mostraban sus senos colgando y sus vestidos abiertos, que se retorcían, y como un rebaño de víctimas propiciatorias, se arrastraban tras él musitando un largo mugido[12]; pero han insistido especialmente en el hecho de que *no era por culpa suya:* fue «muy a su pesar» que Charcot «se vio inmerso en medio de la histeria». ¡Por azar de naturaleza burocrática! (pero cuyas consecuencias epistemológicas se revelarán en sus decisivas dimensiones...).

El azar hizo que el ala Saint-Laure de la Salpêtrière se encontrara en un estado tan ruinoso que la Administración hos-

---

[11] Dante, *OC,* págs. 900-901.
[12] Cfr. Baudelaire, *OC,* I, pág. 20 («Don Juan en los infiernos»).

pitalaria tuvo que ordenar su evacuación. Este edificio pertenecía al servicio de Psiquiatría del doctor Delasiauve. En él estaban hospitalizadas, todas mezcladas, las dementes, las epilépticas y las histéricas. La Administración aprovechó la evacuación de este edificio para *separar por fin* a las dementes de las epilépticas no dementes y de las histéricas, y como ambas categorías de enfermas presentaban crisis acompañadas de convulsiones, la Administración vio lógico reunirlas y crear para ellas un *barrio especial* bajo el nombre de «Sección de las epilépticas simples». Como Charcot era el más veterano de los dos médicos que trabajaban en la Salpêtrière, este nuevo servicio le fue confiado automáticamente. Fue así como, de forma involuntaria, y a causa de una sucesión de acontecimientos, Charcot se vio inmerso en plena histeria[13].

VENI-VIDI

Así pues, Charcot descendió a los infiernos. Ahora bien, allí no se sintió mal del todo.

Pues aquellas cuatro o cinco mil infernales mujeres le ofrecían un enorme *material:* Charcot, inmerso desde 1862 en los infiernos, tenía de hecho la agradable —y científica, al igual que se dice calorífica, soporífera u honorífica, siendo ese sufijo *-fica* como una derivación factitiva muy, muy fuerte[14]— sensación de penetrar en un museo, así de simple. Él mismo así lo definió: un *museo patológico vivo,* con su «fondo» antiguo y su «fondo» nuevo... [cfr. Apéndice 1].

Cuando vuelve a calificarlo de «enorme *emporio* de las miserias humanas»[15], lo hace para añadir enseguida que, merced a sus esfuerzos, se trazó un catálogo, y que el emporio, el almacén, se convirtió, gracias a sus esmeros, en «la sede de una enseñanza teórica y clínica verdaderamente útil»[16].

Pues esta apuesta es una apuesta por el conocimiento. En 1872, Charcot es nombrado profesor de anatomía patológica, pero eso no era suficiente para la verdadera fundación

---

[13] Marie, cit. por Guillain, 1955, págs. 134-135 (la cursiva es mía).
[14] Cfr. Benveniste, 1966-1974, II, págs. 248-249.
[15] Charcot, *OC,* I, pág. 2.
[16] *Ibídem.*

de un nuevo saber. Necesitó la ayuda de su amigo Gambetta, que logró que el Parlamento aprobara en 1881 un crédito de doscientos mil francos para la creación de una «cátedra de clínica de las enfermedades nerviosas» en la Salpêtrière: la invención de Charcot. ¿Acaso no fue una inversión más espléndida que la compra de un piano o el crédito para construir un jardín?

EMPORIO-IMPERIO

El «cesarismo de la Facultad»[17]: así se vio obligado a calificar el propio Léon Daudet la posición de Charcot, con quien no obstante mantenía relaciones de familiaridad, por parte de su padre, el célebre Alphonse, por supuesto. En efecto, con Charcot se magnifica la figura del médico, tan tenaz en lo sucesivo, como *Patrón*. Puede que eso no constituya entonces más que la dimensión espectacular de una inmanencia del poder médico (apuntalada, entre otras cosas, por la ley de 1892 sobre el monopolio del ejercicio de la medicina); pero ello no obsta a que su magnificencia nos deje sin palabras.

Es la gran época de una medicina con estilo propio, una medicina que es necesario examinar: la medicina de la *belle époque*.

Charcot: inmensidades y magnificencias de los campos recorridos: el reumatismo crónico, la gota, las enfermedades seniles, la claudicación intermitente, la paraplejia dolorosa de los cancerosos, las hemorragias cerebrales, las escaras en las nalgas, el bocio exoftálmico, la esclerosis lateral amiotrófica, conocida como enfermedad de Charcot, la amiotrofia denominada de Charcot-Marie, la esclerosis en placas, el tabes y las artropatías tabéticas, las localizaciones medulares, la afasia, una teoría de las localizaciones cerebrales, un avance considerable en la anatomía patológica... Se convirtió muy rápido en un autor clásico: desde 1877, los colegiales de Oxford debían realizar una traducción de su obra, al igual que lo ha-

---

[17] Cfr. Daudet, 1894, *passim;* Daudet, 1922, págs. 197-243.

cían con Hipócrates y Celso, al examinarse del título de «Degree of Bachelor of Medicine».

Sus obras son traducidas a todas las lenguas, el inglés, el ruso, el alemán (Freud, en especial, se consagró a esta tarea en 1886 y 1892-1894), el portugués, y no sigo.

Excelso diagnosticador, con una clientela privada internacional y famosa, compuesta por grandes duques de Rusia, hijos del rey de Túnez, un emperador de Brasil, un ministro de finanzas (el banquero Fould, su primer cliente importante, desde 1853-1855), y también lo dejo aquí.

Fundador de una escuela y de una corriente de pensamiento: *«la Escuela de la Salpêtrière»*... ¡con innumerables discípulos! Maestro e inspirado censor: «Ninguno de sus alumnos publicó jamás un trabajo de cierta relevancia sin que él antes lo hubiera releído y corregido de su puño y letra. ¡Y cuánto mejoraban con sus correcciones!»[18].

Clases magistrales de los viernes, lecciones de los martes. Veladas cada martes en su domicilio privado, situado en el número 217 del Boulevard Sant-Germain, a las que acude, por su puesto, todo el *beau monde:* personalidades del mundo de la medicina y de la política (Waldeck-Rousseau), los pintores y escultores más famosos (Gérôme, Rochegrosse, Dalou, Falguière), arquitectos (Charles Garnier), «literatos» (los Daudet, Mistral, T. de Banville, Burty, Clarétie), coleccionistas de arte (Cernuschi), prefectos de policía (Lépine), e incluso cardenales (Lavigerie).

Pero, ante todo, Charcot pasa por ser el fundador de la neurología. Cuatrocientas sesenta y una páginas de homenajes reunidas para el centenario de su nacimiento[19]; e incluso en 1955 se le volvió a rendir homenaje por haber abierto el camino a la psiquiatría que se practica hoy en día, la nuestra: «Desde el punto de vista terapéutico, preconizó muy acertadamente, antes de nuestra época, el aislamiento de los enfermos, la persuasión, los agentes físicos, la electrización»[20].

Y, de paso, redescubrió la histeria.

---

[18] Gilles de la Tourette, 1893, pág. 249.

[19] Cfr. *Revue Neurologique,* 1925, págs. 731-1192.

[20] Guillain, 1955, pág. 143.

DAR NOMBRE A LA HISTERIA

En el obituario que le consagró en 1893, Freud comparaba a Charcot, curiosamente, con una estatua: la de Cuvier en el Jardin des Plantes (¿sería por estar petrificado en medio de las especies a las que él mismo había dado categoría y reglamentado?). Y, a continuación, Freud la enlazaba, siguiendo la lógica de lo extraño, con otro símil: Charcot es como Adán, un Adán ante el que Dios habría hecho desfilar las entidades nosológicas, con el objeto de que éste les diese nombre...[21].

Charcot verdaderamente redescubrió la histeria (y a este respecto, su obra es fundacional... pero ¿fundacional de qué exactamente? Lo tenemos delante de nuestros ojos). Charcot dio nombre a la histeria. Sobre todo, la separó de la epilepsia y del resto de las enajenaciones mentales; en suma, *la aisló como objeto nosológico puro*. ¿Quiere eso decir que comprendió los resortes y dedujo un procedimiento terapéutico? No, exactamente. Entonces, ¿qué hizo o qué quiso hacer *de más* respecto la histeria?, ¿qué hizo, pues, con la histeria? O bien: ¿qué sucedió entre ese momento, ejemplar, en el que Charcot afirma que la palabra «histeria», después de todo, no significa nada[22]... y el «desmembramiento» de la histeria, es decir, la tentativa primordial que tuvieron los discípulos de Charcot de suprimir la palabra a la muerte del maestro?[23].

EL ARTE DE GENERAR HECHOS

Me pregunto si no estaré siendo injusto. Pues, al igual que sostengo lo anterior, también he de admitir que en la producción de Charcot hay un evidente *intento de comprender* qué es la histeria. Sin duda alguna. Y esos intentos fueron metódicos, de un método honesto.

---

[21] Freud, 1893, pág. 13; Nassif, 1968, pág. 155; Laplassotte, 1978, páginas 220-225.

[22] Cfr. Charcot, 1888-1889, pág. 37.

[23] Cfr. Babinski, 1934, págs. 457-527.

Pero, como el método acabó fracasando (debido a su funcionamiento *excesivo,* correcto o incorrecto), aquel intento se convirtió en algo irracional, sin sentido, y después, de alguna manera, en algo innoble. Pero antes que nada, ¿cuál fue ese método? ¿Cuáles eran las aspiraciones de Charcot? ¿Qué esperaba conseguir esencialmente de sus métodos? Deseaba que *todo aquello le inspirase una idea:* un concepto justo de la «vida patológica», en este caso la del sistema nervioso. Pierre Janet tenía razón al insistir en el hecho de que Charcot «concedía a la *teoría,* a la *interpretación de los hechos,* tanta importancia como a su descripción»[24]. ¿Y cómo esperaba que aquella idea le fuese inspirada?: *provocando su observación,* su visibilidad sistematizada.

Este argumento formula, de manera estricta, la definición del método experimental, tal como la expresa Claude Bernard. Insisto, pues. Bernard escribe que el método experimental no es la simple observación, sino una observación «provocada»: ello quiere decir, en primer lugar, *el arte de generar hechos,* y, en segundo lugar, *el arte de sacar partido de ellos*[25]. La observación, en tanto que «puesta en acción», se convierte en *experiencia.* Y, como sostiene Bernard, debemos aprender a creer únicamente en la experiencia, porque sólo ella es ajena a cualquier doctrina[26].

Ahora bien, aquí llego ya a una especie de linde doctrinal, y por ello precisamente denegatorio, del planteamiento de este método: esto es, que dicha metodología sólo descanse sobre hechos y jamás sobre palabras[27]; que esté libre de toda idea y que sepa «huir de las ideas fijas»[28]; en fin, que ofrezca una garantía contra la aporía de los «hechos contradictorios»[29]. Me refiero a la denegación porque todo, en la clínica de Charcot relativa a la histeria, lleva la marca, justamente, de una idea fija y que depende quizá de un debate al borde de la desesperación: el de un saber basado en cuerpos, actos y «ob-

---

[24] Janet, 1895, pág. 573.
[25] Bernard, 1865, pág. 24.
[26] *Ídem,* págs. 382-396.
[27] *Ídem,* págs. 322-332.
[28] *Ídem,* págs. 63-71.
[29] *Ídem,* págs. 304-313.

servaciones» que, pese a su «puesta en marcha», siguen cuajados de contradicciones.

Nos queda, sin embargo, que el método experimental está concebido para desafiar estas contradicciones y que, como «arte de generar hechos», descansa tanto sobre una estética como sobre una ética de los actos.

LA VIDA PATOLÓGICA, LA NATURALEZA MUERTA

Conocer la «vida patológica» sin recurrir a los despojos cadavéricos planteaba también al método experimental un dilema cuya decisiva resolución fue aportada por Claude Bernard:

> Si queremos alcanzar las condiciones exactas de las manifestaciones vitales en el hombre y en los animales superiores, en absoluto deberemos buscarlas en el medio cósmico exterior, sino más bien en el medio orgánico interno (...). Pero ¿cómo podemos conocer el medio interno de un organismo tan complejo como el del hombre y los animales superiores si no es descendiendo de alguna manera a su interior y penetrando en él por medio de la experimentación aplicada a los cuerpos vivos? Lo que significa que, para analizar los fenómenos vitales, es preciso penetrar en los organismos vivos con la ayuda de procedimientos de vivisección[30].

Para conocer la vida, resulta necesario viviseccionarla. El propio Charcot tuvo que enfrentarse a un dilema mucho más temible: pues no se puede, de ninguna manera, poner todos los nervios de una enferma en carne viva para ver qué resulta, y todavía menos penetrar en la «vida patológica» de las circunvoluciones cerebrales de una mente perturbada sin quitarle la vida. ¿Deberíamos entonces obligarnos a *observar sin tocar,* y a conformarnos con no *observar más que la superficie?*

Ciertamente no, pues la patología debe en este punto hacer todo lo posible para superar el simple reconocimiento

---

[30] *Ídem,* págs. 170-171.

de los síntomas e, incluso, un puro punto de vista de la anatomía patológica: el estudio de las enfermedades del sistema nervioso debe dirigirse ante todo bajo la forma de una «patología de las regulaciones funcionales»[31]. Tampoco se trata de que tengamos que subordinar toda la patología a la investigación fisiológica; no obstante, «la observación clínica debe aliarse con las ciencias generales y aproximarse progresivamente a la fisiología para dar origen a una medicina verdaderamente racional»[32]. Y es en la prolongación del punto de vista funcional, de sus esquemas neuromotores y sus regulaciones fisiológicas, como la región psicofisiológica se abrirá a la posibilidad misma de una *representación:*

> Mi explicación quizá les parezca difícil y traída por los pelos. Comprendo que la inteligencia exige, en ese sentido, estudios de mayor o menor profundidad que no están al alcance de todos. Tal vez sea preciso acostumbrarse un poco, pues en materia de enfermedades nerviosas, la psicología está presente, y lo que yo denomino psicología es la fisiología racional de la corteza cerebral[33].

Veinte años antes de esta afirmación se sostenía lo siguiente:

> Señores, nos queda por determinar las relaciones que deben existir actualmente entre la patología y la fisiología (...). Si bien está admitido que los seres vivos presentan *fenómenos que no se encuentran en la naturaleza muerta,* y que, en consecuencia, les pertenecen en exclusividad, la nueva fisiología *se resiste absolutamente* a considerar la vida como una influencia misteriosa y sobrenatural que obraría a su capricho emancipándose de toda ley. Dicha fisiología llega incluso a creer que llegará un día en que las propiedades vitales se reducirán a propiedades de orden físico[34].

---

[31] Canguilhem, 1966, pág. 142. Cfr. Charcot, 1867, págs. 4-5.
[32] Charcot, 1867, pág. 21. Cfr. Charcot, *OC,* III, pág. 9 (citando a C. Bernard).
[33] Charcot, 1887-1888, pág. 115.
[34] Charcot, 1867, pág. 17 (la cursiva es mía).

LA AUTOPSIA ANTICIPADA EN EL SÍNTOMA

Charcot se vio de hecho forzado a *idealizar* su método; es decir, a irrealizarlo en cierto sentido: la idealización estaría próxima a la sublimación; no obstante, se distingue de ella[35]; desempeña un papel eminentemente defensivo, constituye un compromiso. Y el «método anatomoclínico», tal como lo promueve Charcot, podría definirse en los siguientes términos:

Un compromiso con los *objetivos,* fisiológicos y esencialistas, en el estudio de las enfermedades nerviosas: aunque no podamos ver cómo funciona un cerebro, podremos descubrir los efectos provocados por las alteraciones de su funcionamiento gracias a los síntomas corporales, y por lo tanto diagnosticarlas[36].

Un compromiso con el *tiempo* empleado en la observación; puesto que Charcot se habrá visto obligado a ello, más exactamente a lo siguiente: estudiar («metódicamente», «con precisión») los síntomas que presenta el paciente. *A continuación,* estudiar (es decir, tras la muerte de dicho paciente) el «foco» de las lesiones constatadas; repetir estos estudios en un gran número de casos, y confrontarlos a fin de fijar con certeza este «foco concreto» de las lesiones que *han tenido* como consecuencia esos determinados síntomas. En otras palabras: la doctrina de las «localizaciones cerebrales», título creado a mayor gloria de Charcot.

Esta doctrina depende, pues, de una *temporalización, más o menos paradójica, de la mirada clínica:* anticipa sobre cuerpos vivos los resultados de una autopsia. Y se jacta de ello al bautizarse a sí misma con el término «anatomía» (del griego *anatémnein:* desgarrar un cuerpo, abrirlo, disecarlo) «sobre cuerpos vivos»[37].

---

[35] Cfr. Freud, 1914c, pág. 99.
[36] Cfr. Charcot y Pitres, 1895, pág. 17.
[37] Cfr. Meige, 1907, pág. 97.

EJERCICIO DE LA CLÍNICA

Ahora bien, es en la «invariante de la clínica» donde «la medicina habría urdido la verdad y el tiempo»[38]: la clínica se afirmó a sí misma como «la era absoluta» de la medicina, la era de un saber absoluto. Al mismo tiempo, Charcot ya reconocía la existencia de una limitación: es mera práctica, mero ejercicio. Pero también algo esencial, pues es el mismísimo ejercicio del «arte», y es el ejercicio del «poder» (médico, terapéutico):

> Pero mantengo que, en este concierto, el papel preponderante y la suprema jurisdicción deberán pertenecer siempre a la observación clínica. Con esta declaración me pongo bajo la protección de los jefes de la Escuela francesa, nuestros maestros más inmediatos, cuyas enseñanzas han iluminado con su vivo resplandor la Facultad de Medicina de París, a la cual tengo el honor de pertenecer[39].

(«Pero mantengo...»: ¿acaso no se trataría de una fórmula para expresar lo que yo he calificado de compromiso?)

Lo cierto es que la dificultad metodológica, anteriormente evocada, transita o se transforma en una formidable escalada de protocolos clínicos: ya no sólo estarán las tradicionales lecciones de los martes y de los viernes [cfr. Apéndice 2], sino también la creación de una «policlínica», de un servicio de consultas «externas» para los enfermos:

> Ésta va creciendo día a día y, según las cifras aportadas por el señor Georges Guinon, se puede estimar en 5.000 el número de consultas anuales. Es de esperar que en semejante número puedan encontrarse numerosos casos interesantes[40].

El protocolo es el siguiente: clasificación, muestra, clasificación, comparaciones, reconocimiento, diagnóstico, instrucciones terapéuticas:

---

[38] Foucault, 1963, pág. 54.
[39] Charcot, *OC*, III, pág. 22.
[40] Charcot, 1892-1893, I, pág. 11.

Se sienta junto a una mesa vacía, y enseguida hace venir al enfermo que va a estudiar. Se le desnuda íntegramente. El interno lee una observación, el Maestro escucha atentamente. A continuación, un largo silencio durante el cual observa, observa al paciente, mientras da golpecitos con una mano sobre la mesa. Los ayudantes, de pie, esperan ansiosos una palabra que los instruya. Charcot continúa callado. Después, ordena al paciente que realice un movimiento, le hace hablar, pide que se busquen sus reflejos, que se explore su sensibilidad. Y de nuevo, se hace el silencio, el silencio misterioso de Charcot. Por fin hace venir a un segundo enfermo, lo examina como a su predecesor, requiere un tercero, y siempre sin articular palabra, los compara unos con otros.

Esta observación minuciosa, principalmente visual, está en el origen de todos los descubrimientos de Charcot. El artista que, en su caso, iba parejo con el médico, no permaneció ajeno a estos hallazgos.

Suenan las doce del mediodía, se incorpora. Algunas instrucciones a sus internos y, con pasos cortos, seguido de su servicio, regresa a su carruaje, da unas cariñosas palmaditas a los caballos de su landó de alquiler, un breve saludo a quienes lo rodean. Y se marcha[41] [cfr. Apéndice 3].

Dramaturgia de las comparecencias

Una mirada que observa y se aparta, o bien simula apartarse, simula intervenir. Una mirada muda, sin gesto. Finge ser pura, ser la «mirada clínica» ideal, dotada únicamente de lo siguiente: es capaz de escuchar un lenguaje en el espectáculo que le «ofrece» la vida patológica[42]. Pero ¿existe acaso espectáculo alguno sin puesta en escena?

Y si realmente existe una frontera entre clínica y experimentación... ¡pues bien!, Charcot la habrá, pese a todo y a menudo, transgredido: obnubilándola. Ante ello se dirá que no fue culpa suya, sino de las enfermedades nerviosas, a las que estaba dedicado; esas enfermedades que, justamente, «experimentan» sobre el cuerpo al servicio de una «idea fija»,

---

[41] Souques y Meige. Cit. por Guillain, 1955, pág. 51.
[42] Cfr. Foucault, 1963, págs. 107-108.

como solía decirse. Así pues, ¿la «mirada clínica», tal como la practicó Charcot, estaría más o menos obligada por su propio objeto a no verse depurada de cualquier intervención experimental? ¿Charcot no contribuyó personalmente a ello?

Ahora bien, el relato de Souques y de Meige lleva a pensar que Charcot casi pudo llegar a arreglárselas sin las clásicas preguntas: «¿Qué tiene usted?», «¿dónde le duele?»... Pues parecía *siempre que ya lo había visto.*

De pocas palabras, pero muy eficaz: retrospectivamente, parecía haber sido el más importante director de escena de los síntomas que, a su vez, ¡le hablaban de sí mismos! Y en esta silenciosa dramaturgia, *el síntoma se transformaba en signo:* daba la sensación de que a Charcot le bastaba con «ordenar un movimiento al enfermo» o hacer que un segundo paciente se aproximara a su lado, o a un tercero, para que, de golpe, la visibilidad de su *comparecencia* se transfigurara en una visibilidad explicativa. Un signo. Un signo, es decir, la circunscripción temporal de las criptografías precarias y llenas de lagunas inherentes al síntoma. «El signo anuncia, pronostica lo que va a suceder; hace una evaluación anamnésica de lo que ha pasado; diagnostica lo que se desarrolla en la actualidad»[43].

CASO

¿Y cómo podemos, justamente, circunscribir la actualidad del síntoma? ¿A partir de su presente? ¿Cómo poner en escena su comparecencia catastrófica y, por lo tanto, singular? Instituyéndola en primer lugar como *caso.*

El «caso» asigna el primer «género» de la clínica, y con ello diseña ya toda la «estilística». Responde en primer lugar a un deseo de integración: deja a voluntad la individualidad del cuerpo enfermo, como tal, sin desatender su siempre posible valor de contraprueba. Pero esto no es más que una argucia de la razón. Porque de hecho quiere, la clínica quiero decir: Charcot quiere *estar listo ante cualquier cosa,* incluso ante sus propias estupefacciones nosológicas. La clínica quiere prever

---

[43] *Ídem,* pág. 89.

el «no llegar a creerse» un caso extraordinario, e incluso —y por ello— lo apela, lo convoca. Es científica: la ciencia llama y desafía a los desafíos de la ciencia.

> Entre estos casos, hay uno que destaca entre todos y que será objeto de nuestra primera entrevista: es —si no me equivoco— un legítimo ejemplo de una afección rara, muy rara, y cuya existencia misma es discutida por la mayoría de los médicos. No debe desdeñarse, señores míos, el examen de los casos excepcionales. No siempre son un simple aliciente para alimentar la vana curiosidad. En efecto, muchas veces proporcionan la solución a problemas difíciles. En esto son comparables a esas especies perdidas o paradójicas que el naturalista busca con cuidado, porque establecen la transición entre los grupos zoológicos o permiten esclarecer algún punto oscuro de la anatomía o de la fisiología filosóficas[44].

(Excepcional y paradójico, y, sin embargo, legitimado: aquel caso no era otro, por supuesto, que un caso de histeria...).

La clínica apela, pues, a lo excepcional por deseo de integración tanto como por «integridad»: pues la multiplicidad, una vez recorrida por completo (el momento ideal al que se aspira), se apartará de sí misma, como multiplicidad y como contingencia: se integrará, en el trazado mismo del procedimiento. Y los alardes barrocos del caso no son más que un ardid de la razón clasificadora. Queda formulada la cuestión del estilo.

CUADROS

La clasificación configura el desorden y la multiplicidad de los casos; hace cuadros con ellos. ¿Y qué es un cuadro? (Un cuadro no tiene ser, sólo tiene *quasi* seres; pero tampoco existe haber... Esto no es una respuesta.) Hace las veces de. Y prolifera. Sin embargo, responde a algo como la preocupación por *una organización de lo simultáneo;* la medicina giraba, desde hacía ya bastante tiempo, en torno a un fantasma del lenguaje-

---

[44] Charcot, *OC,* I, pág. 277.

cuadro: su lenguaje propio, el de integrar el «caso», su carácter sucesivo, y sobre todo su diseminación temporal, en un espacio bidimensional, simultáneo, en una tabulación, incluso en un trazado sobre un fondo de coordenadas cartesianas; esta tabulación constituirá un «retrato» exacto de «la» enfermedad, en la medida en que habrá expuesto, con absoluta visibilidad, lo que el historial de una enfermedad (con sus remisiones, sus causalidades concurrentes o percurrentes) tendía a ocultar.

Y cuando se sueña así como un lenguaje-cuadro, la medicina se consagra al propósito, al deseo de resolver una doble aporía: aporía de la *forma de las formas,* en primer lugar. El «tipo», según Charcot, es justamente la forma del «conjunto» de los síntomas, a partir de la cual una enfermedad llega a existir como concepto nosológico; es un *«conjunto de síntomas que *depenten* los unos de los otros, que se disponen en *jerarquía,* que pueden ser *clasificados* en grupos bien delimitados, que sobre todo, por su naturaleza y por sus combinaciones, se *distinguen* de forma evidente de los caracteres de otras enfermedades semejantes»[45]. Esto resulta crucial tratándose de la histeria, pues todo el esfuerzo de Charcot estuvo encaminado a desmentir de la manera más categórica posible la célebre definición de la histeria realizada por Briquet (recogiendo las de Galeno y Sydenham): «Un Proteo que se presenta bajo un millar de formas y que no podemos asir bajo ninguna de ellas»[46].

Aporía de *la forma de los movimientos temporales,* a continuación. Si una gramática de lo visible se plantea así, es para fundir completamente el síntoma en signo, más exactamente en signo probabilístico: para administrar espacialmente temporalidades dispersas. Pues el tiempo inestable del «caso» se convertiría así en el elemento ínfimo de un importante procedimiento narrativo-tabulario, donde historial, diagnóstico y pronóstico serían configurados simultáneamente: un verdadero sueño *a lo Condillac*[47].

---

[45] Janet, 1895, pág. 576.

[46] Cfr. Briquet, 1859, pág. 5. Cfr. Charcot, prefacio a Richer, 1881-1885, pág. VII.

[47] Cfr. Foucault, 1963, págs. 95-97, 105.

Pero ¿no es conceder una sorprendente confianza a la forma?

OBSERVACIONES, DESCRIPCIONES

No puedo más que asombrarme ante lo siguiente (decía Freud): ¿cómo pudieron hacer mella en los autores las observaciones consecuentes y precisas de las histéricas? En realidad, las enfermas son incapaces de establecer semejantes informes sobre ellas mismas. Pueden, eso sí, proporcionar al médico datos suficientes y coherentes sobre tal o cual época de su vida, pero entonces a este periodo le sigue otro en el que los datos proporcionados se convierten en irrelevantes y dejan entrever lagunas y enigmas. Nos encontramos de nuevo en presencia de periodos completamente oscuros, que no alumbran ningún dato aprovechable. Los vínculos, incluso ostensibles, resultan en su mayoría faltos de ilación y la sucesión de distintos acontecimientos, incierta[48]. Pues el tiempo se obstina en las criptografías del síntoma; siempre se inflexiona, se dobla y vuelve a doblarse pero, en cierto modo, permanece firme. ¡Y en qué medida es así en el caso de la histeria!

Un lenguaje-cuadro es creado con el objeto de ignorar tanto la obstinación como el sentido de las inflexiones. Caso y cuadro culminan en la *observación,* acto de vigilancia: el gran género de la psiquiatría. Ahora bien, al menos en Charcot, la observación tiende menos hacia una narratividad íntima de la historia patológica (es difícil pensar que no habría intuido esta firmeza del tiempo en la histeria) que hacia una descripción bien hecha de los *estados del cuerpo.* Fabrica para ellas, es verdad, una naturaleza sucesiva, pero admite implícitamente el contenido hipotético, de modo que la reinventa.

Lo que debe salvar a cualquier precio es la forma. Lo que se escribe, a partir del caso y con el objeto de registrarlo por completo, es como un alfabeto de los signos visibles de los cuerpos. Verlo todo, saberlo todo. Circunscribir (que no escribir). Hacer que el ojo discurra (y no hablar ni tampoco escuchar verdaderamente): el ideal de la *descripción exhaustiva.*

---

[48] Freud, 1901-1905, págs. 8-9.

Saben ustedes que en toda descripción bien hecha hay un notable poder de propagación. En un momento dado, se hace la luz con tal fuerza que golpea los espíritus menos preparados; aquello que hasta entonces permanecía en la nada comienza a vivir y entonces tiene lugar algo inmenso, inmenso para la patología, como es la descripción de una especie mórbida desconocida hasta la fecha[49].

CURIOSIDADES

En este texto observamos que se franquea subrepticiamente un umbral: la experiencia clínica termina identificándose, qué duda cabe, con una especie de *«noble sensibilidad»*. Una sensibilidad «concreta» o, si se prefiere, un saber «sensorial»[50]: una estética, en cualquier caso, una estética sabia (la susodicha alma noble).

Y no hay un solo biógrafo de Charcot que no haya insistido en su «capacidad» y su «gusto» artísticos, e incluso en su vocación de pintor[51].

Freud, en su artículo de 1893, también insistió en esta vocación figurativa:

No era un hombre reflexivo, un pensador: tenía la naturaleza de un artista; era, por emplear sus propias palabras, un *visual,* un hombre que ve. Eso es lo que él mismo nos ha enseñado a propósito de su método de trabajo. Miraba una y otra vez las cosas que no llegaba a comprender, con el fin de profundizar un día tras otro en la impresión que le dejaban, hasta que su comprensión de tales cosas le llegaba de repente. Entonces, a ojos de su espíritu, el aparente caos que presentaba la continua repetición de los mismos síntomas daba paso al orden (...). Era habitual oírle decir que la mayor satisfacción que un hombre podía alcanzar era ver cualquier cosa nueva, es decir, reconocerla como algo nuevo; y llamaba sin cesar la atención sobre la dificultad y el valor de este tipo de «visión». Llegaba a preguntarse por qué los médicos no veían más que aquello que habían aprendido a ver. Decía que resul-

---

49 Charcot, 1887-1888, pág. 231.
50 Cfr. Foucault, 1963, págs. 121-123.
51 Cfr. Souques, 1925, págs. 24-30; Guillain, 1955, págs. 10-11, 26-30, y ss.

taba maravilloso constatar cómo uno era capaz de ver de repente cosas nuevas, nuevos estados de una enfermedad, que probablemente fueran tan antiguos como la raza humana...[52].

No parar nunca: ver cosas nuevas, siempre, una inagotable *curiosidad*. La curiosidad (sea dicho de paso) es, según Burke, el indispensable primer paso en el camino de lo sublime[53].

Cura y curiosidad: idéntica raíz, múltiples sentidos, como si delimitasen el debate mismo de Charcot con la histeria. No debemos olvidar que la palabra «cura» es un término casi fundador de la psiquiatría[54]: la cura es cuidado, preocupación, tratamiento; pero de igual manera es carga, dirección, es decir, poder; y es el efecto mismo de este poder conjugado con la obsesión médica: una limpieza de arriba abajo (en el argot de los latinos en relación con el erotismo, *cura* designa también el objeto de la obsesión, de la curiosidad o incluso de la limpieza; es decir, el sexo). ¿Y acaso hay una *indiscreción* más esencial que esta curiosidad hecha poder?

Ahora bien, me gustaría preguntarme por aquello que, en la cura y en la curiosidad, señalaría un sentido más fundamental, que es la preocupación: *cura, la inquietud*. Mi pregunta sería la siguiente: ¿cuál es la inquietud que lleva a Charcot, y en todas partes en la Salpêtrière, a «ver algo nuevo» compulsiva y continuamente? ¿Cuál habría sido la estasis temporal? ¿Y quién, en lo visible, y en el *vis a vis* cotidiano de Charcot, habría exigido, íntimamente, esa estasis?

VISTAZOS, DISPARADORES

«Ver algo nuevo» es una protensión temporal del ver; esto depende tanto de un ideal (la ambición del sabio, el pronóstico clínico: ver es prever) como, creo yo, de una inquietud subyacente en la que el hecho de ver sería el de presentir. Esa

---

[52] Freud, 1893, págs. 12-13. Trad. al francés por Nassif, 1968, págs. 154-155; Nassif, 1977, págs. 58, 62.
[53] Cfr. Burke, 1757, págs. 55-57.
[54] Cfr. Foucault, 1961, págs. 326-342.

inestabilidad fundamental en el placer de ver, a la *Schaulust,* entre memoria y amenaza.

Su ideal es una certeza; sólo se accede a ella, en el tiempo de la visión, siempre intersubjetivo, como robo y anticipación[55]; es decir, que niega también el tiempo que la engendra, niega memoria y amenaza, se inventa a sí misma como una victoria sobre el tiempo (la susodicha alma noble).

Se inventa una instantaneidad y una eficacia del ver, cuando el hecho de ver encierra una formidable duración, tan sólo un momento de duda en la eficacia.

¿Y cuál es el fruto de su invención? Una ética del acto de ver. Se denomina, en primer lugar, *vistazo,* y depende de nuevo de esa «noble sensibilidad» con la que se identifica la observación clínica. Es un «ejercicio de los sentidos», un ejercicio, un paso al acto de ver: vistazo, diagnóstico, cura, pronóstico. El vistazo clínico es, por tanto, un contacto, que es ya a la vez ideal y categórico, es un dardo que va directo al cuerpo del enfermo y casi llega a palparlo.

Ahora bien, Charcot fue «más lejos» en la percusión en línea recta, en el contacto ideal y en la instantaneidad del dardo; armó su mirada para una percusión más sutil, menos táctil, ya que peleaba con la neurosis, urdimbre íntima y específica del fondo y de la superficie.

Y para ello se armó con la Fotografía.

---

[55] Cfr. Lacan, 1966, págs. 197-213.

CAPÍTULO 3

Leyendas de la fotografía

Ésta es la verdad. Jamás he proferido otra cosa; no tengo por costumbre apuntar cosas que no sean experimentalmente demostrables. Saben ustedes que, por principio, no tengo en cuenta la teoría y dejo de lado todos los prejuicios: si se quiere ver con claridad, hay que tomar las cosas como son. Parece que la histero-epilepsia sólo existe en Francia y me atrevo a decir, y de hecho se ha dicho alguna vez, que sólo en la Salpêtrière, como si yo la hubiera inventado por el poder de mi voluntad. Sería verdaderamente asombroso que pudiera crear así enfermedades por voluntad expresa de mi capricho y de mi imaginación. Pero, en realidad, mi labor allí es únicamente la de fotógrafo; registro lo que veo...[1].

Y con eso parece estar dicho todo.

A los detractores, a los calumniadores que le reprochaban «cultivar» la histeria en la Salpêtrière, es decir, inventarla, Charcot les responderá lo siguiente: en primer lugar, eso resultaría demasiado asombroso, por lo tanto es falso, es una ficción (pero veremos que lo asombroso supera la ficción, llevándola a cabo, y a pesar de ella). A continuación, y por encima de todo, Charcot les responderá por medio de un notable *rechazo de la teoría,* duplicado con una *alegación de «guión»:*

---

[1] Charcot, 1887-1888, pág. 178.

una anotación-descripción (un fantasma de escritura), entendida como apunte, como inmediatez del apunte: registro lo que veo.

El argumento señalado para que todo esto les resulte inobjetable a los puntillosos de costumbre: no invento nada —(puesto que) tomo las cosas como son—, (dado que) las fotografío. Y esto no era una metáfora.

EL MUSEO, RELEVO DE LO REAL

O más bien sí: era una metáfora, pero *recogida*, de la realidad. Representaba la connivencia de una práctica y de su valor metafórico (su valor de antaño, es decir, todo el primer medio siglo de la historia de la fotografía). Era, de hecho, como si el ideal de un ojo clínico absoluto y de una memoria absoluta de las formas estuviese a punto de convertirse en declaración original. De hecho, ¿no nació la fotografía en un momento en el que se esperaba no solamente el final de un periodo de la historia[2], sino también el advenimiento del saber absoluto? Hegel murió cuando Niepce y Daguerre apenas llevaban dos años asociados.

Por lo que respecta a Charcot, cuando inauguró su famosa «cátedra de las enfermedades del sistema nervioso» (que sigue existiendo), no se olvidó de subrayar él mismo la coherencia epistemológica y práctica de una *fábrica de imágenes* con su triple proyecto científico, terapéutico y pedagógico:

> Todo ello conforma un conjunto cuyas partes se encadenan lógicamente y vienen a completar otros servicios interrelacionados. Poseemos un *museo anatómico-patológico*, al que están anexionados un *taller de vaciado en escayola* y otro de *fotografía;* un *laboratorio de anatomía* y de *fisiología patológica* bien habilitado (...); un *gabinete de oftalmología*, complemento obligatorio de un Instituto neuropatológico; el *anfiteatro* de enseñanza en el que tengo el honor de recibirles a ustedes y que está provisto, como pueden ver, de todos los aparatos modernos de demostración[3].

---

[2] Cfr. Damisch, 1981, pág. 25.
[3] Charcot, *OC*, III, págs. 5-6.

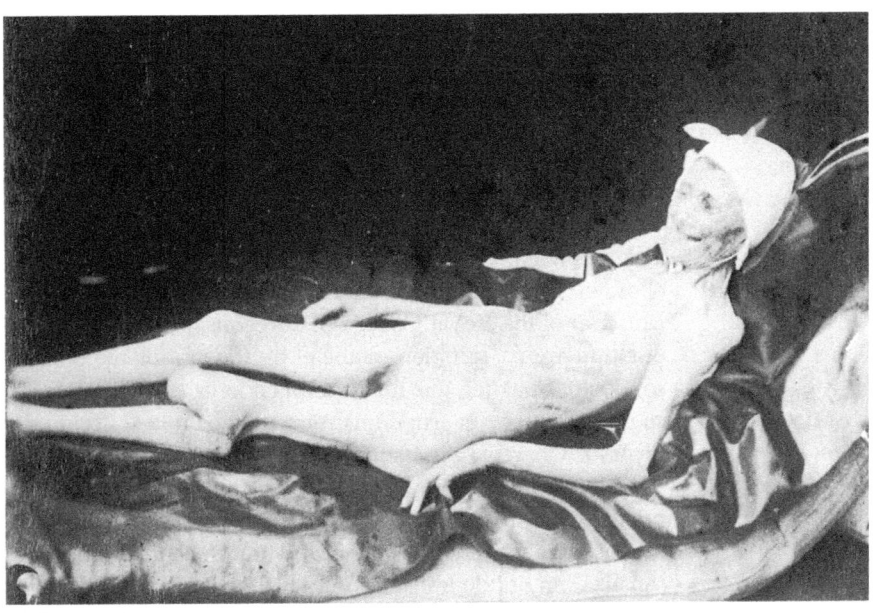

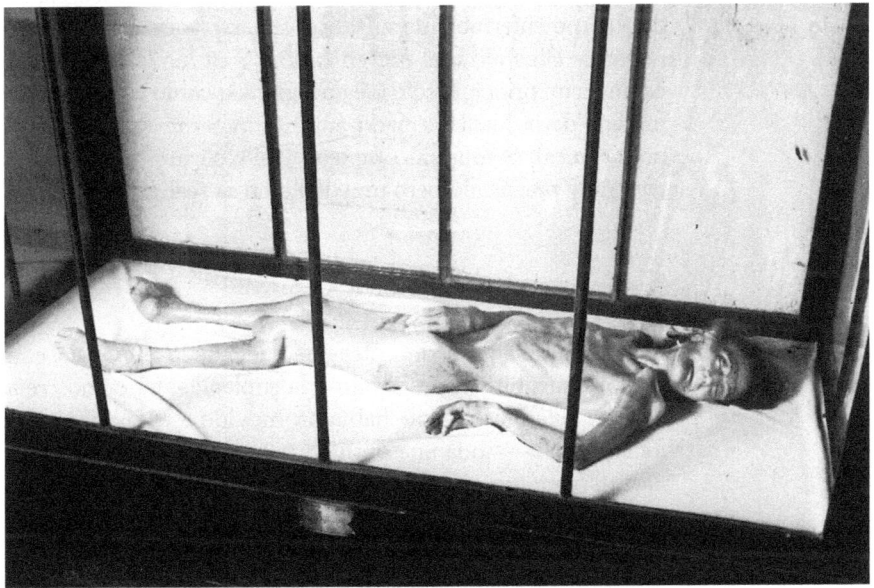

5-6. Dos procedimientos museísticos de la enfermedad. *Arriba:* fotografía extraída de un informe médico de Charcot. *Abajo:* vaciado en cera del mismo «caso».

Intromisión y activación de la metáfora en la realidad. Ya he dicho que Charcot, al ingresar en la Salpêtrière, más bien se vio a sí mismo como visitante, incluso como nuevo guarda, de un museo: y he aquí que, veinte años más tarde, le vemos, como conservador jefe de un verdadero museo, levantando su copa en el brindis de inauguración.

(El siglo XIX fue la gran época de los museos dedicados a la medicina. Charcot conservaba numerosos catálogos de ellos: el Pathological Museum of St. George's Hospital, el Museum of the Royal College of Surgeons, los Musées Orfila et Dupuytren... También estaba el museo ambulante del (falso) doctor Spitzner, que iba de feria en feria, exhibiendo, bajo su número cien, un grupo que representaba una «Lección del profesor Charcot»[4], ¡a tamaño natural!)

La fotografía fue, pues, para él, al mismo tiempo un procedimiento experimental (un útil de laboratorio), un procedimiento museográfico (archivo científico) y un procedimiento de enseñanza (un útil de transmisión). Aunque en realidad fue mucho más que todo eso, retengamos al menos que la fotografía constituyó, en primer lugar, un procedimiento museográfico del cuerpo enfermo y de su «observación»: la posibilidad figurativa de generalizar el *caso* en *cuadro*. Y su modalidad significante en un principio sólo fue considerada como estado «intermedio» de la huella, situado entre el *trazo* (un esquema, una nota clínica), siempre incompleto, y el realismo del *vaciado en vivo*, muy practicado pero muy lento en su realización [5-6].

LA REPRESENTACIÓN GRÁFICA

La fotografía procede, antes que nada, de lo *gráfico*. Es, con mayor exactitud, el desarrollo y la suplencia, tal como creía Marey, quien justamente había promovido este famoso «método gráfico» —toda una proliferación de aparatos extraordinarios, pantógrafos, odógrafos, miógrafos, neumógrafos, y no sigo—, una proliferación de utensilios-guión: los registradores instantáneos.

---

4 Cfr. *Cires...*, 1980, págs. 28, 33.

El «método gráfico» de Marey pretendía precisamente eliminar estos dos «obstáculos de la ciencia» que son, por una parte, el carácter distanciado del lenguaje (reducido aquí, como si dijéramos, a un punto y una línea); y, por otra parte, la inmediatez, demasiado distraída y defectuosa, de «nuestros sentidos»[5]. El «método gráfico» de Marey comenzó por apropiarse de la fotografía con arreglo a la extensión del punto de vista espacial de la escala de los movimientos registrables, justo antes de abrirse por completo al célebre proyecto *cronográfico*. Volveré sobre esto más tarde, pero demos la palabra a Marey:

> Cuando el cuerpo en movimiento resulta inaccesible, como un astro al que queremos seguir en su desplazamiento; cuando ejecuta movimientos en distintos sentidos, o de una extensión tan grande que no pueden ser registrados directamente sobre una hoja de papel, la fotografía suple los procedimientos mecánicos con una enorme facilidad: reduce la amplitud del movimiento, o bien lo amplía a la escala más adecuada[6].

LA «VERDADERA RETINA»

Fotografía: «The Pencil of Nature» (Talbot, 1833), «the Photographer needs in many cases no aid from any language of his own, but prefers rather to listen, with the picture before him, to the silent but telling language of Nature» [En muchos casos, el fotógrafo no necesita ningún tipo de lenguaje propio, sino que prefiere escuchar, ante la foto, al silencioso pero elocuente lenguaje de la Naturaleza] (H. W. Diamond, primer fotógrafo de la locura, 1856)[7]. En la fotografía ya todo es objetivo, incluso la crueldad: podemos ver, se dice, «hasta el defecto más imperceptible». Casi una ciencia; la humildad hecha ausencia de lenguaje. Este mensaje sin código[8] será siempre

---

[5] Cfr. Marey, 1878, pág. I.
[6] Marey, 1885, pág. 2.
[7] Diamond, 1856, pág. 19.
[8] Cfr. Barthes, 1962, pág. 128.

más detallado que la mejor de las descripciones; y, en el campo de la medicina, parecerá haber llevado a cabo el *ideal mismo de la «Observación»*, caso y cuadro reunidos en uno solo. Por esta razón se convertirá, a lo largo del siglo XIX, en el paradigma de la «verdadera retina» del sabio.

En palabras de Albert Londe, director, en la década de 1880, del Servicio fotográfico de la Salpêtrière:

> *La placa fotográfica es la verdadera retina del sabio* (...). Antes que nada, está destinada a completar la observación, esa pieza establecida a petición del médico y que encierra todos los datos concernientes a los antecedentes y al estado actual del enfermo. La fotografía, si bien no siempre es necesaria, resultará por el contrario de una utilidad indiscutible cuando las manifestaciones de la enfermedad se traduzcan en deformaciones externas que afecten al conjunto o alguna de las partes del individuo. Puede incluso decirse que en muchos casos una simple prueba transmitida directamente a nuestra retina nos dirá mucho más que una descripción completa[9].

La fotografía produjo, pues, una inflexión, histórica, del acto de ver, hasta el punto de que «no podemos pretender haber visto realmente una cosa antes de haberla fotografiado»[10]. Pero ¿por qué motivo?

ICONOGRAFÍA Y PREVISIÓN

Quizá porque el acto de ver, armado de esta manera, se convierte no sólo en *probatorio* de lo que se observa, e incluso de aquello que, en *tiempo* normal, sería invisible o apenas vislumbraríamos, sino también susceptible de *previsión*.

La imagen fotográfica tiene valor de *indicio,* en el sentido de cuerpo del delito[11]; designa al culpable del mal, prejuzga su arresto. Es como si la fotografía nos proporcionara el acceso al origen secreto del mal; podría señalar casi una teoría microbiana de la visibilidad (es conocido el hecho de que en

---

[9] Londe, 1896, págs. 546, 650.
[10] Zola, cit. por Sontag, 1979, pág. 102.
[11] Cfr. Benjamin, 1935, pág. 153.

medicina «la teoría microbiana de las enfermedades conta-
giosas debe una parte estimable de su éxito a lo que contiene
de representación ontológica del mal. Podemos ver el micro-
bio, incluso si se necesita como complicados intérpretes el
microscopio, los colorantes y los cultivos, en el mismo lugar
en el que sería imperceptible un miasma o una gripe. Ver un
ser implica ya prever un acto»)...[12].

El valor de previsión de la fotografía se debe también a su
especial «sensibilidad»:

> Sabemos que la placa fotográfica no es sensible a los mis-
> mos rayos que nuestra retina: así pues, podrá, en ciertos ca-
> sos, mostrarnos más que el ojo, revelarnos aquello que éste no
> es capaz de percibir. Esta sensibilidad particular cobra un va-
> lor muy especial y no es, en mi opinión, la propiedad menos
> importante de la fotografía[13].

Y es realmente a partir de este valor convincente (diagnóstico, pedagógico) y «previsor» (pronóstico, científico) de la fotografía que debemos comprender en primer lugar lo que se
denomina la *impulsión iconográfica* del trabajo de Charcot:

> Tras descubrir que las imágenes hablan más vivamente a la
> mente que las palabras, les concedió un lugar prioritario. Pu-
> blicó con Paul Richer *Les Difformes et les Malades dans l'Art;*
> creó la *Nouvelle Iconographie de la Salpêtrière* (...). Este impulso
> iconográfico se comunicó después a todas las ramas de la me-
> dicina. Para convencerse de ello, basta con abrir un tratado
> publicado en 1880 y compararlo con nuestros tratados publi-
> cados en la actualidad[14].

Ver y prever, *anticipar* el saber en el acto de ver; ciertamente. Pero nos queda pendiente algo así como una duda. Por
ejemplo, ¿la eficacia de esta anticipación no habrá resultado
también eficaz para perder de vista, para conjurar quizá, otra
eficacia, la que es propia del acto de ver en tanto que presencia? ¿Y, en todo caso, en invertir las mociones afectivas?,

---

[12] Canguilhem, 1966, pág. 12.
[13] Londe, 1888b, pág. 8.
[14] Souques, 1925, págs. 32-34.

¿algo parecido a lo que Freud denominaba *Verkehrung ins Gegenteil,* la *inversión en lo contrario?*

EL MÁS MÍNIMO DEFECTO

Hasta el momento todo no es más que una hipótesis, pero interesante a mi entender. Ante estas fotografías me da por pensar tontamente en la angustia que debía sentir el médico-fotógrafo. (Recuerdo, ¿tendrá algo que ver?, la historia de Jumelin, un famoso modelista anatómico de la época: un día, realizó el molde de un hígado aún fresco extraído del cadáver de un hombre afectado de una enfermedad venérea; y, sin angustiarse en absoluto, incluso un poco distraído, se sonó con la tela que cubría el órgano que debía «reproducir»; de modo que él también murió de enfermedad venérea, víctima de su arte y de cierto rechazo jovial a angustiarse ante la disección del cuerpo de otro, de los cuerpos enfermos...) Pero, en fin.

Desde los años 60 del siglo XIX, la fotografía hizo una entrada triunfal y triunfalista en el museo de la patología. Sólo ella era capaz de revelar hasta el más mínimo defecto. Y se convirtió en un verdadero *boom:* ¡la endoscopia fotográfica!, ¡la anatomía más secreta, por fin revelada!, ¡tal cual!, ¡el foco mismo de las enfermedades nerviosas por fin al alcance de la vista y en persona!

AMPULOSIDAD DEL ESTILO

La *Revue photographique des Hôpitaux de Paris* se convirtió, en 1869, en la gran *revista,* insisto, de la patología quirúrgica, oftalmológica, dermatológica, etc. Con sus *vedettes,* sus anónimas y teratológicas *vedettes.*

En la presentación escrita por Montméja y Rengade [cfr. Apéndice 4], es cierto que no aparecía la palabra «horror» (sino, más bien, *«el honor de poner a disposición del público»,* y destaco *«de los médicos»,* el espectáculo verdadero, el verdadero espectáculo de *«los casos más interesantes»* y los más *«raros»* de la patología; también se leían en este prefacio palabras ta-

les como *«verdad»*, *«ventajas»*, *«magnífico»*, *«éxito rotundo»...*).
Pero para nosotros, seres sensibles (y que no pertenecemos a
«la profesión»), constituye un auténtico catálogo del horror;
aunque esto resulte evidente, no por ello debemos pasarlo
por alto. Porque resulta escandaloso.

Cuando tomamos en nuestras manos estas obras, nos sor-
prenden los realces, hoy en día agrietados, de pintura y de
tintas de colores que «precisan» y «adornan» ciertas imágenes
fotográficas. Y no resulta menos sorprendente verlas acompañadas a veces de una firma, clara evocación de la tradición
pictórica: como, por ejemplo: *«A. de Montméja – Ad naturam
phot. et pinx»*[15].

También aparece en ellas una definición de su encuadre en
página que desde entonces será considerada canónica: en especial, el importante espacio que se otorga a la leyenda. Se
practica el primer plano, que tiende a aislar el órgano mons-
truoso: el espacio de la imagen se aplana, en una reducción
de la profundidad de campo; el prodigio y la abominación, la
agresiva incongruencia, aparecen encuadrados dos veces. Esa
misma incongruencia en la que Bataille buscó el elemento
mismo de una «dialéctica de las formas»:

> Un «fenómeno» de feria cualquiera —escribe Bataille— pro-
> voca una impresión positiva de incongruencia agresiva, un tan-
> to cómica, pero capaz de generar mucho más malestar. Este
> malestar está oscuramente vinculado a una seducción profunda.
> Y, si se trata de una *dialéctica de las formas,* es evidente que hay
> que tener en cuenta ante todo los extravíos en los que la natura-
> leza, por más que a menudo se establezcan como contra natura,
> es responsable de modo innegable. Esta impresión de incon-
> gruencia es prácticamente elemental y constante: resulta posible
> afirmar que se manifiesta en cierto grado en presencia de cual-
> quier individuo. Pero es poco sensible. Es por lo que a menudo
> se prefiere referirse a monstruos para determinarla (...). Sin
> abordar aquí la cuestión de los fundamentos metafísicos de una
> dialéctica cualquiera, es lícito afirmar que la determinación de
> un desarrollo dialéctico de hechos tan *concretos* como las formas
> visibles resultaría literalmente desconcertante...[16].

---

[15] Hardy y Montméja, 1868. Lámina sin numerar.
[16] Bataille, *OC,* I, págs. 229-230.

REVUE PHOTOGRAPHIQUE

DES HOPITAUX

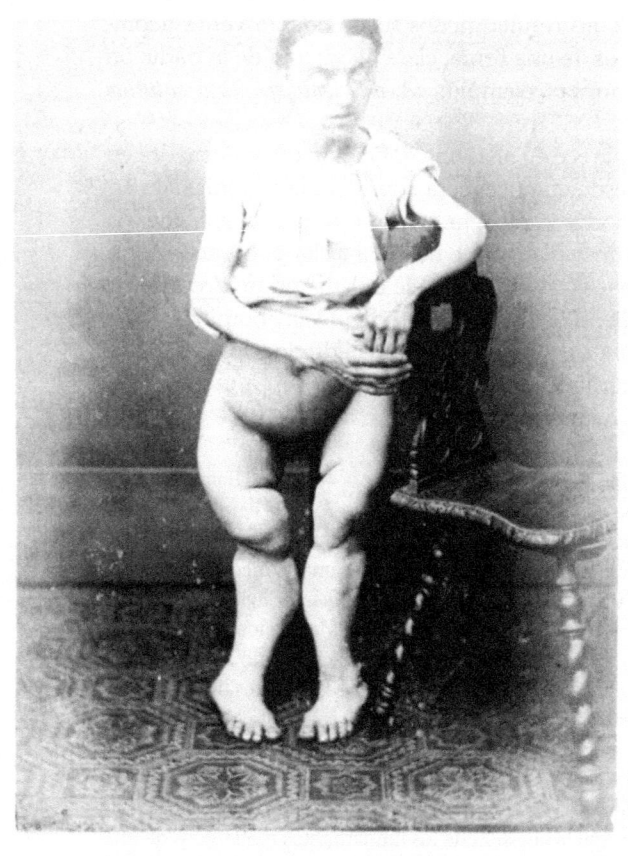

Planche XVIII.

RACHITISME. N 1

7. [Lámina XVIII. Raquitismo, núm. 1]. Página de la *Revue photographique des Hôpitaux de Paris* (1871).

Ahora bien, a veces un «estilo» se vuelve ampuloso en su mismo acercamiento, en el *parergon* del objeto fotográfico (pues el sujeto teratológico, incluso si está vivo, es *ya* una obra, una pieza de museo); se vuelve ampuloso y acaba produciendo redundancias azarosas. Pero ¿son siempre azarosas? en aquello en lo que intenta, por otra parte, circunscribir la abominación. Es lo que ocurre, por ejemplo, en el debate de Bourneville con la inverosímil contorsión de una pierna: perdiéndose casi en una descripción del fenómeno demasiado retorcida («los fémures están considerablemente encorvados, con la concavidad orientada hacia dentro, y la convexidad hacia fuera. Los huesos de las piernas muestran una curvatura en sentido inverso, es decir, su concavidad es interna y su convexidad es externa...»)[17]... además, como si la exhibición de la pierna no bastara por sí misma, confirma el prodigio mediante el apoyo adventicio de una silla cuyas patas resultan igual de retorcidas [7]...

RASGOS DE LOCURA

Me referiré a las locas. El problema de su representación no habrá sido menos laberíntico. Se trata en primer lugar de un problema de orden fisiognómico. Como si los retratistas de locas no hubieran cesado de buscar un *rasgo adecuado* a la expresión de sus pasiones [8-10].

La «expresión de las pasiones» es un problema clásico en la pintura: Le Brun le consagró una conferencia en 1668, además de toda una serie de dibujos de rostros. Pues el problema se planteaba en términos de *notación gráfica* (empleando la referencia de una trama, un sistema de coordenadas similar al pentagrama musical): notación gráfica de los movimientos, quiero decir, *de los movimientos del alma en el cuerpo:* la expresión se definía en efecto como esa «parte que marca los movimientos del alma, lo que hace visible los efectos de la pasión»; y unas líneas más abajo: «La *pasión* es un movimiento del alma, que reside en la parte sensitiva, el cual se hace para seguir lo que el alma cree bueno para ella, o para huir de lo que considera malo, y

---

[17] Bourneville, 1871, pág. 137.

8. Lavater.
Fisiognomía de
demente. *L'art de
connaître...* (edición
de 1835).

9. Gabriel. Cabeza
de alienado,
dibujada por
Esquirol
hacia 1823.

10. Tardieu,
«Fisonomía de
alienada», grabada
por Esquirol,
*Les maladies
mentales...* (1838).

por lo general todo lo que causa pasión en el alma provoca una *acción* en el cuerpo»[18]. Le Brun veía oportunamente en esta acción algo así como un *síntoma*, la cifra visible de las pasiones. Pero no llegó a contar más que hasta veinticuatro, tal vez asustado ante esa matemática en verdad infinita, esa matemática de los síntomas que tan sólo había llegado a apuntar, de la que aún quedaba por definir todo un alfabeto[19].

Lavater aumentó, ciertamente, el alfabeto, y también otras cosas[20]. Desde la década de 1820 (época de la nueva edición, realizada por Moreau, de la obra de Lavater en diez volúmenes), Esquirol había pedido a Gabriel, dibujante y discípulo del excelso fisonomista, que bosquejara para él algunos locos y locas: «El estudio de la fisiognómica de los alienados no es un objeto de fútil curiosidad», escribía Esquirol, «esto ayuda a desenredar el carácter de las ideas y de las afecciones que sustentan el delirio de estos enfermos... Con esa intención, he hecho dibujar más de 200 alienados. Tal vez llegará el día en que publique mis observaciones sobre esta interesante materia...»[21] [9].

El fracaso de este proyecto, ¿podría explicarse por el hecho de que el alfabeto aún no era por completo el del «silent but telling language of nature» [silencioso pero elocuente lenguaje de la naturaleza]?

PRIMERAS PRUEBAS

Las primeras fotografías de la locura fueron los retratos de las locas internadas en el Surrey County Asylum, en Springfield: calotipos ejecutados, a partir de 1851, por el doctor Hugh W. Diamond, militar y heraldo del «silent but telling language of Nature», fundador y Presidente de la Royal Photographic Society of London (1853), Director del *Photographic Journal*, etcétera, etcétera.

Sobre estas imágenes extraordinarias, sólo indicaré lo siguiente: el *paso al trazo,* la realización de un grabado a par-

---

[18] Le Brun, 1668-1696, pág. 95 (la cursiva es mía).

[19] Cfr. Damisch, 1980, *passim.*

[20] Cfr. Lavater, 1775-1778, VII, págs. 1-71; VIII, págs. 209-282.

[21] Esquirol, cit. por Adhémar, 1961, págs. 1-2.

11-12. Retrato en grabado *(a la derecha)* de una fotografía *(a la izquierda)* tomada por H. W. Diamond. Grabado publicado, con el título «Melancolía degenerando en Manía», en *The Medical Times* (1858).

tir de una fotografía, seguía siendo la operación necesaria para la utilización y transmisión de los clichés. Este aspecto podría resultar asombroso en la medida en que la técnica misma del calotipo (el negativo sobre papel) parecía dirigida a resolver precisamente los problemas de reproductibilidad del cliché (pues se puede sacar un número ilimitado de pruebas de un negativo, algo imposible con el daguerrotipo).

Ahora bien, en este paso siempre se olvidaba o se infringía algo, pese a la pasión por la exactitud que alegaba Diamond. Lo mismo ocurría con el emplazamiento. Veamos a esta mujer sentada en un exterior, sin duda en un patio para contar con más luz, y detrás de la que se ha colocado una cortina (¿quizá para intentar abstraerse ya del emplazamiento?) [11]; en el grabado, esta mujer está en ninguna parte, ¿cómo no mostrarse, pues, perturbada, con la mirada así dibujada y privada de espacio y de destino? Una simple pregunta [12]. Lo mismo con la separación entre aquellos aspectos que resultan esenciales, o significativos, y aquellos que tan sólo son acceso-

rios. En las imágenes de esta misma mujer, su vestido estampado, por ejemplo, se convierte en «liso» al trasladarse al grabado. (Ahora bien, este abigarramiento, ¿no sería en sí mismo significativo de su propia locura, que era, según se nos dice, la melancolía previa a la manía? No es más que una hipótesis...) Igual pasa con la postura: ladeada gráficamente, o mejor aún enderezada con el fin de proporcionar significaciones más probatorias; como, por ejemplo, las manos juntas y simétricas de una mujer aquejada de «locura religiosa» **[13-14]**... Y me gustaría señalar, para finalizar, que la leyenda de esos grabados designaba no tanto un atributo del referente («melancólica») como un concepto («Melancolía»), cuyo referente, quiero decir esa loca en particular, no sería más que un atributo.

13-14. Selección de actitudes: fotografía de H. W. Diamond y grabado de *The Medical Times* («Manía religiosa», 1858).

INFATUACIÓN DE IMÁGENES

Ahora bien, todo esto, hablo de la fotografía, no fue capricho de un solo hombre: estaba en el ambiente, como suele decirse. Un arte naciente, ¿podría haber hecho comprender a los psiquiatras su penuria nosológica en relación con los *signos visibles* de tal o cual locura? Lo cierto es que en casi todos los rincones de Europa, las locas y los locos se vieron *obligados a posar;* a quien mejor lo hacía, se le retrataba.

Conservamos en la actualidad algunas colecciones prodigiosas: la del Bethlem Royal Hospital de Beckenham (donde se fotografió al pintor Richard Dadd, internado por parricida); la del Hospital San Clemente en Venecia (un inmenso registro, clínico y administrativo, de los locos... con miles de imágenes)[22] [15-16].

En Francia hubo intentos de crear un método: con dicho objeto tuvo lugar, entre otras, una sesión de la Sociedad médico-psicológica de París, reunida el 27 de abril de 1867 bajo el tema: «La aplicación de la fotografía en el estudio de las enfermedades mentales». En ella destaca la participación de Moreau de Tours, Baillarger, Morel... Crear un método, en este contexto, significaba menos interrogarse sobre el interés epistémico de la fotografía (pues este interés les parecía a todos algo evidente, *demasiado evidente)* que sentar las bases protocolarias de una transmisión de las imágenes: el problema de la reproductibilidad y del tratamiento bibliográfico de las imágenes estaba, pues, a la orden del día.

Por lo tanto, en esta época los tratados psiquiátricos se vieron saturados de láminas, imágenes-pruebas de nosologías en curso: los idiotas de Baillarger y Bourneville, los lipemaníacos de Dagonet, las locas esténicas de Voisin, los degenerados de Magnan y Morel, y muchos otros más...[23].

Esto me permite hablar aquí de una auténtica *infatuación* por la fotografía; pero sólo para llamar la atención sobre el equívoco intrínseco de esta palabra, ya que decir que la psiquiatría únicamente se infatuó de la fotografía sería justo, ciertamente, pero no daría cuenta de la profunda complejidad del fenómeno. Infatuarse significa que algo nos gusta hasta la locura y que por ello «nos llenamos la boca», como se dice, nos atiborramos y tragamos hasta no poder más. Y entonces, nos ahogamos: la infatuación es la obstrucción, el ahogamiento, por exceso de amor.

---

[22] Cfr. Cagnetta y Sonolet, 1981, págs. 44-45, 65-66.
[23] Cfr. las láminas de: Morel, 1857; Dagonet, 1876; Voisin, 1876; Voisin, 1883; Grasset, 1886; Baillarger, 1890; Magnan, 1893; Bourneville, s.f., etc.

FRENOCOMIO

FEMMINILE CENTRALE
VENETO

ISOLA S. CLEMENTE
VENEZIA

N.º d' ordine

ANNO

N.º progressivo
generale

TABELLA NOSOLOGICA

Diagnosi della frenopatia
desunta dai documenti
accompagnatori

di

Entrata il

N.º e Data del documento
accompagnatorio

Paternità, maternità, e condizione dei genitori

Età

Religione

Luogo di { nascita
           residenza
           provenienza

Occupazione o mestiere

Stato civile

Denominazione e occupazione del marito

Figliuolanza

Stato economico

Spettanza della retta

Data d' uscita

Giornate di permanenza

Costituzione fisica

Stato della nutrizione

Diagnosi frenopatica

Cause

Epoca dell' invasione

Recidività

Indole del delirio

Epifenomeni

Nevropatie e processi morbosi concomitanti

Successioni morbose

Esito

15. Ficha clínica del Hospital San Clemente de Venecia (1873).

16. Registro del Hospital San Clemente de Venecia (1873).

LA SALPÊTRIÈRE, SERVICIO FOTOGRÁFICO

Pero fue de nuevo la Salpêtrière la manufactura más importante de imágenes. La fabricación fue metódica y casi elemento de teorización: se convirtió en algo verdaderamente canónico (la obra de Tebaldi, por ejemplo[24], publicada en Verona en 1884, reproduce con exactitud el dispositivo fotográfico de las planchas de la Salpêtrière).

Todo esto quedó establecido en el momento en que un fotógrafo «fiel y hábil», Paul Régnard, pudo instalarse *para residir* y ejercer su predación en todo momento que pareciese oportuno. Parece como si el álbum que realizó en 1875[25] hubiera determinado que Charcot patrocinase una *publicación* clínica, ordenada alrededor de este *corpus* de imágenes, y redactada por Bourneville. Esta publicación vio la luz en 1876 y 1877, constituyendo el tomo primero de la *Iconographie photographique de la Salpêtrière* [cfr. Apéndice 5], seguido de un segundo tomo menos artesanal en cuanto al procedimiento de tirada [cfr. Apéndice 6], y de un tercer tomo, en 1880.

Y tras esto, nada. Un silencio de casi diez años, durante los cuales Bourneville y Régnard en cierto modo desaparecieron de esta circulación de imágenes. Fueron, de hecho, relevados de su cargo por Albert Londe, mucho más puntilloso en la observación, y que además supo aprovechar los medios que le confería la salida a concurso de la cátedra de Charcot.

Extraño silencio de Londe sobre sus predecesores[26]; ¿a tal punto las fotografías de estos últimos superaban en belleza a las suyas? No deja de ser una mera hipótesis. Luego, en 1888, apareció el volumen primero de una *Nouvelle Iconographie de la Salpêtrière,* publicado, siempre bajo el patronazgo de Charcot, por Gilles de la Tourette, Paul Richer y el propio Londe.

De este modo, la práctica fotográfica accedió por completo a la dignidad de *servicio* hospitalario[27]. Es decir: un territorio com-

---

[24] Cfr. Tebaldi, 1884, láminas.
[25] IPS, 1875, *passim.*
[26] Cfr. especialmente Londe, 1888a; Londe, 1896, *passim.*
[27] Cfr. Londe, s.f., *passim.*

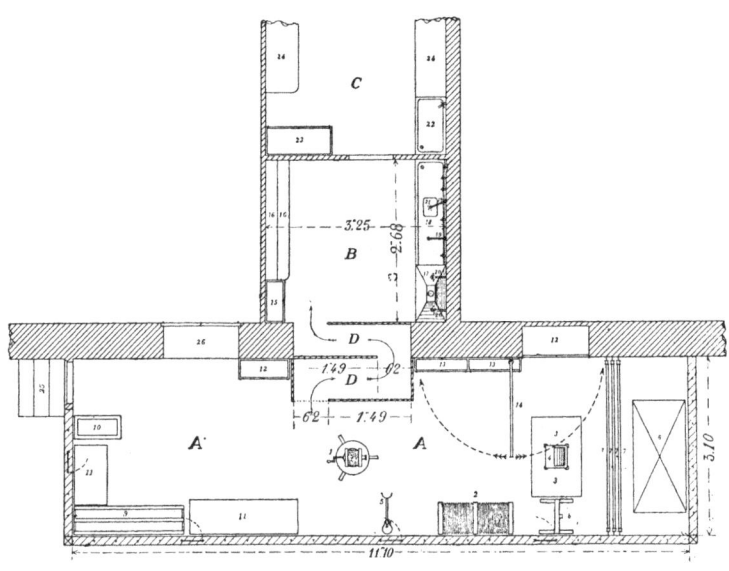

17. Plano del
Servicio fotográfico
de la Salpêtrière:
A. Taller
acristalado.
B. Laboratorio
oscuro. C. Labora-
torio claro.
D. Entrada en
zigzag del laborato-
rio oscuro.

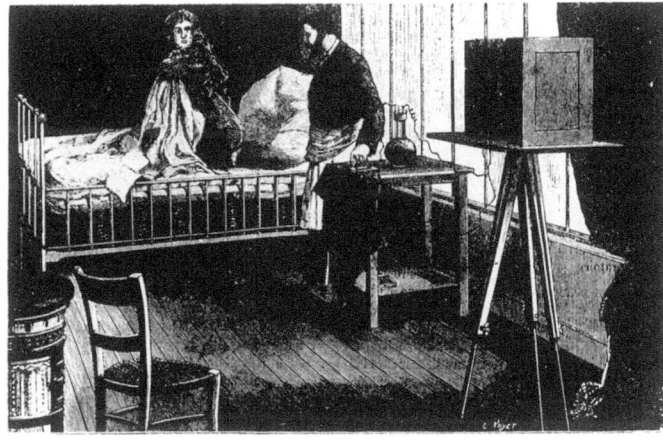

18. Poyet,
*Fotografía en la
Salpêtrière.*
Biblioteca
Nacional
de Francia.

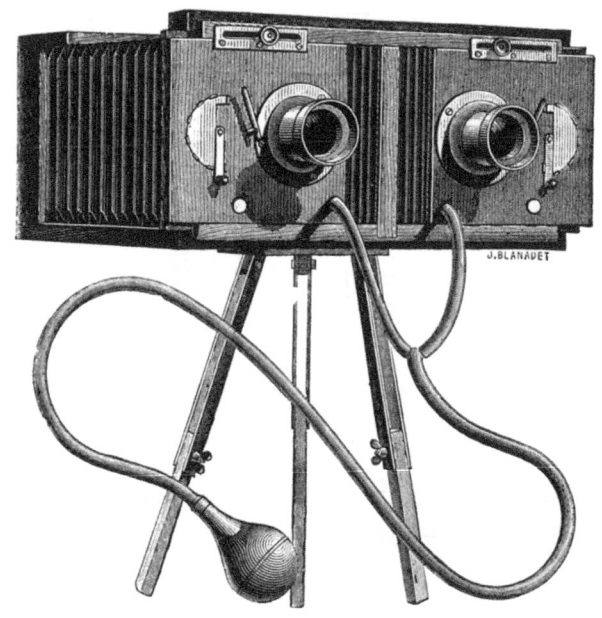

19-20. Cámara
estereoscópica
(arriba) y cámara
con objetivos
múltiples *(abajo)* de
Albert Londe.
*La photographie
médicale...* (1893).

puesto por un taller acristalado, un laboratorio oscuro y un laboratorio claro[28] **[17]**. Un dispositivo protocolario: estrado, cama, pantallas y cortinas de fondo, negras, grises oscuras, grises claras, reposacabezas, horcas **[18]** [cfr. Apéndice 7]. Una tecnología fotográfica cada vez más sofisticada, como bien solía decirse: multiplicación de los tipos de objetivos y de cámaras **[19-20]**, empleo de luces artificiales[29], «fotocronografía»[30], y todos los avances sucesivos...[31]. Y, por último, los procedimientos clínicos y administrativos del archivo: todo un despacho de imágenes, desde la «observación» hasta el fichero [cfr. Apéndices 8-9].

Servicio es, sin embargo, una palabreja horrible: encierra en sí misma servidumbre y brutalidad. Mi pregunta no es sólo: ¿para qué sirvió la fotografía?, sino también: ¿quién o qué, en la Salpêtrière, se habrá visto sometido a las imágenes fotográficas?

LA LEYENDA DE MEMORIA

Se supone que estas imágenes estaban al servicio de la memoria. Más bien al de un fantasma de la memoria, una memoria que sería absoluta, así de simple: desde el mismo momento del disparo, la fotografía es absolutamente inmediata, «exacta y sincera»[32]; por otra parte, es duradera: es, «como todas las representaciones gráficas, una memoria fiel que conserva inalteradas las impresiones que ha recibido»[33]. Sostengo que es un fantasma, en primer lugar, porque, de hecho, el problema técnico de la *permanencia de las imágenes* jamás ha sido evidente; y los cincuenta primeros años de la fotografía estuvieron marcados por una inquietud mayor, más o menos formulada. La inquietud del *viraje* y del *borrado* de las pruebas; todos los esfuerzos apuntaban, bien a perfeccionar el calotipo, bien a asociar la técnica litográfica (de tinta y carbón: materiales de reconocida inalterabilidad) con la re-

---

[28] Cfr. Londe, 1888a, pág. 212; Londe, 1893a, págs. 12-16.
[29] Cfr. Londe, 1893a, págs. 131-135; Londe, 1905, *passim;* Londe, 1914, *passim.*
[30] Cfr. Londe, 1893a, págs. 105-115.
[31] Cfr. Londe, 1889a, *passim;* Londe, 1893a, págs. 53-63.
[32] Londe, 1888b, pág. 9.
[33] Marey, 1885, pág. 3.

producción fotográfica. Y los primeros tiempos de la *Iconografía fotográfica de la Salpêtrière* estuvieron marcados por tal esfuerzo, por dicha inquietud. Unos años más tarde, el discurso de Albert Londe ya hacía gala del triunfalismo de una memoria fotográfica absoluta, pues atrás había quedado el nacimiento de los procedimientos fotomecánicos, la fotocolografía, la fotogliptia, el heliograbado, el similgrabado...[34].

Quiero, pues, enunciar el ideal de la Fotografía, con mayúscula: huella indiscutible, indiscutiblemente fiel, duradera, transmisible. Más que el memorándum del sabio[35], la Fotografía se alza como memoria misma del saber, o más bien como su acceso a la memoria, su dominio de la memoria.

> Se trata, en efecto, de conservar la huella duradera de todas las manifestaciones patológicas, sean las que sean, que puedan modificar la forma exterior del enfermo e imprimir en él un carácter particular, una actitud, una fisonomía especial. Estos documentos imparciales y recogidos con rapidez aportan a las observaciones médicas un valor considerable, en el sentido de mostrar a los ojos de todos la imagen fiel del sujeto estudiado[36].

Y lo que iba finalmente a permitir la Fotografía no era otra cosa que cristalizar, memorizar para todos en una imagen, o en una serie de imágenes, *todo el transcurrir de una investigación* y, aún más, de una historia («procurarse fotografías anteriores: así tendremos la prueba de que las anomalías existentes son, realmente, la consecuencia de la enfermedad y que anteriormente no existían»)[37].

La Fotografía, por tanto, debía cristalizar ejemplarmente el caso en *Cuadro:* no en un cuadro extensivo, sino en un cuadro en el que el Tipo se condensaría en una única imagen, o en una serie unívoca de imágenes: la *facies*.

> Determinar la facies propia de cada enfermedad, de cada afección, mostrarla a ojos de todos: esto es lo que puede ha-

---

[34] Cfr. Londe, 1888b, págs. 6-7, 26-40; Londe, 1893a, págs. 176-212; Londe, 1896, págs. 456-512.

[35] Cfr. Londe, 1893a, pág. 6; Londe, 1893b, *passim.*

[36] Londe, 1893a, pág. 64.

[37] *Ídem,* pág. 77.

cer la fotografía. En ciertos casos dudosos o menos conocidos, la comparación de pruebas tomadas en diversos lugares o en épocas distantes permitirá asegurar la identidad de la enfermedad en los diferentes sujetos que no hemos tenido bajo nuestra supervisión al mismo tiempo. Esta tarea ha sido desarrollada con éxito rotundo por el señor Charcot, y ahora ya conocemos bien la facies propia a tal o cual afección del sistema nervioso. Con estas pruebas así obtenidas, resultaría fácil ensayar la experiencia de Galton y obtener por superposición una prueba compuesta que diese como resultado un tipo en el que las variaciones individuales desaparecerán para desvelar las modificaciones comunes[38].

¿Qué es una facies? Es lo que se empeña en resumir y generalizar el caso, es lo que se empeña en hacer posible la *previsión:* y lo hace a partir del aspecto de un *rostro.*

LA LEYENDA DE SUPERFICIE, LA FACIES

Facies; palabra que significa a la vez el *aire* singular de una cara, la particularidad de su aspecto y, además, el *género,* véase la *especie,* en los cuales este aspecto debe quedar subsumido. La facies sería, por tanto, un rostro asignado a la relación sintética de lo universal y de lo singular: el rostro asignado al régimen de la *representación,* en sentido hegeliano[39].

¿Por qué el rostro? Porque en él se hace idealmente visible a la *superficie* corporal cualquier aspecto vinculado a los movimientos del alma: esto es así respecto a la ciencia de la expresión de las pasiones desarrollada por Descartes, pero ¿nos explicaría también por qué la fotografía psiquiátrica se estructura de golpe como *arte del retrato?*

En cualquier caso, este arte del retrato fue un arte muy particular, en el que el «rostro» era entendido como «facies». Fue un arte de los *territorios de superficie;* un arte que, sin embargo, siempre estaba a la búsqueda de una ubicación más íntima, de una circunvolución concomitante... Herencia, sin duda, de esa extraña ciencia territorial o configurativa, si se me permite la

---

38 Londe, 1889b, pág. 15.
39 Cfr. Hegel, 1807, II, pág. 244.

21. *La frenología*. Estampa, Musée d'Histoire de la Médecine, París.

expresión, que fue la frenología de Gall. Por ejemplo, cuando este hombre quedaba prendado por el rostro de una mujer cualquiera, llegaba incluso a tomar la delicada cabeza con sus dedos; aunque realmente lo que su caricia buscaba era la zona, la protuberancia, léase el pliegue cefálico, propio a la monomanía de la susodicha dama, mientras con la otra mano sujetaba una cabeza de muerto, es decir, una calavera, para establecer comparaciones entre ambas [21]. Si menciono la palabra «herencia» es porque la frenología se apresuró a colocarse como base teórica de toda la psicología bajo la bandera positivista[40]; las localizaciones cerebrales de Charcot parecen estar afiliadas a esto.

También fue un arte del detalle, de lo tenue, del fragmento: de la *comisura* de los territorios; no obstante, siempre a la búsqueda de una ley que prescribiera la más mínima diferencia. Bourneville fotografiaba idiotas y, basándose en su galería de retratos, buscaba un concepto de la Idiotez, en ínfimas marcas anatómicas de aberturas bucales, de comisuras de los labios, de formas en los pómulos, de bóvedas palatinas, encías y dientes, campanillas, velos del paladar...[41]. Duchenne de Boulogne buscaba también la comisura muscular que diferenciaba a cada emoción, cada énfasis, cada patología[42] [22]; y Darwin, al generalizar la misma investigación a todo el reino animal, aprovechó para edificar su gran historia filogenética de la expresión de las emociones...[43].

Así, el rostro subsumido en facies permitía una lógica y una etiología de sus propios accidentes. Y ¿cómo, a fin de cuentas? Mediante el arte, sutil y constante, del *recubrimiento de las superficies,* siempre a la búsqueda, bajo las tramas o los estratos peliculares de los que disponía, de cierta profundidad, pero de una profundidad conceptual: la profundidad del *Tipo.* Galton fue el virtuoso de este arte del recubrimiento: *producía* el Tipo mediante la superposición reglamentada de retratos coleccionados. Poco le importaba que la *facies* obtenida fuera confusa, pues constituía de todas maneras una pro-

---

[40] Cfr. Comte, 1837, págs. 846-882.
[41] Cfr. Bourneville, s.f., *passim;* Bourneville, 1862-1863, págs. 7-13.
[42] Cfr. Duchenne de Boulogne, 1862, *passim.*
[43] Cfr. Darwin, 1871, *passim.*

ÉLECTRO-PHYSIOLOGIE PHOTOGRAPHIQUE.

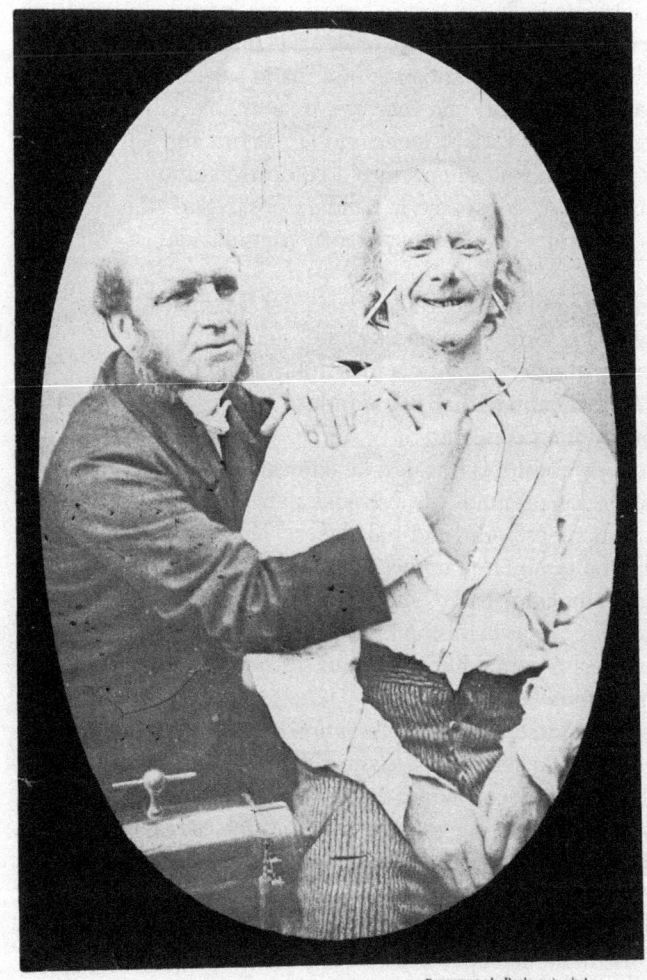

DUCHENNE (de Boulogne), phot.

SPÉCIMEN

D'UNE EXPÉRIENCE ÉLECTRO-PHYSIOLOGIQUE

Faite par l'Auteur.

22. Duchenne de Boulogne, *Mécanisme de la physionomie humaine...* (1862). Lámina del frontispicio.

SPECIMENS OF COMPOSITE PORTRAITURE

PERSONAL AND FAMILY.

*Alexander the Great
From 6 Different
Medals.*

Two Sisters.

*From 6 Members
of same Family
Male & Female.*

HEALTH. | DISEASE. | CRIMINALITY.

*23 Cases.
Royal Engineers.
12 Officers.
11 Privates*

*6
Cases*

*9
Cases*

Tubercular Disease

*8
Cases*

*4
Cases*

*2 Of the many
Criminal Types*

CONSUMPTION AND OTHER MALADIES

I

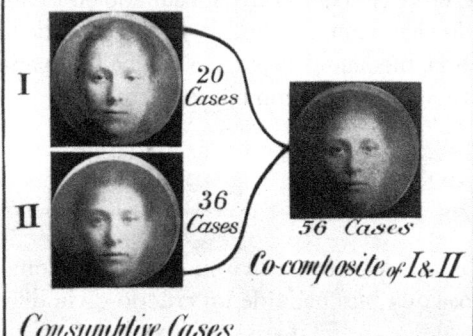

*20
Cases*

II

*36
Cases*

*56 Cases
Co-composite of I & II*

Consumptive Cases.

*100
Cases*

*50
Cases*

Not Consumptive.

23. Galton, *Inquiries into human faculties...* (1883). Lámina del frontispicio.

babilidad figurativa, rigurosa en sí misma, y por lo tanto un retrato científico[44] [23]...

Y Albert Londe, en la Salpêtrière, fue exactamente a la búsqueda de aquello, la rigurosa probabilidad figurativa, dirigida a convertir en ley el tiempo y las diferencias de un rostro:

> La École de la Salpêtrière ha desarrollado de forma notable el estudio de las facies en la patología nerviosa, y no nos arriesgaríamos demasiado al afirmar que el auxilio prestado por la Fotografía en dicho lance no ha sido insignificante. Ciertas modificaciones del rostro que, de forma aislada, no constituirían por sí mismas ningún signo evidente de una afección cualquiera, adquieren una importancia enorme si se encuentran siempre en enfermos similares. A menos que contemos al mismo tiempo y por casualidad con enfermos que presenten estas facies características, a menudo pueden pasar inadvertidas. Por el contrario, si examinamos las fotografías dispuestas unas al lado de las otras, podremos establecer comparaciones entre numerosos especímenes y deducir las modificaciones típicas que constituyen tal o cual facies (...), crear mediante la superposición de tipos compuestos, en los que, al eliminarse todas las particularidades individuales, sólo persistirían los rasgos comunes, determinando de este modo la *facies* propia a tal o cual afección[45].
>
> Este resultado es importante, pues el tipo, una vez definido, queda grabado en la memoria, y en ciertos casos puede resultar de un incalculable valor para el diagnóstico[46].

De esta manera, el aspecto del rostro, subsumido en facies, se abría a un estado fácilmente codificable y registrable de la significación; se abría, mediante el ejercicio de una búsqueda vigilante de las formas, a algo así como una *filiación*.

LA LEYENDA DE IDENTIDAD Y SUS PROTOCOLOS

Los médicos de la Salpêtrière actuaron, por tanto, como «policías científicos» a la búsqueda de un criterio de la dife-

---

[44] Cfr. Galton, 1883, *passim.*

[45] Londe, 1896, pág. 654, y Londe, 1893a, pág. 77 (citando a Galton).

[46] Londe, 1888b, pág. 24. Cfr. Londe, 1893a, pág. 5.

rencia, entendido como *principium individuationis;* un criterio dirigido a fundamentar la «filiación», es decir, el reconocimiento o la asignación de identidad. Y eso, esa «policía científica», no será una mera invención.

Pues existió una connivencia exquisita, tácita e impecable entre la Salpêtrière y la Prefectura de Policía: las técnicas fotográficas eran idénticas y ambas contaban con las mismas expectativas (ahora bien, estas técnicas también dependían del arte: a las primeras fotografías de identidad se les dio la misma forma de medallón que a los retratos de familia y lo que, sobre todo, *en algún momento* depende del arte, es toda esa pasión por las formas y por las configuraciones. Lo que tendremos que preguntarnos es de qué manera la Salpêtrière y la Prefectura de Policía fueron asistidas por la Escuela de Bellas Artes).

El desarrollo de la fotografía psiquiátrica durante el siglo XIX se constituyó, en todo caso, en la misma esfera que la fotografía judicial[47]; una disciplina que actuó como bisagra y ocupó, además, una eminente posición estratégica fue la antropología criminal: mostraba el mismo interés tanto por los retratos fotográficos de los criminales y los dementes como por sus cráneos [24-25]...

Mientras daba cuenta de los milagrosos avances de la Fotografía, un tal Lacan no dudaba, por otra parte, en lanzar en el mismo capítulo «la imagen acusadora» de los criminales y el «sabio trabajo del doctor Diamond»:

> ¿Qué persona con antecedentes penales podría escapar a la vigilancia policial? Podrá escapar de los muros que le confinan durante su condena; podrá infringir, una vez liberado, la orden que le obliga a arresto domiciliario, pero no tendrá posibilidad de escapar, pues su retrato está en manos de la autoridad: se verá incluso forzado a reconocerse en aquella imagen acusadora. ¡Y qué estudios provechosos podría extraer la fisiognomía en estas colecciones, donde la naturaleza del crimen se hallaría grabada junto al rostro del culpable! ¡De qué manera podría leerse la historia de las pasiones humanas en este libro, donde cada rostro sería una página, y

---

[47] Cfr. Londe, 1888a, págs. 165-171; Londe, 1896, págs. 636-648; Gilardi, 1976, págs. 231 y ss.; Cagnetta y Sonolet, 1981, págs. 45-48.

PORTRAITS DE CRIMINELLES ALLEMANDES.

24-25. Retratos y cráneos de mujeres criminales, coleccionados por Lombroso y reproducidos en su *Atlas de l'homme criminel* (1878).

CRANES DE CRIMINELLES.

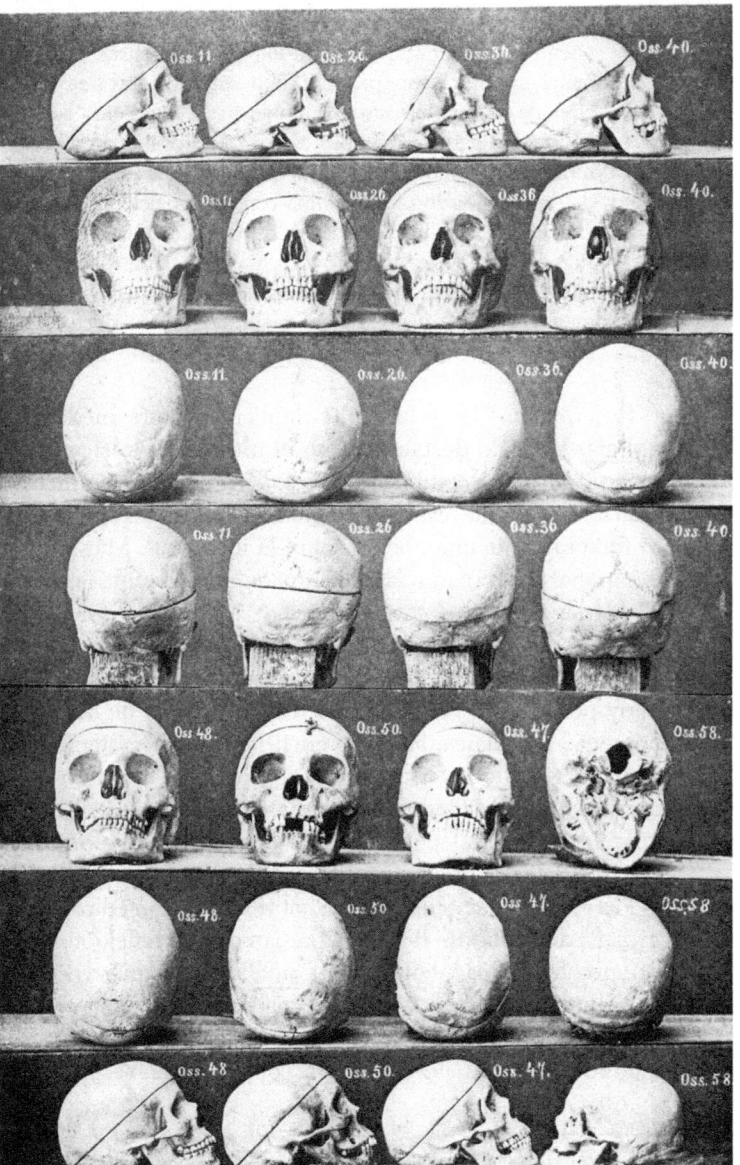

cada rasgo, una línea elocuente! ¡Qué tratado de filosofía! ¡Qué poema que sólo la luz podría escribir! Si pasamos de las enfermedades del alma a las enfermedades del cuerpo, de nuevo nos encontramos con la fotografía dispuesta a desempeñar un importante papel. Tengo ante mis ojos una colección de catorce retratos de mujeres de diferentes edades. Unas sonríen, otras parecen soñar, todas presentan algo extraño en su fisonomía: esto es lo que percibimos al primer golpe de vista. Si uno las examina con mayor detenimiento, se entristecerá a su pesar: todos estos rostros tienen una expresión extraña y que nos provoca malestar. Una sola palabra basta para explicarlo todo: se trata de locas. Estos retratos forman parte del docto trabajo realizado por el doctor Diamond[48]...

Resumiendo. De esta sutil complicidad entre médicos y policías tan sólo destacaría, por el momento, lo siguiente: a partir del juego combinado de requerimientos, científicos o judiciales, y de sus respuestas técnicas y fotográficas, se elaboró forzosamente una noción sobre la identidad. Más aún: la fotografía se alzó como la nueva maquinaria de una leyenda: el *deber-leer la identidad en la imagen*.

Ese deber-leer tuvo como «base teórica», e incluso como «filosofía», los escritos de aquellos mismos que la practicaron: estoy pensando en Alphonse Bertillon, creador de la Antropometría signalética, fallecido en 1914, y cuyo «sistema» fue adoptado por todos los cuerpos de policía del mundo occidental a partir de 1888. Fue además el director del servicio fotográfico de la Prefectura de París (el primero en el mundo, creado en 1872 por el citado Bazard)[49].

Las «consideraciones teóricas sobre la filiación antropométrica»[50], de Alphonse Bertillon, partían de una reflexión sobre la naturaleza y los medios de un «análisis descriptivo de la figura humana», sobre las «reglas matemáticas» de la «misteriosa repartición de las formas» y la «distribución de las dimensiones en la naturaleza»[51]; a continuación, se desplega-

---

[48] Lacan, 1856, págs. 39-40.
[49] Cfr. Cagnetta y Sonolet, 1981, pág. 47.
[50] Cfr. Bertillon, 1890, págs. 81-111.
[51] *Ídem*, pág. 81.

ban sobre la institución de los medios técnicos de la identificación y de la clasificación antropométrica de los individuos.

Ya se trate de un peligroso delincuente reincidente oculto
bajo un nombre falso, de un cadáver desconocido yaciendo
en el depósito de cadáveres, de un niño de corta edad abandonado intencionadamente, de un demente detenido en la
vía pública que se obstina, como resultado de sus miedos ima-
ginarios, en ocultar su personalidad, o de un desgraciado afectado por una parálisis súbita e incapaz de pronunciar su nombre ni su dirección, el objetivo al que se aspira es siempre una
cuestión identificatoria, y su modo de acción, la Fotografía[52].

Ese deber-leer fue, por tanto y ante todo, un requerimiento exigido por la eficacia de la vista: se vio definido en sus
protocolos. ¿Cuáles eran estos protocolos? En primer lugar,
protocolos estandarizados de la pose y la toma de los retratos (la
uniformidad de tales protocolos debía asegurar una identificación claramente mensurable de las diferencias)[53]: «Y sería
deseable aún que la fotografía añadida a la descripción física
se aproxime, tanto como sea posible, al tipo uniforme bien
definido y adoptado, según mis indicaciones, por los Archivos centrales del Servicio de Identificación»[54]. Con tal objetivo Bertillon mandó disponer, entre otros trucos, un tipo de
«silla para posar que aseguraba mecánicamente un tamaño similar tanto en las fotografías de frente como en las de perfil»[55]: resultaba imprescindible que los sujetos se sometieran
al tipo de imagen requerido, con tal rostro de frente y tal perfil, para señalar en ellos una especificidad reglamentada de
los índices fisonómicos-criminales **[26]** [cfr. Apéndice 10].
Arte de carceleros. Lo único que quedaba ya por hacer era
archivar, craso problema, tal multiplicidad de imágenes y de
indicios: poder encontrar al sospechoso de un delito entre alguna de las 90.000 fotografías tomadas por el servicio de
Identificación de la Prefectura, entre 1882 y 1889[56], según el
procedimiento pertinentemente denominado «bertillonage».

---

[52] *Ídem,* pág. 3.
[53] *Ídem,* págs. 6-25, 60-74.
[54] Bertillon, 1890-1893, pág. 129.
[55] *Ídem,* pág. 133.
[56] Cfr. Bertillon, 1890, págs. 26-45, 104-106.

26. El «bertillonage» en la Prefectura de Policía de París (1893).

Vuelvo a mi soplón particular, Albert Londe; él se formuló, a su escala (la Salpêtrière, una especie de ciudad, con sus barrios de mala fama y sus servicios de vigilancia...), preguntas similares, e inventaría similares protocolos, a fin de *reglamentar las condiciones de la visibilidad* de los cuerpos sintomáticos y con el objeto de que proporcionaran signos y descripciones físicas. Reglamentar, por tanto, las condiciones de la exhibición, esto es, de la aparición de las diferencias, para alcanzar un concepto único y adoptar sin riesgo de sorpresa una conducta «curativa» programable. Un ejemplo:

> Para fotografiar los pies será necesario elevar al sujeto sobre una mesa o un soporte cualquiera a fin de que se encuentre a la altura de la cámara. Tanto en un caso como en otro y principalmente cuando se trate de modificaciones localizadas en las dimensiones de estos miembros, será recomendable fotografiar al mismo tiempo una escala métrica o los pies y las manos de una persona normal. Así, la comparación será mucho más ilustrativa[57].

---

[57] Londe, 1896, pág. 655.

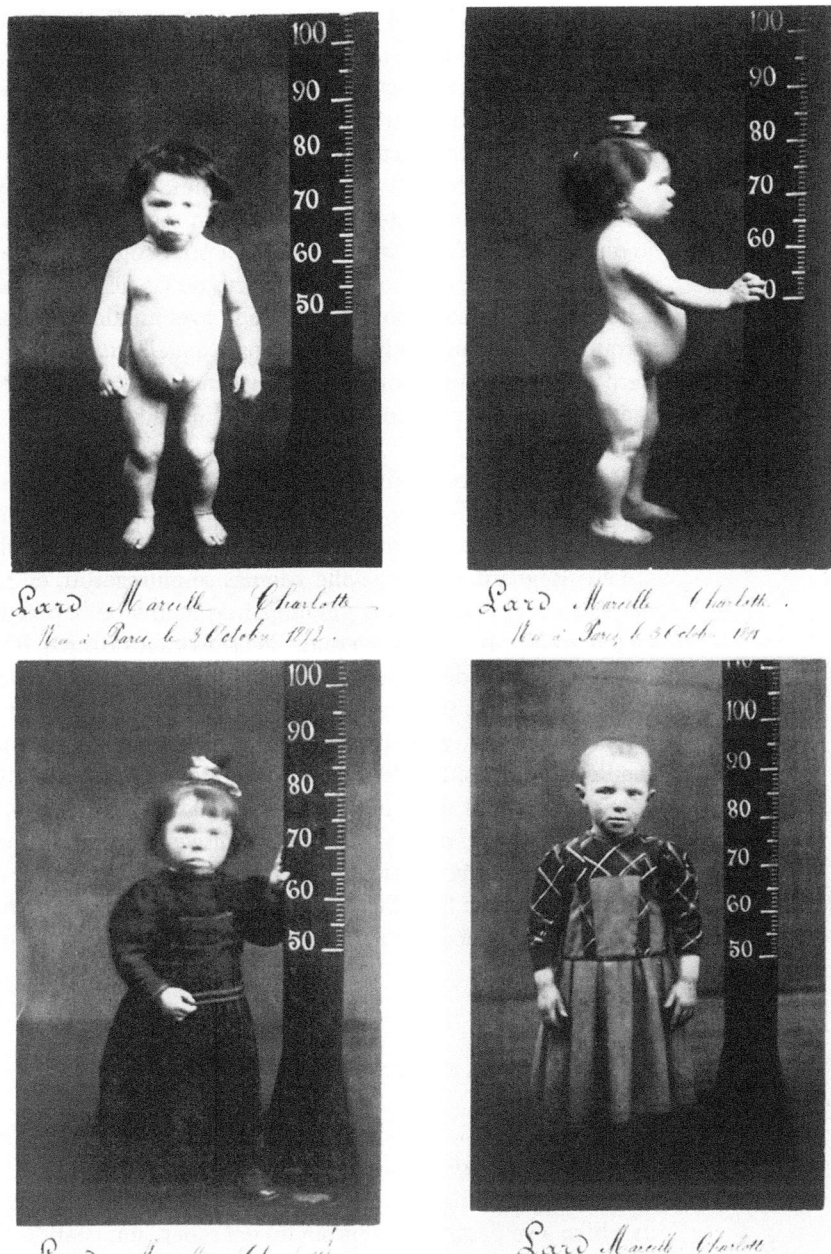

27-30. Bourneville, «Biografía diagnóstico» de una niña (extractos), realizada en el Hospital Bicêtre.

Veremos cómo con el rostro ocurrió lo mismo que con los pies: tuvo que colocarse a la altura y a disposición de la cámara. De este modo, el «rostro de la locura» se convirtió en «facies patológica de la enfermedad nerviosa». En otras palabras: perdió por completo su aura.

Pero vuelvo de nuevo a mis soplones, Bourneville y Régnard: unos años antes que Londe aún seguían —¿cómo lo diría?— *dudando:* se habían limitado a protocolos más aleatorios; su avaricia de imágenes, respecto de las histéricas, estaba todavía marcada por el signo de lo aventurado, y en los retratos que hacían aún había lugar para aquella *aura;* me refiero a un contenido temporal de imágenes verdaderamente más complejo, equívoco, turbador. Y, sin duda, a pesar de ellos mismos.

Bourneville, por ejemplo, se desquitó rápidamente después, mitad *bertillonage* y mitad carcelero, fotografiando-midiendo a los niños y las niñas de su servicio de Bicêtre [27-30].

Pero Régnard y Bourneville además se entregaron, en la Salpêtrière, al *riesgo* de una paradoja más íntima de la práctica fotográfica. Buscaron, sin duda, la facies en los rostros; trataron, sin duda, de negar cualquier efecto paradójico; pero sólo lo lograron a medias. Esto explica que sus imágenes nos sigan pareciendo enigmáticas y desconcertantes en mayor medida que otras. En ellas, la *facies* aún no existe totalmente como una policía de la imagen, como el aviso de un sujeto; todavía se ofrece, diría yo, como *espectáculo* (significado que *facies* tiene además en latín), jamás realmente subordinado a puestas en escena fijas. Se ofrece aún como un acto, un *factitivo* (lo que lo «hace», *facit):* un retrato entendido como acontecimiento.

PARADOJA DE LA EVIDENCIA

Pero ¿qué es esta paradoja? Yo la denominaría una *paradoja de la evidencia espectacular.*

Es, en primer lugar, la de un *saber* que se escapa de sí mismo, bien a su pesar; una fuga sin fin del saber, aun cuando el objeto del saber permanece, fotográficamente hablando, bien a la vista, sujeto a la objetividad. Además es, exactamente, la de la *similitud* fotográfica, que no es sin embargo la esencia de la fotografía, pero que deseaba serlo y que jamás habrá sido, a fin de cuentas, más que estasis, efecto, drama temporal de su repetido fracaso. Pero, quizá por ello, la paradoja es aquella misma de la Semejanza.

Cualquier comparecencia de las imágenes de la *Iconographie photographique de la Salpêtrière* nos confrontará con esta paradoja. Pero precisaré un poco al respecto.

¿EXACTITUD?

Baudelaire ya señalaba la existencia de una paradoja, cuando injuriaba la exactitud, al tratarla no como un efecto material, un «puro efecto» del acto fotográfico, sino como el *credo* de una «multitud» cuyo «mesías» había sido Daguerre[58]. Aquello que todo el mundo denominaba, en la fotografía, evidencia, Baudelaire lo llamaba creencia. Y fue aún más lejos; calificaba esta creencia como la de los atributos del adulterio, de la imbecilidad, del narcisismo, de la obscenidad, de la Mueca y de la Fatuidad modernas, incluso de la misma obcecación, y sobre todo de la venganza: una venganza estúpida de la industria hacia el arte[59]. Una gran e inagotable querella entre el arte y la ciencia.

Pero la querella, sea del arte contra la ciencia, o del arte contra el sentido[60], sólo habrá merecido ser apuntada y superada. La fotografía no ha podido jamás dejar de tender, efectivamente, a un relevo, *Aufhebung*, del arte[61], a un relevo de la ciencia y, por tanto, de las modas con las que coexiste. Este relevo se manifestó, en primer lugar, como la invención de medios retorcidos, inéditos, de la capacidad figurativa de los saberes. Ahora bien, la fotografía no es un sistema representativo en la misma medida que los demás, pues incluso cuando rechaza su autorrepresentatividad, su autorreferencialidad, léase, su aislamiento, siempre estamos dispuestos a creérnosla.

---

[58] Baudelaire, *OC,* II, pág. 617.
[59] *Ídem,* págs. 617-618.
[60] Cfr. Barthes, 1962, pág. 133.
[61] Cfr. Benjamin, 1931, pág. 74; Damisch, 1981, pág. 24.

Por más que connote, engañe, haga posar, estetice, desconecte los referentes de lo visible o lo cargue de significados, invente nuevas cualidades, la fotografía lo es todo: *pese a todo, siempre es garante de la verdad.* Pero ¿de qué verdad? Desde luego no de la verdad del sentido (a causa, justamente, de su capacidad para desenvolverse en las connotaciones), sino de la verdad existencial: siempre se considera que una fotografía autentifica la existencia de su referente y, de este modo, siempre nos otorga *conocimiento;* que siempre tiene el poder de apuntar en ella algo así como una garantía de que lo fotografiado «ha existido»[62]. Ciertamente. ¿Constituirá esto su «exactitud»?

¡ARTIFICIALIDAD!

Pero ¿qué hay de este saber «exacto»? ¿Podría la fotografía estar de algún modo en lo cierto (pero dónde), más allá de lo que puede hacer creer a través de sus trucos, puntos de vista, creaciones estéticas? A la inversa, ¿qué puede llevarnos exactamente a creer o a imaginar en aquello de lo que sin embargo certifica la existencia?

Otra manera de expresar esta paradoja de la evidencia: la fotografía es una práctica del artificio. Artificialidad: la doble cualidad de aquello que es *de hecho* (irrefutable, aunque eventual) y de lo que es *artificial.* Paradoja de falsa irrefutabilidad, si se me permite la expresión.

¿Y qué ocurre entonces con el *retrato* fotográfico? Aquí radica todo mi dilema. Retomemos de Lacan este trazo histórico:

> El retrato es la aplicación más antigua de la fotografía. Desde el momento en que los procedimientos de Daguerre se hicieron públicos, por todos lados vieron elevarse en los pisos altos de las casas frágiles construcciones acristaladas, semejantes a cálidos invernaderos, en las cuales el público se disponía a posar con admirable paciencia, bajo los rayos abrasadores del sol; allí permanecían posando hasta cinco minutos, y aún era preciso, como norma, dejarse cubrir el rostro con una capa de blanco de España, para que la imagen resultante fuera satisfactoria[63].

---

[62] Cfr. Barthes, 1980, págs. 54, 119-122, 134-135.
[63] Lacan, 1856, pág. 125.

Que el retrato fotográfico haya precisado de estudios, maquillaje (¡y en qué medida para ayudar a que la luz lo hiciera todo!), pero también de reposacabezas, fijadores para las rodillas, cortinajes y decorados, ya es suficiente indicación del grado de la paradoja: se autentificaba una existencia, pero a través de medios escénicos. Repasemos su historia: la fotografía jamás ha cesado de certificar presencias y, al mismo tiempo, nunca ha dejado de ritualizar dicha certificación. Nos preguntamos entonces: ¿cómo no habría sido capaz de desafiar cualquier noción de género (el del retrato, en este caso) cuando se ajusta humildemente a la configuración y a la «existencia» propias de su referente? ¿Cómo no vamos entonces a sospechar cierta represalia en su protocolo, cuando advertimos que, *pese a todo, cede ante el género?* ¿Y que incluso va a mantenerse incólume en el género? Pues por medio de un movimiento íntimo, quizá una negación de su milagrosa potencialidad técnica (la de grafiar aquí y ahora el *aquí y ahora* de lo visible), la fotografía no ha dejado de desearse como formalismo. A través de lo que permitía desde sus inicios, esto es, la simple exhibición de los cuerpos en imágenes, quiso hacer alarde de Formalidad, de Ideal, léase de Moralidad; al tiempo que *mostraba* los cuerpos, los solemnizaba y les asignaba un rito social y familiar y, con ello, los *refutaba* por medio de una suerte de teatralidad.

Una suerte de despiece de los cuerpos, de despiece escenificado, de escenificación dirigida al saber, saber dirigido a un *qué* en los cuerpos (más que a un *quién*)... En la que la fotografía accedía al dominio de la certeza antropológica[64], cuando tal vez no era más que un medio de quebrantarla.

Y es así —con el despiece y su escenificación— como la fotografía incorporó para sí el Texto, la *Leyenda:* una didascalia de sus disposiciones escénicas. No sólo un pie escrito en una esquina de las imágenes, sino más bien una leyenda, un deber-leer, una explicación; su dramaturgia, en resumen.

¿Su dramaturgia?

Quiero decir: su prospecto. Su propia perspectiva y su proyecto, al cual tiende a someter escénicamente un aspecto. In-

---

[64] Cfr. Heidegger, 1949, pág. 145.

cluso mientras niega esa misma tentación. Su dramaturgia es hacer objetos representativos a partir —sí, *partir*— de las diferencias singulares del «modelo» fotografiado. Es *hacer* suponer e imponer una identidad concebida, una analogía juzgada o prejuzgada, de las oposiciones o de las similitudes imaginadas por adelantado. Y es así como la fotografía se inventa como un ente científico, de amplias miras, generalizado, pese a que en su origen no es más que un acto ejemplar de la contingencia.

Y la fotografía llega a imaginarse que tiene poder de símbolo: pero, de hecho, no se trata más que de una entrada aún más solemne, tal vez más furiosa, en lo imaginario. Quiero decir, de lo imaginario como acto, de la artificialidad.

¿SUJETO?

¿Denominaría este término, por tanto, un anclaje de la fotografía en la ficción? En realidad, es algo peor que esto.

Y lo peor de todo es lo siguiente: la cámara fotográfica no es en el fondo más que un aparato subjetivo, *un aparato de la subjetividad.* Lo que este argumento encierra haría que Albert Londe se revolviese en su tumba. No obstante, preguntémonos de pasada si acaso Albert Londe ignoraba que la misma óptica, con sus leyes más perennes, ya funcionaba según una relación reglamentada, ciertamente, entre el espacio real y el que muy bien podríamos denominar espacio imaginario. Esto es, un lugar psíquico.

Iría aún más lejos y diría que la cámara fotográfica es una fabricación totalmente filosófica: es un instrumento del *cogito.*

Lluvia de metáforas. Apuestas: universalidades. Valéry comparaba la cámara oscura con la caverna platónica[65]. Y la fotografía, ¿no habría llevado a cabo finalmente la «semejanza indiscreta», aquella que no deja subsistir ningún «resquicio» entre el retrato y lo retratado, y que ocupa en la problemática de la certeza, para Descartes, una posición tan decisiva? Pero observen, sin embargo, que la certeza cartesiana, entre el «ego

---

[65] Cfr. Valéry, 1939, *passim.*

sum» y el «larvatus prodeo», sólo sigue circunloquios artificiosos, escenificaciones, exposiciones fingidas, trampantojos, figuraciones, máscaras y retratos: siempre, por tanto, *semejanzas imposibles*[66]. La cámara fotográfica sería, pues, más bien el aparato de un cogito enfermo de su propia certeza, caótico, *desgarrado*.

Fue finalmente en un capítulo titulado «La regresión» donde aparece, en la *Traumdeutung*, la cámara fotográfica para representar una noción de *lugar psíquico* en el sueño[67]; pero la analogía no resultó completamente satisfactoria, demasiado simple o demasiado compleja como máquina metafórica, también inadaptada, sin duda, a los vértigos propios a los que nos condena la cámara fotográfica, a nosotros como sujetos. Estos vértigos implican, eminentemente, la dialéctica freudiana del sujeto, si se prefiere, pero quizá en menor medida en términos de tópico, de lugares psíquicos, que en términos económicos o dinámicos. Son, en todo caso, o como poco, como los vértigos de una autotraición del sujeto, una autotraición experimental.

¡TRAICIÓN!

Tradire: transmitir, *entregar,* y en todos los sentidos; y por último, *¡traicionar!*

Al hilo de esto, una anécdota: en la primavera de 1921, se instalaron en Praga dos cabinas de fotografía denominada instantánea que acababan de ser inventadas en el extranjero y que fijaban sobre una hoja de papel dieciséis expresiones diferentes del sujeto, o tal vez incluso algunas más. Janouch le había dicho a Kafka, con su tono alegre y filosófico: «¡Este aparato es el *conócete a ti mismo* automático!» A lo cual Kafka respondió: «Sin duda quiere usted decir el engáñate a ti mismo» (por supuesto, acompañado por una aguda sonrisa). Janouch protestó un tanto ante aquella aseveración: «¿Cómo puede decir eso? Pero si la fotografía no miente», y Kafka apuntó: «¿Quién, pero quién le ha dicho a usted que no

---

[66] Cfr. Nancy, 1979, págs. 61-94.
[67] Cfr. Freud, 1900, pág. 455.

miente?»». Y después, escribe Janouch, ladeó la cabeza[68]. Todas esas cabezas ladeadas que aparecen en los retratos fotográficos, son cabezas sometidas a la imagen.

La fotografía nos *entrega*, en todos los sentidos; entrega una imagen de nosotros, nos entrega a la imagen, multiplica, repite la transmisión y, en la exactitud de este tránsito, nuestra moderna tradición trafica con nuestra historia, la traiciona en la exactitud de este allanar el camino figurativo. Su soberbio mito «materialista», la producción pelicular del doble[69], constituye de hecho *un paso al límite de la evidencia*. Exasperada, multiplicada, magnificada, la evidencia se convierte en simulacro.

Esta situación llevó al propio Albert Londe a mostrar el esencial contenido fantástico del retrato fotográfico. Tal es ese personaje multiplicado por tres, presente, como si dijésemos, por tres veces en la misma imagen: retratista, retratado y retrato, y puede que incluso triple autorretrato, interferencia en cualquier caso del autorretrato y del *alter*-retrato [31]...

¿PARECIDO?

La fotografía sería por tanto una técnica *«poco segura»*[70], frágil, incluso con mala fama. Escenifica los cuerpos: fragilidad, y en tal o cual momento, sutilmente, los desmiente (los inventa), más bien los somete a una especie de extorsión figurativa. En tanto que figuración, siempre plantea el enigma de «una inmovilidad del cuerpo inteligible»[71], aun cuando da a entender algo, y aun cuando esta comprensión se ahogue.

Un retrato fotográfico («Parecido garantizado», rezaba en los reclamos de los daguerrotipos) jamás habrá presentado su «modelo tal cual es» —como suele decirse—, sino que lo habrá mostrado ya *complicado*[72], ya modelado en otra cosa, quizá en un ideal, quizá en un enigma, quizá en ambos: identi-

---

[68] Cfr. Janouch, 1968, pág. 191.
[69] Cfr. Lacoue-Labarthe, 1979a, pág. 61.
[70] Cfr. Barthes, 1980, pág. 36.
[71] Schefer, 1976, pág. 12.
[72] Cfr. Baudelaire, *OC,* II, pág. 456 («De l'idéal et du modèle»).

31. Londe.
El «retrato
múltiple».
*La photographie
moderne...* (1888).

dad de «modelo», esencialmente disociada, retorcida y, por
ello, terriblemente inquietante. Esta inquietud sería esa misma de la *evidencia del Parecido:* demasiado evidente (en riesgo
de quedar vaciado) para no ser teatralizado, el parecido «exacto» pasa al acto, al acto de artificio, al acto de *mímica* (la mímica de su propia evidencia). Es decir, pasa a la invención de
una temporalidad distinta, alterante, de la pose; «aquí adelan-
tándola, allí rememorándola, en el futuro o en el pasado, bajo
una falsa apariencia de presente»[73] (¿por qué esta frase de la
mímica exige ser pensada y repensada tan imperiosamente?)...

---

[73] Mallarmé, *OC,* pág. 310 («Mimique»).

Y cuando nos formulamos preguntas paradójicas ante una fotografía como: ¿a quién se parece este rostro fotografiado?, ¿de quién es exactamente un rostro fotografiado?, ¿una fotografía no se parece en el fondo a cualquiera?[74], pues bien, no descartamos que el problema del parecido sea un problema mal planteado; más bien acusamos al Parecido como moción temporal inestable, vana y fantasmática. Nos interrogamos sobre un drama de evidencia imaginaria.

Pues parecerse, o el Parecido con mayúscula, da nombre a una *inquietud* mayor en lo visible, por lo que se refiere al tiempo. Es esto mismo lo que añade angustia a cualquier evidencia fotográfica y, más aún, a las escenificaciones, a los compromisos, a las retorsiones del sentido, a los *simulacros*. Y de este modo se modela la fotografía, a partir de su propio sacrilegio: blasfema su propia evidencia porque la evidencia es diabólica. Estropea la evidencia, de un teatro.

¡Vacío!

«Me vide!» era la interjección favorita en las escenas cómicas antiguas, ¡Mírame!, era la fórmula consagrada para significar cosas como: «¡Ten confianza!». Pero ¿acaso no es bien sabido que la razón de ser de la confianza no es otra que la de ser traicionada, sobre todo en las obras teatrales?

Lo mismo ocurre con la fotografía. La evidencia fotográfica: su tesoro es la confianza otorgada a la existencia de su referente; lo saquea a placer; y, a menudo, llega incluso a devastar algo en su camino. En el lugar de esta devastación, por tenue que sea (picadura, agujero, mancha o corte: *punctum*), se produce una suerte de implosión: el efecto siempre irreparable de un resplandor que surge a partir del vacío, una exorbitación[75]. Yo también corro tras la época de esta mancha icónica, en algunas fotos de locas. Es algo que tiene que ver con la mirada, o más bien con un cruce entre mirada y representación; es algo que tiene que ver con el tiempo, la excesiva in-

---

[74] Cfr. Barthes, 1975, pág. 40; Lacoue-Labarthe, 1979a, pág. 24; Barthes, 1980, pág. 160.

[75] Cfr. Benjamin, 1931, pág. 62; Barthes, 1980, págs. 47-50, 73-95, 141-143.

movilización del deseo, un contra-recuerdo, una fuga alucinatoria, una retención alucinatoria del presente en fuga, o qué
sé yo...

Y es de este modo, con aspectos tomados de la mirada y el
tiempo, como la fotografía se inventa una proximidad muy
real con la locura.

CAPÍTULO 4

Mil formas, bajo ninguna

«HE AQUÍ A LA LOCA»

Aquí está la loca que pasa bailando mientras se acuerda vagamente de algo. Los niños la persiguen a pedradas, como si fuera un mirlo. Los hombres la siguen con la mirada. Ella blande un bastón y simula que les increpa, pero luego reemprende su camino. Se ha dejado abandonado un zapato, y no lo ha advertido. Largas patas de araña pasean por encima de su nuca: no son más que sus cabellos. En un instante parece que su rostro no fuese humano, y lanza una carcajada de hiena. Deja escapar fragmentos de frases en las cuales, al reconstruirlas, es difícil hallar un significado claro; pero ¿quién las reconstruye? Su vestido, agujereado en más de un lugar, ejecuta movimientos entrecortados alrededor de sus piernas huesudas y llenas de barro. Se adelanta, como la hoja del álamo, arrastrando su juventud, sus ilusiones y su felicidad pasada, que vuelve a ver por medio del torbellino de sus facultades inconscientes. Su paso es grosero, y su aliento huele a aguardiente. ¿Por qué, sin embargo, se nos pasa por la cabeza que es hermosa?

La loca no hace ningún reproche, es demasiado orgullosa para compadecerse, y morirá sin haber revelado su secreto a aquellos que se interesan por ella, pero a los que ha prohibido que le dirijan la palabra; y a los que, sin embargo, llama con sus poses extravagantes. Los niños la persiguen a pedradas, como si fuera un mirlo[1]. Los hombres la siguen con la mirada.

LA BESTIA NEGRA

Lo que los hombres persiguieron en la histeria fue, ante todo, una especie de *bestia negra;* y es justamente así, en francés, como lo escribe Freud[2].

Veintinueve años antes, como poco, Briquet comenzaba su gran tratado *«clínico y terapéutico»* de la histeria, insistiendo en la auténtica *repulsión* que le inspiraba «esa clase de enfermas»; escribía al respecto:

> Tuve, para mayor tranquilidad de mi conciencia, que prestar toda mi atención a esa clase de enfermas, sobre la que mi gusto por los estudios de las ciencias positivas sin embargo no me conducía. La tarea de tratar enfermedades que todos los autores coincidían en considerar del tipo inestable, irregular, fantasioso, imprevisible; de enfermedades que no parecían estar gobernadas por ninguna ley, por ninguna regla, ni vinculadas entre ellas, era lo que más repulsión me inspiraba. Pero me resigné y me puse manos a la obra[3].

La histeria fue, durante largo tiempo, la bestia negra de los médicos, puesto que representaba, para todos, un *miedo enorme:* pues era una aporía convertida en síntoma.

Ahora bien, ese síntoma era el *síntoma de ser mujer;* así de burdo; y todo el mundo lo sabía. *Ustéra:* lo que está completamente detrás, en el fondo, en el límite: la matriz. La palabra «histeria» aparece por primera vez en el aforismo trigésimo quinto de Hipócrates, en el que se lee: «En una mujer atacada de histeria, o que tiene un parto difícil, el estornudo que le sigue resulta favorable»[4]. Esto significa que el estornudo coloca el útero en su lugar, en su verdadero lugar; sig-

---

[1] Cfr. Lautréamont, *OC,* págs. 136-137.
[2] Freud, 1888, pág. 41.
[3] Briquet, 1859, pág. V.
[4] Cit. por Veith, 1965, pág. 19.

nifica que el útero tiene la capacidad de desplazarse. Significa que esta especie de «miembro» propio de la mujer es un *animal*.

Y sus más mínimas sacudidas (sinónimo de moverse o de agitarse, pero también de masturbarse), no resultan menos amedrentadoras que las lubricidades, sofocaciones, síncopes, y *«auténticas similitudes de muerte»*:

> Cuando hablo de la mujer, hablo de un sexo tan frágil, tan variable, tan mudable, tan inconstante e imperfecto, que a mi entender (y hablando con todo honor y respeto) la Naturaleza, cuando creó a la mujer, se apartó de ese buen juicio por el que ha creado y formado todas las cosas. Y tras haberlo pensado cientos de veces, no tengo por menos que concluir que, al inventar a la mujer, ha tenido en consideración la social delectación del hombre y la perpetuidad de la especie humana, más que la perfección del individuo femenino. Ciertamente, Platón no sabía en qué rango debía colocarlas, si en el de los animales razonables o en el de las bestias brutas. Pues la Naturaleza les ha colocado dentro del cuerpo un animal en lugar secreto o intestino, un miembro que no existe en los hombres, y en el cual se engendran a veces ciertos humores sucios, nitrosos, voraginosos, acres, mordientes, lancinantes, amargamente cosquilleantes, cuyo tacto o frotación dolorosa (pues es éste un miembro muy nervioso y de sensaciones muy vivas) hace que se estremezca todo su cuerpo, se exciten todos sus sentidos, se interioricen todos sus afectos, se confundan todos sus pensamientos. De suerte que, si la Naturaleza no les hubiese regado la frente con algo de vergüenza, las verían como locas correr despavoridas, más espantosamente que jamás hicieran las Proétidas, las Mimallónidas o las Thyadas báquicas en el día de sus bacanales. Porque este terrible animal está ligado a todas las partes principales de su cuerpo, como resulta evidente en la anatomía. Lo denomino animal, siguiendo la doctrina tanto de los seguidores de la Academia como de los peripatéticos. Pues, si el movimiento propio es una señal cierta de toda cosa animada, como escribió Aristóteles, y todo lo que se mueve por sí mismo se denomina animal, Platón oportunamente la denomina animal, reconociendo en ella movimientos propios de sofocaciones, de precipitaciones, de corrugaciones, de indignación, véase, tan violentos que muy a menudo, a causa de ellos, la mujer pierde cualquier otro sentido y movimiento, como presa de lipotimia o sínco-

pes, epilepsia, apoplejía o incluso auténtica apariencia de muerte[5].

PARTE VERGONZANTE

La histeria habrá sido nombrada, desnombrada y renombrada unas diez mil veces (Janet, que ya no creía en la histeria uterina, hallaba sin embargo «penoso renunciar» a esa palabra tan aristotélica)[6]. Un breve extracto de su catálogo:

> Entre los franceses, histeria, histericismo, histeralgia, espasmo histérico, pasión histérica, espasmos, mal de los nervios, ataques nerviosos, vapores, amarria, asma de las mujeres, melancolía de las vírgenes y de las viudas, sofocación uterina, sofocación de la matriz —que Jorden denominaba: «sofocación de la madre»—, epilepsia uterina, estrangulamiento uterino, vapores uterinos, neurosis uterina, metro-nervia, neurosis métrica, metralgia, ovaralgia, uterocefalia, encefalia espasmódica, etc.[7].

Pero lo que *quiere decir* Histeria, lo que se ha querido decir con esa palabra, tan usada y a menudo tan desdeñada, pues bien, a menudo se ha visto acallado, incluso en ese siglo en el que todo, positivamente, habrá sido decretado como enunciable; tal como testimonia, por ejemplo, la ilustre figura de Rougon, contemporáneo de Charcot:

> Rougon, por su parte, arremetía contra los libros. Acababa de hacer aparición una novela que, sobre todo, le indignaba sobremanera: una obra nacida de la imaginación más depravada, que aparentaba preocupación por la veracidad absoluta, y arrastraba al lector en los excesos de una mujer histérica. La palabra «histeria» pareció agradarle, pues la repitió en tres ocasiones. Cuando Clorinde le preguntó por su significado, él rehusó dárselo, azorado por un enorme pudor. Todo puede decirse, prosiguió; sólo que siempre hay una manera para decirlo[8].

---

[5] Rabelais, *OC*, págs. 445-446.
[6] Janet, 1893, pág. 300.
[7] Landouzy, 1846, pág. 14. Cfr. Dubois, 1837, págs. 13-14.
[8] Zola, 1876, pág. 114.

La bestia negra fue, al mismo tiempo, secreto y desbordamiento; la bestia negra era una mala jugada del deseo femenino; su parte más vergonzante. Paracelso denominaba la histeria *chorea lasciva:* danza, coreografía de la lubricidad. Histeria será un término que no ha dejado casi nunca de identificar lo femenino como *culpabilidad.*

LO INTRATABLE

¿Cuidar de una histérica? Devolver al animal-matriz a un lugar conveniente, es decir, en lo más profundo. Ambroise Paré, por poner un ejemplo, nos enseña que «la matriz, de instinto natural y peculiar facultad, huye de las cosas fétidas y se complace en las cosas odoríferas»[9]; deducción terapéutica: hacer que la mujer respire los peores olores, asfalto, aceites de azufre y de petróleo, plumas de becada, pelos de hombre y de macho cabrío, uñas, cuernos, pólvora de cañón, trapos viejos, ¡todo ello quemado! Todo esto «hace descender» (repulsión, hacia abajo); y, a la inversa: «mantener el cuello del útero abierto por medio de un resorte», y a continuación, con la ayuda de un instrumento fabricado expresamente para ello, practicar suaves fumigaciones en la vagina (atracción, hacia abajo); además de esto, gritar con fuerza a los oídos de la paciente, durante la operación (para que no llegue a desvanecerse); y «que alguien le tire del pelo de las sienes y del cogote, o mejor aún del de las partes pudendas, a fin de que no sólo se despierte, sino además que, debido al dolor excitado en las partes bajas, el vapor que sube a lo alto y provoca la sofocación, sea retirado y devuelto abajo por revulsión»[10]. Sutil mecánica. Y no es más que un ejemplo.

En el siglo XIX, también Briquet, al igual que todo el mundo, realizó una intensa investigación. Excitantes, antiflojísticos, estupefacientes, revulsivos[11], y no sigo. Incluso llegó a pensar que debía experimentar con el arsénico como medica-

---

[9] Paré, cit. por Morel y Quetel, 1979, pág. 42.
[10] *Ídem,* pág. 43.
[11] Cfr. Briquet, 1859, págs. 605-717.

ción ideal para la histeria[12]. Pero el tratado de Dubois, en cuanto a ello, abría su capítulo «terapéutico» con esta máxima, disfrazada de adagio: «In therapeiâ maxime claudicamus»[13]... ¿Acaso, en la práctica, la histeria habría sido incurable?

La teoría es, sin embargo, mucho más simple: ¿no se extirparía la histeria extirpando, limpiando la causa? ¿Acaso Briquet no cita también su adagio, esta vez auténtico: «Sublata causa, tollitur effectus»?[14]. ¿Y la *cura* no es acaso el medio ideal para practicar la ablación de las causas mórbidas? ¿No es el verdadero relevador de la *panacea,* cuyo objetivo es suprimir no solamente toda la enfermedad, sino toda enfermedad?

Me pregunto por qué entonces los médicos de la histeria se convirtieron, en realidad, a fuerza de fracasos farmacéuticos y quirúrgicos, en terapeutas de la *puesta en observación...*

MALUM SINE MATERIA

El problema es que jamás se pudo encontrar el lugar donde residía realmente la causa de la histeria. Y aun jamás se pudo hallar el lugar donde residía propiamente la histeria.

No cabe duda de que conllevaba convulsiones. Espíritus sobreexcitados, arrebatos recíprocos, y la «mujer nerviosa» explota, se agita en todos los sentidos: espasmos, movimientos denominados —con cierto pudor— «irregulares». Tampoco cabe duda de que estaba acompañada de vapores; la especificidad de la histeria se basaba en su «temperamento bilioso-melancólico», aderezada de cualquier disfunción en la matriz, pero ¿de cuál? ¿Se resolvería, quizá, clasificando la histeria en distintos rangos? ¿La «venenosa», la «clorótica», la «menorrágica», la «febril», la «visceral», la «libidinosa»?[15]. ¿Y después?

Todos los esfuerzos de la anatomía patológica se concentraron, en el siglo XIX, no sólo en configurar la enfermedad, la

---

[12] *Ídem,* pág. 706.
[13] Dubois, 1837, pág. 455.
[14] Briquet, 1859, pág. 632.
[15] Cfr. Boissier de Sauvages, cit. por Veith, 1965, págs. 166-168.

distribución de los síntomas, sino también, y principalmente, en subsumir esa configuración; esto es, en *localizar la esencia del mal:* la señal misma de la enfermedad considerándola, a partir de entonces, menos un síntoma que una *lesión.* De este modo, una enfermedad debe definirse por su *sede.* Pero,

> por desgracia, desde este punto de vista, la histeria forma parte del dominio de las neurosis, es decir, de las enfermedades *sine materia* o al menos cuya «materia» está aún por descubrir. Las autopsias de histéricas que han sucumbido bien por ataques de espasmos o por anorexia, o bien por afecciones sobrevenidas, no han revelado, aparte de las lesiones propias de las enfermedades añadidas a ella, nada palpable, nada orgánico, en una palabra[16].

El propio Charcot admitía que la histeria y las enfermedades cercanas a ella, como la epilepsia y la corea o baile de San Vito, «se nos ofrecen como una esfinge que desafía la anatomía más penetrante»[17]. Parece como si la histeria no sólo fuera capaz de escapar a las reglas del método anatómico-clínico, y de la denominada «doctrina de las localizaciones», sino que también, como explica Charcot, no hace más que intervenir «peligrosamente», es decir, como causante de errores[18].

Causante de errores, sí. Y es que la histeria supone, en esencia, un golpe paradójico de monumentales dimensiones asestado a la inteligibilidad médica. Un mal que no es de «sede», sino de recorridos, de localizaciones múltiples. Un mal que no es de «causa», sino de *quasi*-causas, con estatutos temporales y antitéticos, de *quasi*-causas diseminadas, y cuya eficacia sería más bien la de la propia paradoja que la encierra, es decir, la génesis en acción, siempre en acción, de la contradicción.

Pero la inteligibilidad médica no renunció ni a la «causa» ni a su «sede». No tuvo, pues, miedo de enfrentarse a las paradojas. En las próximas páginas se esbozará el movimiento histórico de esta búsqueda y de este rechazo furiosos.

---

[16] Gilles de la Tourette, 1898, págs. 154-155.
[17] Charcot, *OC,* III, pág. 15.
[18] Charcot y Pitres, 1895, pág. 27.

PARADOJAS DE LA CAUSA

Si ustedes admiten por un instante que el útero no es un animal, esto es, algo que se mueve por sí mismo, harán bien entonces en *echarle la culpa* a otra cosa. Pero ¿a qué? ¿Acaso la histeria no sería un tipo de locura? En ese caso, ¿trastorno en las *sensaciones* o trastorno *del alma? ¿Humor?* ¿Enfermedad de la *pasión?* Tal vez: la pasión (una de las seis cosas «no naturales», según la tradición galenista) ofrecía algo así como una «superficie de contacto» entre cuerpo y alma[19]; quizá, pero no habrá resultado suficientemente satisfactoria; también fue necesario intercalar el concepto de *irritación:* «La facultad de los tejidos para moverse por contacto con un cuerpo extraño»[20]; de esta manera, «las mujeres histéricas se sienten, en primer lugar, atormentadas por una sensación de calor y de acritud en los órganos sexuales; suelen presentar flores (pérdidas, flujos) de color blanco, reglas irregulares, ardor en el cuello uterino, y si se les levanta el útero con el dedo, a menudo renace la sensación de sofoco y ascenso de una bola hacia la garganta»[21]... ¡Acritud en los órganos!

A continuación se quedaron atrapados en demasiadas o demasiado sutiles distinciones sobre las causas, bien lejanas o bien próximas, bien específicas o bien con, per o intercurrentes, bien predispuestas o bien determinantes, bien físicas o bien psíquicas o morales, bien imaginarias o bien...

Luego Briquet admitió el carácter confuso en que había caído este cajón de sastre de la causalidad[22]; después comprendió que poco o nada tenía que añadir al respecto, alegando sin embargo que, si bien la «disposición» histérica no es propiamente «genital», no por ello deja de ser el efecto de un «modo especial de sensibilidad»: la sensibilidad femenina, así de simple[23]. Feminidad: cajón de sastre causal, círculo vicioso.

---

[19] Cfr. Foucault, 1961, págs. 243-250; Starobinski, 1980, *passim.*
[20] Broussais, 1828, I, pág. 3.
[21] *Ídem,* II, pág. 348.
[22] Cfr. Briquet, 1859, págs. 164-165.
[23] *Ídem,* pág. 51.

Hasta que llegó Charcot. Las causas se vuelven a organizar en «agentes provocadores» y «factores de predisposición», con una clara primacía otorgada a la herencia, pero constituyendo todavía un gran cajón de sastre etiológico: las «impresiones morales», los «miedos», «lo maravilloso», las «prácticas religiosas exageradas», las «epidemias», la «imitación», las «prácticas intempestivas de hipnotización», los «traumatismos» o «shocks nerviosos», los «temblores de tierra» y el «rayo», la «fiebre tifoidea», la «neumonía», la «escarlatina», la «gripe», el «reumatismo articular», la «diabetes», el «paludismo», la «sífilis» (por supuesto, la sífilis), la «clorosis», el «agotamiento», las «hemorragias», el «onanismo», los «excesos venéreos», pero también la «continencia», las «intoxicaciones», el «tabaco», el «alcanfor», ciertas «profesiones», ciertas «razas», las «israelitas»...[24].

Cajón de sastre caótico y fantástico de causas, una y otra vez. Diseminación de la causalidad. Círculo vicioso: pero ¿acaso no es el mismo, específico y como estratégico, de la propia temporalidad histérica?

PARADOJAS DEL FOCO

Si por lo menos alguien hubiera encontrado algo en alguna parte... Pero no fue así. Y es que las histéricas son al tiempo una paradoja clínica, aquejadas de los síntomas más graves y aún indemnes, indemnes de lesiones concomitantes: histeralgia u ovaralgia, se buscaba en el útero o en los ovarios y no se hallaba nada; vapores o delirios, se buscaba en el cráneo y tampoco se encontraba nada.

Las paradojas del foco de la histeria: este aspecto encierra toda la historia de la histeria. Es la historia de un gran debate, tan vano como encarnizado: el de los *exploradores de úteros* contra los *inquisidores de encéfalos,* tal como yo los llamaría para abreviar (los más refinados fueron los teóricos de la relación entre la cabeza y el sexo de la mujer: en el que el cerebro desempeñaba el papel de un repetidor o «distribuidor»

---

[24] Gilles de la Tourette, 1891-1895, I, pág. 576. Cfr. *ídem,* págs. 37-127; Guinon, 1889, *passim*; Pitres, 1891, I, págs. 13-46.

visceral). Las «teorías uterinas», tan viejas como el mundo, tuvieron una vida larga y duradera. Landouzy, en 1846, aún definía la histeria como «neurosis del aparato reproductor de la mujer»; «se convencerán ustedes —decía con tono imperativo el autor— de que el aparato genital es a menudo la causa y siempre la sede de la histeria»[25].

(¿«Neurosis del aparato reproductor de la mujer»? ¿O neurosis de un inmenso aparato discursivo que generó a «la mujer» como imagen específica, compatible de la histeria?)

No, replicó Briquet años más tarde, «para mí la histeria es una neurosis del encéfalo, cuyos fenómenos aparentes consisten principalmente en la perturbación de los actos vitales que sirven a la manifestación de las sensaciones afectivas y de las pasiones»[26]. Heraldo de la tradición número dos (que se remontaba a Sydenham, a Baglivi y tantos otros), Briquet sostenía que la histeria era una *enfermedad de la impresión,* de la impresionabilidad:

> Existe en el eje encéfalo-raquídeo una división del sistema nervioso consagrada a recibir las impresiones afectivas, es decir, la acción de las causas que, provenientes del exterior o de la intimidad de los órganos, producen el placer o el dolor tanto físicos como psíquicos. (...) Podemos considerar la histeria como el producto del sufrimiento de la porción encefálica destinada a recibir las impresiones afectivas y las sensaciones[27].

Por otro lado, ¿acaso Voisin no había «verificado», no había «abierto», tal como él decía, a algunas histéricas, y no había visto nada en las cavidades pélvicas, y había creído ver un foco de la locura histérica en cierta materia gris?[28]. (Lo cual no le impidió afirmar, por lo demás, la pura espiritualidad del alma y su inmortalidad)[29]...

Nota bene, habría que repetir: «La mujer, para cumplir su misión providencial, debe presentar cierta susceptibilidad en

---

[25] Landouzy, 1846, pág. 230. Cfr. *ídem,* págs. 211-213. Cfr. Louyer-Villermay, 1816, *passim.*

[26] Briquet, 1859, pág. 3.

[27] *Ídem,* págs. 600-601.

[28] Cfr. Voisin, 1826, págs. 348-359.

[29] *Ídem,* pág. XIII.

un grado muy superior al del hombre»[30]; pese a haber sido puesta en duda como cuestión uterina, la histeria se mantuvo como algo exclusivo de las mujeres, y Briquet consiguió el golpe maestro de hacer de ella a la vez una enfermedad femenina y una enfermedad desexualizada: una enfermedad sentimental[31].

Sin embargo, la histeria no es tan sólo un suceso sentimental: los afectos se convierten en ella en catástrofes corporales, en enigmática y violenta espacialidad. Si se ha apelado al útero y al encéfalo, es porque ambos eran crisoles de fantasmas, en los que bebían la ignorancia y el desasosiego de los médicos. Cuando la causa se les escapaba, era por culpa del útero o si no de alguna oscuridad central situada en la parte posterior de la cabeza. Sí, la histeria fue prodigio y drama de las profundidades; se buscaban por tanto agentes iniciadores en la cabeza (masa gris, infinitamente organizada en circunvoluciones, detrás de los rasgos faciales) y agentes consolidantes en el fondo del sexo, que es el otro del rostro y, por ello, connivente con él.

Pero la histeria persistió en desafiar cualquier concepto de foco, cualquier noción de monomanía (locura local). Su extrema visibilidad mantenía un secreto a su respecto, una invisibilidad y una inestabilidad, una libertad de manifestaciones absolutamente intratables; una imprevisibilidad irreductible. La histeria obligaba a pensar en paradojas, aquí una porosidad integral del cuerpo, allá una dinámica de los vapores y de las simpatías, acullá las oscuras evoluciones de la «nerviosidad». Pero las evoluciones inherentes al pensamiento médico se iban oscureciendo por el camino.

PARADOJA DE LA EVIDENCIA ESPECTACULAR

Por tanto, «es imposible ofrecer una definición nosológica precisa de la histeria, pues esta neurosis no presenta ni lesiones conocidas ni síntomas constantes o patognómicos»[32]. La

---

[30] Briquet, 1859, pág. 600.
[31] Ídem, pág. VII.
[32] Pitres, 1891, I, pág. 2.

única posible sería una «definición clínica de la histeria basada en los caracteres comunes a los accidentes de esta neurosis»[33]. Regreso palpable de la luz sobre la oscuridad de las evoluciones cuya evidencia es el síntoma. Regreso de los síntomas sobre la oscuridad de las lesiones. La histeria obligará a la medicina *a pararse ante su evidencia*. Cuando hablo de parada, no me refiero a estación, sino a estasis, suspensión, dialéctica del deseo, tal como la histeria parece fomentarla; esta parada es el deseo, siempre suspendido, del médico de penetrar más profundamente.

Y esta suspensión dio nombre a un tiempo lógico (una categoría del mismo orden de un *with-out* repetido)... La ataxia histérica, tal como se decía en el siglo XIX *(ataxia:* desorden, confusión, deserción de puesto o de rango), significa la *conflagración espectacular* de todas las paradojas en un solo gesto, grito, síntoma, risa, mirada. Regreso de la evidencia entendido como regreso de las llamas. Es una hoguera de paradojas, paradojas de todos los géneros: las histéricas están, en efecto (y siempre hasta el exceso) calientes y frías, húmedas y secas, inertes y convulsas, sincopadas y plenas de vida, abatidas y risueñas, ligeras y pesadas, estáticas y vibrantes, fermentadas y ácidas, etcétera, etcétera. El cuerpo de las histéricas injuria a Cuvier, quiero decir a la completa sumisión del órgano a la función: «La histérica parece siempre estar fuera de toda regla: tan pronto sus órganos actúan con exageración como, por el contrario, sus funciones se ralentizan hasta el punto de que, a veces, parecen suprimidas»[34]. El cuerpo de las histéricas vive, finalmente, según una temporalidad siempre asombrosa, compuesta de intermisiones, «propagaciones», influencias, crisis agudas, y además resiste durante años cualquier tentativa de tratamiento, hasta que luego, un día cualquiera, sin que nadie sepa por qué, la histérica se cura por sí sola...[35].

El cuerpo de las histéricas llega incluso a ofrecer el espectáculo absoluto de todas las enfermedades a un mismo tiempo. Y, contradictoriamente, poco le importa. Y siempre sin una sola lesión. Ésta es la paradoja de la evidencia espectacu-

---

[33] *Ídem*, I, pág. 11.
[34] IPS, III, pág. 3.
[35] Cfr. Briquet, 1859, págs. 490-604; Richer, 1889, pág. 208, etc.

lar: la histeria ofrece todos los síntomas, con una extraordinaria profusión, pero estos síntomas no obedecen a *nada* (no poseen ninguna base orgánica).

SOSPECHAS: EL SÍNTOMA COMO MENTIRA

¿La histeria sería entonces muestra de una fuerza verdaderamente abismal y secreta, siempre inviolada pese a siglos y siglos de pertinaces investigaciones? ¿O deberíamos mejor hablar de una farsa? ¿De un mero fenómeno superficial? ¿Cómo? ¿Acaso el síntoma histérico no sería más que una *mentira* (... palabra que fue, hasta el siglo XVII, de género femenino: quizá, dicen los etimólogos, debido a la influencia de la palabra *sueño*...)?[36].

¡Una mentira! Parece coherente pensar que el loco sea aquel que ha perdido el sentido de su verdad, aquel a quien se le escapan las leyes que rigen el mundo, e incluso las leyes de su propia esencia. *¡Pero que una mujer obligue a mentir a su propio cuerpo!* ¿Cómo puede la medicina seguir ejerciendo con honestidad, si los mismos cuerpos se ponen a mentir? Todo el mundo miente, pero por lo general el cuerpo de cualquiera revela, y «acusa», la verdad en la punta de la nariz o en el rubor de las mejillas. ¿Cómo es posible, entonces, una traición convertida en cuerpo y síntoma, más allá de toda intencionalidad planeada por el sujeto? Pero ¿en qué medida la fiebre puede ser mentira?

Y he aquí de nuevo la paradoja de la evidencia espectacular, en su mismo punto crucial: una visibilidad sintomática (su «presentación») puede no ser más que representación, máscara o *fictum*, mascarada de un síntoma orgánico «verdadero». Un síntoma puede manifestarse, pero ser falso al mismo tiempo: seudohemiplejia, seudohipertrofia, etc. Una histérica puede padecer espontáneamente «estigmas», una gangrena cutánea, por ejemplo, y nada se opone a que pueda morir; Charcot nos dirá, sin embargo: desconfíen, era una seudo-gangrena, un «sosias» de afección orgáni-

---

[36] En francés, la terminación de la palabra mentira *(mensonge)* es idéntica a la palabra sueño *(songe)*. *(N. del T.)*

ca, «que tendremos que saber desenmascarar»[37]. Y su muerte, ¿habrá sido también un sosias, un sosias de la muerte «verdadera»?

«ESO NO IMPIDE SU EXISTENCIA»

Una anécdota célebre: cierto día un joven estudiante hizo una puntillosa objeción a Charcot sobre la relación entre la hemianestesia y la hemianopsia en la histeria; el Maestro replicó: «Su teoría es acertada, *pero eso no impide su existencia*». Esta frase se grabó con fuego en la mente del estudiante. Años más tarde, Freud, pues éste era su nombre, tradujo las *Lecciones de los martes* de Charcot, relató la anécdota y añadió esta anotación: «Si tan sólo supiéramos *qué es lo que* existe»[38].

Freud jamás dejó de formularse esta pregunta (la existencia de esto, de aquello): pregunta crucial tratándose de la histeria, pues enuncia justamente la paradoja de la evidencia. Freud decía que el rasgo más sorprendente de la histeria es que está regida por pensamientos *«eficientes aunque inconscientes»*[39], y que es la eficiencia misma de una «reproducción dramática»: artificialidad, paradoja del deseo en la representación, donde lo que la histeria *ofrece a la mirada*, e incluso actúa, es aquello que precisamente *ella no puede cumplir*.

Charcot no planteó el problema en estos términos: requirió la presencia de lo descriptible, aun a riesgo de ensombrecer, incluso de hacer desaparecer, el ser de la enfermedad; no separó lo consumado y lo ofrecido a la mirada; fue un perfecto clínico. Y, después de todo, su célebre frase apenas cuenta nada, a no ser su profundo deseo de que la histeria *existiera, ante sus ojos*.

EXTIRPAR UNA FORMA, AL MENOS

Para ello era preciso que tampoco se plantease, en presencia de una histérica, la pregunta existencial. ¿Quién es el ser que «está frente a mí?, o alguna del mismo género. Era nece-

---

[37] Charcot, 1888-1889, pág. 522.
[38] Freud, 1892-1894, pág. 139. Cfr. Freud, 1901-1905, pág. 86; Freud, 1925, págs. 17-19.
[39] Freud, 1912, pág. 179 (la cursiva es mía).

sario *rechazar* cualquier paradoja y cualquier *fictum* (es decir, guardarlos en lo más recóndito de su pensamiento, como malevolencias: vigilantes maléficos). Sobre todo había que postular, que «determinar como hecho» como se dice en las llamadas ciencias exactas.

«Esto no es una novela: *la histeria tiene sus propias leyes.*» Y por supuesto que se someterá a ellas. Y afirmo que tendrá incluso «la regularidad de un mecanismo»[40].

Sorprendentemente, Charcot casi mantuvo su palabra: dio una forma, un cuadro, a la histeria. Comenzó dando un paso decisivo: formuló con diagnósticos la *diferenciación entre histeria y epilepsia,* tarea que Landouzy había emprendido antes que él[41]. Sostuvo que las epilépticas presentaban «accesos» y las histéricas, «ataques»: comparó la gravedad recíproca de los síntomas; decretó que la epilepsia era más «auténtica» (porque era más «grave») que la histeria, e incluso su modelo figurativo: *la histeria imita a la epilepsia;* Charcot era testigo de ello un día tras otro en su servicio de la Salpêtrière.

Después forjó, como todos los grandes médicos, su propio concepto nosológico, la *histero-epilepsia,* o *hysteria major,* para la cual tuvo que poner en pie toda una combinatoria de «crisis mixtas» y de «crisis separadas»[42], de todo aquello que pertenece propiamente a tal afección en tal síntoma complejo, etc. Quería forjar el concepto de una histeria que no mintiese nunca, de una histeria mayor.

Esta combinatoria, obtenida mediante un diagnóstico siempre *complicado* —como, por ejemplo: «En resumen, aquí se trata de una neuritis-ciática provocada por el empleo de la máquina de coser, (...) generalizada a continuación a todo el miembro (...) y *complicada con histeria*»—[43], demandaba ella misma una especie de compromiso teórico en lo relativo a la dialéctica de las formas nosológicas: Charcot sostenía, por una parte, la «doctrina de la fijeza de las especies mórbidas»[44],

[40] Charcot, *OC,* IX, pág. 277; III, pág. 15.
[41] Cfr. Landouzy, 1846, págs. 236-238.
[42] Cfr. Charcot, 1887-1888, págs. 121-122. Cfr. Freud, 1892-1894, pág. 142 (nota crítica de la histero-epilepsia).
[43] Charcot, 1892-1893, I, pág. 177 (la cursiva es mía).
[44] Charcot, 1887-1888, págs. 178-179.

y, por otra, reconocía la existencia de «complejos nosológicos» tales que «no representan en realidad formas híbridas, productos variables e inestables de una mezcla, de una fusión íntima, sino más bien el resultado de una asociación, de una yuxtaposición en la cual cada uno de sus componentes conserva su autonomía»[45]. Lo más perentorio era *aislar la histeria,* puesto que tiende, justamente, a contaminar (y no sólo a imitar) todos los repertorios nosológicos: de esta manera, la histeria viene a «complicar» la epilepsia, pero no debe, dice Charcot, «fundirse» imperativamente con ella[46].

Aislar la histeria significaba también aislarla en la teoría, quiero decir, desde el punto de vista de la anatomía y de la fisiología patológicas. Así, pese al «sine materia», Charcot fomentó el concepto de la *lesión histérica:* lesión de la corteza, no del centro, «lesión dinámica», decía, fisiológica y no anatómica, «fugaz, lábil, siempre susceptible de desaparecer»[47].

¿El mero efecto de un rasgo? En absoluto. El índice de ese carácter «fuera de sí», diría yo, de esta explicación teórica de la histeria, queda perfectamente marcado en la persistencia en todo ello del ideal *anatomoclínico.* Como si todo lo anterior no fuera más que un compromiso y expectativa de un *a pesar de todo* «materia» de la histeria:

> Es importante que lo sepamos, la histeria posee sus propias leyes, su determinismo, exactamente del mismo modo que una afección nerviosa con lesión material. Su lesión anatómica *aún* escapa a nuestros medios de investigación, pero se manifiesta de modo innegable ante el observador atento...[48].

Diciendo esto, Charcot abría la senda a todo el espacio de inteligibilidad propio de la neurología, sentaba las bases de la moderna psicofisiología[49]; y, en mi opinión, *explicitó la histeria* en el sentido en que anticipó un concepto por cálculo y táctica de vistas previas: lo opuesto a un «discernimiento virgen». Una invención.

---

[45] Charcot, 1888-1889, pág. 151.

[46] Charcot, 1887-1888, pág. 252.

[47] Charcot, 1892-1893, I, pág. 362. Cfr. Charcot, 1887-1888, pág. 113.

[48] Charcot, Prefacio a Athanassio, 1890, pág. 3 (la cursiva es mía).

[49] Cfr. Sollier, 1897, *passim;* Haberberg, 1979, *passim.*

PASO DE UNA SILUETA

¿Podría olvidarme, en toda esta historia, del paso discreto de un joven estudiante triste? Estaba soltero, era extranjero, casto y muy pobre. Emprendió un viaje de diecinueve semanas a París, del 13 de octubre de 1885 al 28 de febrero de 1886, repartiendo su tiempo entre visitas al Louvre (para contemplar la *Venus de Milo,* la *Gioconda),* al teatro (para ver a Sarah Bernhardt) y a la Salpêtrière (para observar a las locas aquejadas de histeria). Hacía mucho tiempo que soñaba con viajar a París.

En aquella época, nunca le abandonaba la idea de que era un torpe. Constantemente le devoraban absurdos remordimientos: se consideraba perezoso, derrotista, incapaz; incluso se resignaba a sus perpetuas migrañas. Cometía «lapsus»[50]. Un día comprendió que en París se había convertido en un neurasténico[51] (en esta época, la neurastenia se concebía como una verdadera enfermedad degenerativa: se la consideraba incurable).

Pero lo que realmente le había atraído a París era «la eminencia de Charcot»[52]. Había conseguido en Viena unas hermosas capas coloreadas de cerebros y quería mostrárselas al «patrón», como lo llamaba. También le hubiese gustado llevarle prestados algunos cerebros infantiles para examinarlos de cerca. Ahora bien, en la Salpêtrière eran las locas las que ocupaban todo el primer plano.

Por eso se prefirió ofrecerle el cuerpo de Joséphine Delet..., muerta de «atrofia cerebral» y de «epilepsia parcial», y retratada antes de producirse su deceso por Régnard para la *Iconographie photographique*[53] **[32]**. Por lo tanto, Freud realizó la autopsia. Asistió a las lecciones de los martes, fue testigo de las obscenidades, de las contorsiones, de los chillidos histéricos, y de otras cosas aún peores.

---

[50] Cfr. Freud, 1873-1939, págs. 183-185, 191, 195-197, 214, 220.
[51] *Ídem,* págs. 212-213.
[52] Freud, 1886a, pág. 5.
[53] IPS, II, págs. 22-27 y lám. III.

32. Régnard. Fotografía de «Joséphine Delet...» en 1878, cuya autopsia fue realizada por Freud en la Salpêtrière en 1886. *Iconographie...*, tomo II.

33. Retrato fotográfico de Charcot, regalado a Freud con una dedicatoria en 1886.

Escribió lo siguiente: «Charcot, que es uno de los médicos más grandes y cuya razón raya en la genialidad, está sencillamente echando por tierra mis concepciones y mis propósitos»[54]. Imaginó que Charcot le besaba en la frente[55]. Pero tan sólo consiguió de él que le regalase un retrato fotográfico dedicado [33]. Charcot lo invitó a su casa en tres ocasiones; «tomé un poco de cocaína para desatar la lengua»[56], dijo, y frecuentó, feliz e infelizmente, las recepciones mundanas del bulevar Saint-Germaine. Pidió a su prometida que bordase dos o tres «paneles votivos» en honor de Charcot[57]. Más tarde, puso a su hijo el nombre de pila de Charcot, Jean-Martin. Decía que al lado de Charcot se sentía plenamente feliz.

---

[54] Freud, 1873-1939, pág. 197.
[55] *Ídem*, pág. 206.
[56] *Ibídem.*
[57] Cfr. Jones, 1953, I, pág. 75.

Y, sin embargo, aquello no iba tan bien. No cesaba de vacilar sobre su decisión de abandonar o no París. Sospechaba incluso del cobertor de su cama, al que sometió a análisis químico para asegurarse de que no contenía arsénico, puesto que estaba amarillo[58]. Regresó a Viena cocainómano y deprimido.

Después tradujo a Charcot, traicionándolo ya por entonces (modificó los títulos, añadió notas)[59]; a continuación comenzó incluso a criticar las concepciones de Charcot[60]; luego compuso una hermosa necrológica en su honor...[61].

Y por último reabrió el espacio que Charcot había tardado tantos años en llenar. Charcot había forzado a la histeria a depender del dominio neuropatológico; gracias a la importancia de la escucha en Freud, la histeria volvió a hacer temblar las bases epistémicas de la neuropatología[62]. Pero había sido necesario que Freud asistiera al gran teatro de la histeria, en la Salpêtrière, antes de entregarse a la escucha e inventar el psicoanálisis. Había sido necesario asistir al espectáculo y su dolor, había sido necesario *llenarse los ojos por completo*.

RASGOS DE MUJERES

Pero llenarse los ojos, ¿de qué? Es lo que me pregunto. La respuesta: de cuerpos de mujeres, en todos sus estados.

Cierto, «la histeria entre el género masculino no es tan escasa como pueda pensarse»[63] y las «policlínicas» de Charcot estaban llenas de hombres histéricos, como el célebre caso del llamado Pin... Esto, el «descubrimiento»[64] de la histeria masculina, constituyó incluso el gran «valor de Charcot»...

Pero lo cierto es que la *Iconographie photographique de la Salpêtrière*, entre 1875 y 1880, no nos ofrece ni un solo retrato

[58] *Ídem*, pág. 201.
[59] Cfr. Freud, 1886b, pág. 21; Freud, 1892-1894, *passim*.
[60] Cfr. Freud, 1892, pág. 151.
[61] Cfr. Freud, 1893, *passim*.
[62] Cfr. Nassif, 1968, pág. 161; Nassif, 1977, pág. 78; Miller, 1969, *passim;* Chertok y Saussure, 1973, págs. 114-129; Pontalis, 1973, págs. 15-17.
[63] Charcot, *OC,* III, pág. 253.
[64] Debove, 1900, pág. 1390.

masculino. Los hombres no comenzaron a entrar en la Salpêtrière, como enfermos, más que a partir del 21 de junio de 1881, fecha de apertura de la denominada «consulta externa»[65]. Aun así, hubo que esperar a 1888 para poder contemplar los rasgos fotográficos de un hombre histérico[66].

Se trata sin duda de una táctica de diferencia entre sexos. Que sea elevada al nivel de un «temperamento» no cambia nada, bien al contrario: la histeria en tanto que «temperamento femenino convertido en neurosis», como se lee aún en los diccionarios en 1889[67], permite circunscribir aún mejor las sexualidades nómadas de los «afeminados» de todos los géneros. Por otra parte, la histerización instituida, si no institucionalizada, del cuerpo femenino, persiste y se vuelve a fabricar incluso en el siglo XIX; el asilo se redefine, por ejemplo, como lugar invertido, medicalizado, del burdel (... porque entre la histérica y la prostituta tan sólo hay un paso, el de franquear los muros de la Salpêtrière y encontrarse en la calle...); en resumen, todos los procedimientos de la invención generalizada de una sexualidad de la época[68] entienden aún la histeria como un *haber de la feminidad*.

Habrá que tener presente, por tanto, que estas imágenes de la *Iconographie photographique de la Salpêtrière,* ante todo, revelan *rasgos de mujeres*.

Es más, resulta curioso comprobar que la palabra *vedette* sólo se expresa en femenino. Diderot decía que «cuando se escribe sobre las mujeres, es preciso mojar la pluma en el arco iris y lanzar en cada línea escrita el polvo de las alas de una mariposa»[69]. Pero ¿dónde mojaba su pluma Bourneville? ¿Y Régnard su plancha fotográfica?... Y, antes que nada, ¿cómo se prende el alfiler en las alas de la mariposa?

[65] Cfr. Charcot, *OC,* I, pág. 3 (nota de Bourneville).

[66] Cfr. Gilles de la Tourette, 1888, láms. I-II.

[67] DESM, 4.ª serie, XV, pág. 331. Cfr. Briquet, 1859, pág. VII.

[68] Cfr. Foucault, 1976, págs. 11, 137-139, 201-204; Wajeman, 1976, *passim.*

[69] Diderot, 1772, pág. 956.

El encanto de y hacia Augustine

Augustine decía:

«*¿Qué entiende usted por medicina? (...) ¡No quiero sentirle a mi lado! (...) ¡No voy a descruzar las piernas! (...) ¡Oh! ¡Me ha hecho daño... no, no lo conseguirá! (...) ¡Socorro! (...) ¡Bicho! ¡Patán! ¡Granuja! (...) ¡Perdón! ¡Perdóneme, señor! Déjeme... (...) ¡Es imposible! (...) ¿Ya no quieres? ¡Más! (...) ¡Sácate la serpiente que tienes en el pantalón! (...) Tú querías que cayese antes que tú, pero tú ya habías caído antes...*»

(Ella abre la boca e introduce su mano como para sacar algo.)

«*Te confío secretos (...) Las palabras se las lleva el viento, lo que se escribe, permanece (...) Escucha, todo esto son juegos (de azar) que no valen una... Eso no significa nada. (...) En una palabra, se acabó (...) creo que me estás tirando de la lengua... (...) Ya puedes decir que sí, yo digo que no. (...) No voy a descruzar las piernas. (...) Es imposible (...) No tengo tiempo... (bis).*»

(IPS, II, págs. 146-164)

□

Capítulo 5

Auras

QUASI-ROSTRO

Al echar un *vistazo* a la imagen de la derecha, se me ocurre una cuña. Más bien una pregunta. La dama que ven aquí, su sonrisa esbozada, ¿habrá curado el mal que lanzaba su mirada?[1]. ¿Qué mal? Pero dejemos, de momento, formulada la pregunta. Y observen [34]. Ante ustedes tienen a Augustine. Su caso favorito, señores míos[2]. Su curiosidad sacrílega y «de portera», como escribe Baudelaire, ¿estará a punto de quedar satisfecha? Pues aquí la tienen, tal como es, por obra y gracia de la Fotografía; vean el retrato de su denominado «estado normal» y «actual».

Pero fíjense bien: la perfección del gesto fotográfico habría sido sin duda la de sorprender *«al sujeto»*. En este caso, a Augustine, ¿verdad? E incluso hacerlo sin que el sujeto se dé cuenta... Pero éste no es el caso. Aquí, «nuestro sujeto» posa. Busto inmóvil, mirada de soslayo, rigidez en los brazos. *Cuerpo posando.*

Por otra parte, vean cómo Augustine no se muestra completamente de frente. Cierto que tan sólo es un detalle. Pero este ligero sesgo de su *«faire-visage»* (de este modo se llama en

---

[1] Cfr. Mallarmé, *OC,* pág. 115 («Photographies»).
[2] Cfr. IPS, II, págs. 123-186 y láms. XIV-XXX; IPS, III, págs. 187-199 y láms. XIII-XVIII; Richer, 1881-1885, *passim.*

34. Régnard.
Fotografía de
Augustine.
Iconographie...,
tomo II (detalle,
cfr. [**44**]).

el francés antiguo la *presentación)*, ¿no es acaso indicio de lo siguiente, que la «materia del retrato» no es más que un «*quasi*-rostro»?[3]. ¿Y qué tipo de curiosidad podría satisfacer una cara tan... tan *neutra?* ¿Qué drama subjetivo podría descansar tras esta neutralidad? En efecto. Esa neutralidad, antes que nada, *desprovee*. Desprovee a la imagen de cualquier cosa que encerrara un sentido, una historia, un drama que se supone que la imagen, sin embargo, representa. En esta lámina catorce de la *Iconographie photographique de la Salpêtrière,* Augustine se parece más o menos a cualquiera. Y por eso nos llega de ella tan sólo un *quasi*-rostro.

[3] Sartre, 1940, pág. 104.

También por eso la *Iconographie* nos propone una ordenación *seriada* de las imágenes, serie trabada a su vez en otra ordenación que la fundamenta, una narratividad completa, el *guión* del caso: sustitución y explicitación de las imágenes, comentario, leyenda de lo que sería, en el fondo, su contenido enigmático esencial. Ya que estas imágenes estaban justamente censadas para únicamente *ilustrar,* iluminar y probar la veracidad del discurso clínico. Pequeño círculo vicioso relativo al saber: cada ejemplo, la leyenda y la imagen, está ahí para auxiliar a la otra, siempre en riesgo... pero ¿en riesgo de qué?, ¿de caer en la ficción?

Sólo resta decir que el comentario desarrolla aquí (en relación con esta fotografía) algo totalmente distinto de la explicitación de un a-florar de la imagen. Y quizá para suplir la neutralidad de su rostro, viene más bien a contarnos la historia de un personaje: Augustine

> es rubia, de complexión grande y fuerte para su edad, y ofrece el aspecto de una muchacha en la pubertad. Es activa, inteligente, afectuosa, impresionable, pero también caprichosa, le gusta mucho llamar la atención. Es coqueta, pone mucho esmero en su aseo, en la disposición de sus cabellos, que son abundantes, a veces de una manera y a veces de otra: las cintas, sobre todo las de colores vivos, son lo que más le agrada (lámina XIV)[4].

Y no se asombren si ya se ha ido a indagar bajo su vestido, más allá del retrato, pues eso es lo que concierne a la histeria. Augustine, pues,

> es grande, bien desarrollada (cuello algo fuerte, senos voluminosos, axilas y monte de Venus cubiertos de vello), decidida de tono y de garbo, de humor mudable, ruidosa. Sin conservar nada de las maneras de niña, tiene casi el aspecto de una mujer hecha y derecha y, sin embargo, aún no le ha venido la regla. Ha sido ingresada por presentar una parálisis de la sensibilidad en el brazo derecho y ataques de histeria grave, precedidos de dolores en el lado derecho del bajo vientre[5].

---

[4] IPS, II, págs. 127-128.
[5] *Ídem,* pág. 125.

Tenía quince años y medio.

Tal es la «presentación» de Augustine. A lo largo de páginas y de láminas, a lo largo de observaciones, guiones, medidas y registros, se nos irá revelando lo más íntimo de su historia, de su mal. Para eso está justamente la *Iconographie.* Y sin embargo, el recuerdo de Augustine que permanecerá para siempre en nosotros será el de un *quasi:* un *quasi-*rostro, un *quasi-*cuerpo, una *quasi-*historia. Y diría incluso que *su mismo nombre quedará como un* quasi-*nombre:* sabios tan experimentados como Bourneville y Régnard, tan preocupados por contrastar los protocolos clínicos, no habrán logrado siquiera darle «uno» y habrán dudado constantemente entre «Augustine», «Louise», «X...», «L...», «G...»[6].

E incluso yo mismo creo no haber escrito más que sobre una *quasi-*Augustine.

LA SOMBRA Y LA LENTITUD

Y más cuando su figura no hace más que emerger siempre de las tinieblas. ¿Cómo poder ver lo que, por ejemplo, afirma de ella Bourneville: que era rubia?

Diría que el principal problema y la cualidad de todas esas imágenes es su *lentitud.* Esto nos lleva, en primer lugar, al problema fotográfico de lo que se conoce como la *preparación sensible.* Régnard trabajaba con placas de colodión húmedo: lentitud de los preparativos, lentitud del procedimiento, lentitud del tiempo de pose, lentitud del revelado; y las imágenes siempre como oscurecidas (fueron, desde el momento en que fue posible, en la época de la *Nouvelle Iconographie,* reemplazadas por placas de gelatinobromuro de plata). Las fotografías de Régnard, para hacer relación e imagen de la histeria, no fueron del todo unas prelaciones instantáneas de lo visible; fueron casi como duraciones, en el fondo poco afortunadas, deseos casi fallidos de la instantánea.

Por lo tanto, no puedo considerar el sombreado de estos retratos como una simple falta de luz; más bien encuentro en

---

[6] *Ídem,* págs. 124, 133, etc.

ello una *moratoria del revelado* fotográfico; es decir, una retirada temporal de la luz, una suspensión de lo manifestado en lo que, sin embargo, continúa siendo una manifestación por excelencia. Y esta retirada, esta suspensión de las tinieblas, me indican algo así como un *estar-ahí,* como lo que dice Heidegger sobre la punta de un «dominio ekstático de la declosión y de la retirada del ser»[7].

Pero ¿cómo denominar la suerte de eficacia que esas imágenes guardan en secreto, todo aquello que nos «impresiona» de ellas como un sin-llegar-a de su propia organización figurativa? Repito: «La sombra no es un efecto de la luz, tampoco es un doble inquietante, es —como en el teatro— un auténtico *bastidor* interior de todo escenario»[8]. Vuelvo a repetir: esas imágenes pertenecen a una época en la que aún había que *esperar a la luz.*

POSE, ESPECTRO, LATERALIDAD

Y la calidad de su «grafía» era aún más mágica sobre esas lentas placas. Pero ¿quién esperaba? ¿Quién era el que esperaba realmente? ¿Régnard? Sobre todo; atendía solícitamente, se tomaba su tiempo para mirar, se tomaba su tiempo con el encuadre y con la «puesta a punto», con la colocación del cuerpo; esperaba, ciertamente, durante el tiempo de la toma, largos segundos, véase minutos, a que se «llevase a cabo» esa grafía de la luz.

Ella, Augustine, esperaba, pero no estaba cualificada —adolescente y además histérica, y sujeto de la imagen— para saber lo que esperaba. Se encontraba, en mi opinión, realmente a la *expectativa.* Algo se tramaba en torno a su cuerpo, como visibilidad. Ella concedía una mirada (como en esa lámina catorce) que sin duda no le era realmente devuelta (Régnard permanecía camuflado, escondido tras su velo negro de fotógrafo). La pose podría incluso, supongo, ya sólo por el enigma de su finalidad, resultarle *angustiosa.*

---

[7] Heidegger, 1949, pág. 146.
[8] Schefer, 1980, pág. 85.

Observemos que Nadar no dudaba en calificar la pose fotográfica de «enfermedad cerebral» y se atrevió a describir las «olas de estremecimiento» de todos sus modelos; guiño de complicidad a Balzac, denominaba «espectros» a los cuerpos en tanto que fotografiados[9].

Posar es como la espera de un momento, la toma, de la que no se sabe casi nada salvo que tiene que hacerse en el «buen» momento. Es como una *urgencia,* muy simple y muy oscura, la urgencia de *tener que parecerse* a tal momento, y ese momento llegará y llega siempre casi-ahora, siempre inmediatamente-después, siempre bajo riesgo de un demasiado-tarde o de un demasiado-pronto. Ahora bien, tener que parecerse a uno mismo se convirtió rápidamente en el requerimiento de un cuerpo preparado, es decir, dispuesto para la imagen. Posar viene a ser inventarse, e incluso en defensa propia, un cuerpo de recambio, el lugar propicio a un *futuro que queda* de la semejanza: posar es, en este sentido, una «microexperiencia de la muerte»; cuando poso, sí, «me convierto realmente en espectro»[10], yo mismo me convierto, en tanto que fotografiado, en instancia de un aparecido espectral.

Y es además a una especie de teoría espectral de los cuerpos fotografiados a lo que Nadar había llegado: cada uno de ellos, decía, «estaría compuesto por una serie de imágenes fantomáticas, superpuestas en capas hasta el infinito, recubiertas por películas infinitesimales»[11].

Bourneville, lo digo de paso, habrá tomado la precaución de presentarnos como punto de partida el retrato de Augustine como la supervivencia de siete fantasmas, de siete muertos, un padre, seis hermanos y hermanas[12].

Yo más bien consideraría toda esa obsesión temporal de la pose como una especie de *lateralidad* en la imagen.

Un indicio de ello, el hecho mismo de que el cuerpo de Augustine nunca se llegó a mostrar totalmente de frente, salvo cuando se la hipnotizaba; de nuevo como indicio, su

---

[9] Nadar, 1900, págs. 7, 8 y *passim.*
[10] Barthes, 1980, pág. 30.
[11] Cit. por Sontag, 1979, pág. 174. Cfr. Krauss, 1978, *passim.*
[12] Cfr. IPS, II, pág. 124.

mano apoyada en la sien —en este caso, temporalidad pensativa o contracta del retrato.

Pero esta obsesión temporal sigue resultando difícil de asimilar. Vuelvo a ello. Esta imagen que tengo entre mis manos es, pues, testimonio de un momento de toma y, más exactamente, de un estar-ahí de la pose. Porque la fotografía me dirigió a una afectación, a una afectación distinta quiero decir: relativa no ya a una simple ficción del cuerpo, y a los 30 centímetros que separaban mi ojo de la superficie de la prueba, de esa muestra que estaba entre mis manos, sino al cuerpo de otro, autentificado, es decir, de un *puede ser* auténtico. Surge entonces otra evidencia totalmente diferente en la palabra *prueba*. Los cuerpos del pasado obsesionan, y de otra forma que en el cara a cara ortogonal de las superficies; son una especie de actuar imaginario en todas direcciones, y es como si lateralizasen la propia visión. Quiero decir simplemente que la *infectan* afectándola, puede ser por medio de una carne, puede ser por medio de una muerte. Y la «carne» en la imagen sería por lo tanto como una inversión lateral por la que corremos un gran riesgo de obnubilación imaginaria.

AURA, RIESGO DE LA DISTANCIA

Riesgo de la *fascinación*. *Quasi*-rostro, neutro, apariencia, disolución de lo definido de la imagen: es todo esto lo que realmente nos fascina porque al mismo tiempo subsiste un *contacto,* la autenticidad indiscutible del Parecido. Fascina porque manifiesta la intimidad por excelencia de los rostros y porque esta intimidad siempre está en situación de *parapetarse*. Porque este contacto es la experiencia misma de un movimiento hacia el contacto, es decir, de una *distancia*. El rostro fotografiado siempre queda en suspenso, sin reposo ante esta alternativa. La distancia siempre es exorbitante, el encuentro siempre *inminente*. Estamos destinados según un tiempo siempre *sometido a intervalos,* siempre urdido entre la manifestación y la desaparición, de lo cercano y lo lejano: porque la desaparición se encuentra aquí en el meollo del asunto. Es la razón por la que el parecido no tiene a qué parecerse, aunque el Parecido se emita y cuestione en toda fotografía.

Me refiero a un peligro que la fotografía pudo poner en práctica, de forma ejemplar, en tanto que manipulación temporal —y que *también* tuvo ocasión de suprimir en tanto que técnica de reproductibilidad de esa misma manipulación. Walter Benjamin la llamó el *aura*. Es algo dentro de la imagen que *se trama* —decía: «Una trama singular de espacio y tiempo, aparición única de un tiempo pasado, por muy cercano que esté»[13]; el aura sería aquello por lo que esperamos, ante las cosas visibles, «que el instante o momento tome parte en la manifestación»[14].

Benjamin añade lo siguiente:

> Con la fotografía, el valor de exposición empieza a empujar a un segundo plano, en todos los órdenes, al valor de culto. Este último, no obstante, no cede sin resistencia. Su último baluarte es el rostro humano. No se debe de ninguna manera al azar que el retrato haya desempeñado un papel central en los primeros tiempos de la fotografía. En el culto del recuerdo dedicado a los seres queridos, que están lejos o han desaparecido, es donde el valor cultual de la imagen encuentra su último refugio. En la expresión fugitiva de un rostro de hombre, las antiguas fotografías dejan paso al aura, una última vez. Es lo que les otorga esa belleza melancólica que no se puede comparar con ninguna otra cosa[15].

Y Benjamin habla de imágenes rodeadas de silencio, portadoras de «funestas lejanías»[16], pero también, justamente frente el retrato de una mujer, se detiene ante ese «algo que es imposible reducir al silencio y que reclama con insistencia el nombre de aquella que ha vivido ahí, que ahí es todavía real y que nunca pasará de forma absoluta al campo del *arte*»[17]. Y esto se encuentra en el núcleo mismo de mi propio planteamiento.

El aura denominaría, pues, aquello por lo que el tiempo quema, y resuena, y ensordece la imagen. Y nos asigna, a

---

[13] Benjamin, 1931, pág. 70.
[14] *Ibídem.*
[15] Benjamin, 1935, pág. 152.
[16] Benjamin, 1931, pág. 61.
[17] *Ibídem,* pág. 60.

nuestro riesgo y peligro, a eso que Benjamin denominaba un «inconsciente de la vista»[18]: el punctum, *punctum cæcum*, el punto de ceguera del contacto y de la distancia en lo visible.

CONTACTOS DE LA DISTANCIA

Pero *aura* designaba también, en el siglo XIX, cierto problema técnico de la fotografía, y no de los menores. Problema que, en el fondo, o mejor de forma indirecta, concierne exactamente a aquello sobre lo que quería hablar Benjamin.

Es el problema de las aureolas y de las *«veladuras»:* todos esos fenómenos lumínicos, o paralumínicos, que nimbaban accidentalmente, sin que se supiese todavía muy bien por qué, tal sujeto fotografiado[19]. ¿Estaba este problema relacionado con una *excesiva-aparición de lo lejano en la imagen?* A veces se pensaba que era así y, buscando las razones de ese exceso, se preguntaban: «¿por qué lo lejano se presenta tanto en la fotografía?»[20].

También se trata de todo el problema de la espectralidad fotográfica, problema de la «trama» y del revelado más allá de la veladura; es decir, de todo el carácter mágico, ya diabólico, blasfematorio[21], de la fotografía. Se trata, finalmente, del problema del *contacto a distancia,* en tanto que la fotografía desbarataba todos los datos, puesto que, con la fotografía, los toques o marcas de luz ya no son palabras vanas. Y representaré esto deteniéndome un minuto en la obra del doctor Hippolyte Baraduc, ya que esta obra, de gran singularidad, en cierto sentido muy restringida, me parece, no obstante, que ya era ejemplar, pero ejemplar hasta la locura, del movimiento que cuestiono en lo que respecta a la *Iconographie photographique de la Salpêtrière:* ese discreto paso al límite, discreto pero asombroso, por el que una práctica médica relativa a la histeria se convierte en invención figurativa, merced a ese diabólico instrumento del conocimiento que es la cámara fotográfica.

---

[18] Benjamin, 1931, pág. 62.
[19] Cfr. Guébhard, 1890, *passim.*
[20] Guébhard, 1898, pág. 3.
[21] Benjamin, 1931, págs. 58-59.

En este caso, más que invención, delirio. Y, sin embargo, Baraduc era, como se dice, un «especialista» muy serio de las «enfermedades nerviosas». Se interesó primero en lo que Charcot había denominado, en relación con la histeria, sugestión, imitación, véase epidemia física. Pero Baraduc denominaba a esto un *contacto,* y esto ya lo expresa todo.

Por otro lado, esta pasión por el contacto se representó instrumentalmente mediante la puesta a punto de un método intravaginal de *compresión* ovárica (introducir los dedos índice y corazón en la vagina de la mujer histérica durante el ataque para «atrapar el ovario», decía, volver a colocarlo en su lugar, como apuntaba Ambroise Paré, y detener así el «estado de enfermedad»)[22]. Después preconizó, siempre con vistas a una terapéutica de la histeria, unos «contactos» más sutiles como la *electricidad* y el *magnetismo,* el empleo de la energía de las tormentas, la hipnosis y la autosugestión, así como lo que bautizó como la «electro-suasión», una mezcla de electroterapia e hipnosis[23].

Construyó, sobre esas bases, unas «duchas estáticas cerebrales», véase *luminosas,* pequeñas panaceas mecánicas de las enfermedades cerebrales...[24]. ¿Un sabio loco? ¿Unas máquinas originales? Pues no, trabajaba en una dirección casi paralela a la que, pocos años antes, Charcot había tomado. Por otra parte, había trabado relaciones muy cordiales, y tal vez profesionales, con los miembros más eminentes de la llamada «Escuela de la Salpêtrière», como Charles Féré.

Pero ¿por qué se interesó Baraduc por la histeria? Porque la histeria (y con ello seguía la definición que había dado Briquet) es una *enfermedad del contacto, de la impresión*[25].

VELADURA, REVELACIÓN

Ahora bien, los niños, no menos que las mujeres nerviosas, son seres «impresionables». Un día, Baraduc fotografió a su propio hijo. El niño se encontraba justo, *en ese momento,* suje-

---

[22] Cfr. Baraduc, 1882, *passim.*
[23] Cfr. Baraduc, 1893, pág. 197.
[24] *Ídem,* pág. 169.
[25] Cfr. Briquet, 1859, págs. 600-601; Baraduc, 1882, *passim.*

ÉPREUVE I

Psychod : OD, force vitale attirée par l'état d'âme
attendrie d'un enfant.

(Sans électricité, avec appareil photographique, sans la main.)

35. Aparición de «fuerza vital» (aura) en la fotografía de un niño realizada por el doctor Baraduc.
L'âme humaine... (1896).

tando entre sus manos a un faisán muerto, muerto *hacía poco.* De que le pusiese ese cadáver en los brazos, el padre no nos dice ni una palabra, lo cierto es que la imagen *aparece velada,* si se me permite la expresión [35].

El psiquiatra Baraduc vio la veladura y el aire de estado de ánimo, grafiados en la placa por alguna *otra luz*... Y fue así como el *aura* se reveló ante sus ojos por primera vez. A partir de ese día, Baraduc no cesó en el intento de que el aura le fuese totalmente desvelada.

Evidenció experimentalmente las diferencias de las «ráfagas eléctricas» y otros magnetismos susceptibles de impresionar la placa[26]. Intentó una descripción según la forma de su trazo. La llamó «fuerza curva». Reconoció en ella la explicación de todo lo inexplicable, de las influencias ocultas, de las visiones místicas, de los nimbos, de las «impresiones inconscientes», y no sigo[27]. La identificó con el «Enormon» de Hipócrates, con el Cuerpo Glorioso de la Iglesia, y con el éter newtoniano. Apelaba como fuente a Aristóteles, Descartes, Leibniz, Kant, Mesmer, Maxwell, Eliphas Lévy, todos mezclados. La subsumió como categoría de los «movimientos» y «luces del alma». Movimientos del alma porque el alma es lo que permite el movimiento sin recorrido, esto es, la distancia sin separación, luego el contacto a distancia[28]; luces del alma porque es *intrínseca, cobijada e invisible —¡pero susceptible de representación!*[29] (siempre que se le otorgue una placa muy sensible...)

Volvamos, pues, a la prueba velada. Así pues, no era el hecho de una simple «veladura» de la luz visible; era *aura,* «veladura de vida», «espíritu» que «envuelve la forma»[30] (y esto, ¿no era como un extrañísimo regreso, una involución hecha posible gracias a la especificidad misma del modo de existencia técnica de la fotografía, es decir, por la especificidad de sus posibles maquinaciones metafóricas?, ¿no era como una involución del paradigma de la *vera icona?,* ¿algo así como un

---

26 Cfr. Baraduc, 1897, págs. 3, 6, 12-14, etc.

27 *Ídem,* pág. 33, 49.

28 Cfr. Baraduc, 1893, pág. 220.

29 Cfr. Baraduc, 1896, págs. 4-5, 51-52, etc.

30 *Ídem,* pág. 109.

recorrido al límite de aquello que se inventó figurativamente con el velo de la Verónica, o más bien de aquello que se reinventaría, gracias justamente al médium fotográfico, en torno al Santo Sudario de Turín: la *revelación de una forma impresa invisiblemente y a distancia?* Puesto que el trazo del Sudario, lejos de ser la estampación de un cuerpo, es, como si dijésemos, el modelo de su «emanación a distancia»: es lo que «explicaría» la forma misma de las huellas y es lo que «probaría» el negativo de una fotografía que Pia obtuvo tras un tiempo de pose de 20 minutos, ni uno menos)...

ICONOGRAFÍA DEL AURA

No es indiferente que Baraduc llegase a denominar *Iconografía,* y en otras partes *Radiografía*[31], la facultad que posee el aura de manifestarse en las pruebas —al mismo tiempo que la técnica experimental, la síntesis de esta facultad. La «Iconografía» dependía de una instrumentalización científica, según Baraduc, al igual que ocurre con los «métodos gráficos», la de un Marey por ejemplo. Se trataba de *registrar* movimientos y contactos cada vez más sutiles: y esto no constituyó el reverso del mito epistémico de la total inscriptibilidad-descriptibilidad, sino su realización, su realización extrema. Por otro lado, Baraduc presentaba todos sus trabajos ante las sociedades más «eruditas», de las que siempre era un miembro muy honorable; «sometía sus descubrimientos» precisando: «Hoy, la placa fotográfica nos permite a todos entrever esas fuerzas ocultas y somete así lo maravilloso a un control irrecusable, haciéndolo entrar en el dominio natural de la física experimental»[32].

Y, efectivamente, su método fue de la más pura ortodoxia experimental: su captura iconográfica del aura, es decir, de una luz invisible, fue un coqueteo reglamentado, muy progresivo, con lo intrínseco de la luz. Es decir, con la *tiniebla.*

Por otro lado, resulta interesante que este acercamiento hiciese referencia, en sus mismos protocolos, a una modulación

---

[31] Cfr. Baraduc, 1897, *passim.*
[32] *Ídem,* págs. 49-50.

 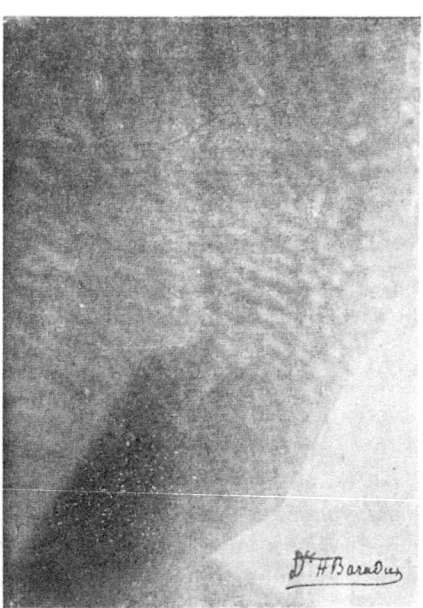

36. Baraduc. Experimento sobre la «vibración de fuerza vital» en el retrato de dos niños. *L'âme humaine...* (1896).

estratégica del *tiempo que revela,* es decir, del anterior al tiempo de pose.

Baraduc reeditó, en primer lugar, su experimento «originario»: un retrato fotográfico «afectado» de tiempo crítico; para «obtener de nuevo los efluvios vitales» infantiles, reunió a dos chiquillos ante la cámara, esperó, y cuando sus pequeños modelos empezaron a hartarse, se impacientaron, se pusieron a armar jaleo, incluso a reírse a carcajadas, una palmada que «les para en seco en sus jugueteos con una orden seca», fijamente instantánea, y clic, foto... ¡Ahora bien! He aquí que «se produce una veladura que los esconde y cubre el cliché», veladura de la que estudia a placer el «tejido luminoso, como un entramado con puntos y nudos»[33] **[36]** [cfr. Apéndice 11]. Aura: trama luminosa del tiempo, la luz intrínseca a la emoción de un sujeto fotografiado.

Así pues, la luz visible, extrínseca, se convirtió rápidamente para él en redundante. Después de las histéricas y los

---

[33] Baraduc, 1896. Explicación de la lámina XXXVIII. Cfr. Baraduc, 1897, pág. 14 y fig. 6.

 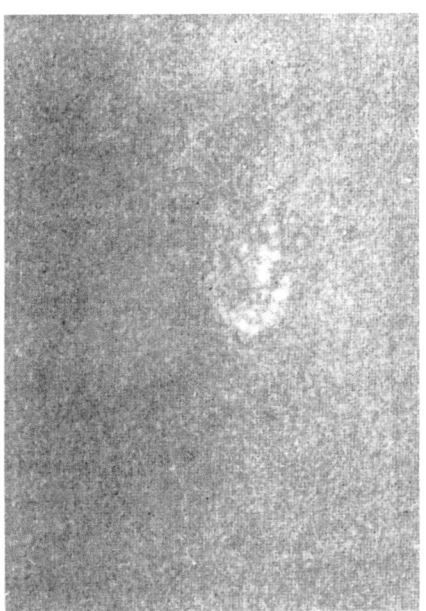

niños, encontró un abad, sin duda alguna impresionable, y colgó su cámara encima de la cabecera de su cama, mientras dormía, en la oscuridad. Y la «nube negra» que obtuvo, como por casualidad, sobre la prueba, le hizo comprender que se trataba realmente del «aura de una pesadilla»[34] **[37]**. De esta manera constituyó toda una iconografía fotográfica y *auracu-lar,* si se me permite decirlo, del recogimiento (blanco, horizontal), de la voluntad («destello perlado» o «líneas de fuerzas» verticales), etcétera, etcétera.

Finalmente, Baraduc pudo prescindir de la propia cámara fotográfica: le bastaba con presentar al *frente* de su modelo, en la oscuridad, una sencilla placa sensible y, santa Verónica, la grafía de su alma se obraba espontáneamente: tal «tempestad» de las formas de tal aura, por ejemplo, equivalía a una «ira contenida»[35] (por supuesto, ya que se trataba de una ira *invisible*)... La «Iconografía» pudo también mediatizarse, o

37. Baraduc. Fotografía (en la oscuridad) del «aura de una pesadilla». *L'âme humaine...* (1896).

38. Baraduc. Fotografía de los «puntos hipnógenos» emitidos por el cuerpo de una mujer sumida en estado de hipnosis. Realizada en el taller Nadar. *L'âme humaine...* (1896).

---

[34] Baraduc, 1896. Explicación de la lámina XXXV. Cfr. Baraduc, 1897, pág. 21 y fig. 9.

[35] Baraduc, 1897, págs. 21, 27 y figs. 11-12.

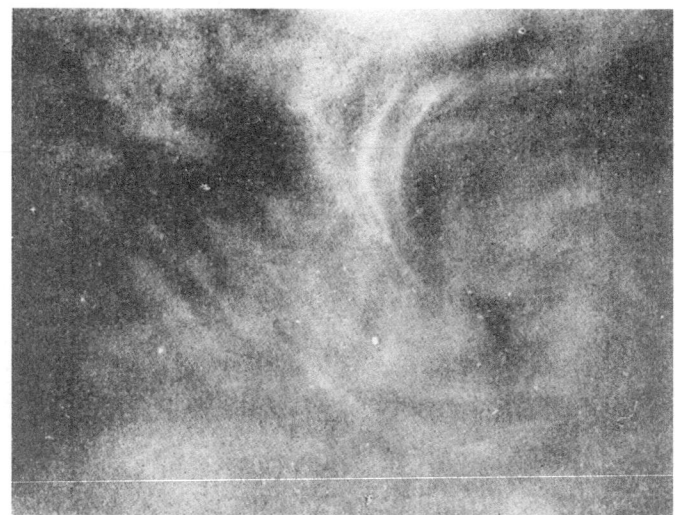

39. Baraduc.
Fotografía «sin
cámara» y «en la
oscuridad» de los
«psiconos»
de la obsesión.
*L'âme
humaine...* (1896).

más bien mediumnizarse, por contacto, afloramiento o simple imposición de la *mano,* «el órgano más noble después del
cerebro» y «espejo del alma»[36], con la placa, en el baño de revelado: revelador de la «elevación del espíritu», por ejemplo,
o de cualquier otra cualidad del operador —véase, de su «obsesión» **[39]**... ¿De su obsesión? En efecto, Baraduc se aliena-
ba metódicamente en su obsesión del contacto a distancia.
Buscaba, buscaba siempre más allá la huella de auras cada
vez más sutiles.

Recuerden los espectros de Balzac o de Nadar. Pues bien,
Baraduc fue una vez a casa de Nadar para encontrarse con
ellos. La quinta lámina de la obra de Baraduc titulada *L'âme
humaine, ses mouvements, ses lumières et l'iconographie de l'invisible
fluidique,* está firmada por Nadar: se trata de un «fantasma luminoso», o «alma sensible», o «semifantasma», de una cierta
dama, inmersa en catalepsia hipnótica y que había logrado el
objetivo de exteriorizar «su doble», su aura o vapor luminoso
intrínseco, y hacerlo posar para la foto a su lado, en la oscuridad. Los pocos accidentes, manchas, «puntos luminosos» sobre la prueba fueron considerados por nuestro psiquiatra
como «puntos hipnógenos» sobre el rostro de la dama, al

---

[36] Baraduc, 1896, pág. 121.

tiempo que se dejaba ver un perfil del «doble», como cada uno podrá o no comprobar [38].

Después, Baraduc traspasó otros límites en su indefinida obsesión: operó, por ejemplo, durante el «día de los muertos», feliz al ver revelarse la «firma» de algún fantasma auténtico...[37].

ORÁCULOS FOTOGRÁFICOS

El propio cuerpo de Baraduc acabó por volverse histérico, al contacto de la práctica, de la loca práctica fotográfica. Curioso giro de los acontecimientos.

El cuerpo del fotógrafo se transfiguró, involucionó en su propio deseo de imagen (más bien de aura: la imagen hecha «firma» del tiempo). Reclamó que reprodujesen sus propios rasgos (por el mismo Nadar), y los enmarcó enfrente de su propio «psicono», la imagen de su pensamiento pensando en sí mismo, el «pensamiento de su propio yo» hecho grafía, su *autógrafo auracular* [40] [cfr. Apéndice 12]. Su *cogito* histérico, impresionable, se buscaba a sí mismo pareciendo un espectro, se autorretrataba como fantasma.

Y lo que obsesionaba a Baraduc era, por supuesto, el tiempo. Él, que llegaba tan lejos en la definición del tiempo de posado como *prae-sens,* es decir, como inminencia[38] —*inminencia revelada* sobre una placa sensible en el preciso momento en el que lo visible, captado, *se vela—,* él, que intitulaba sus pruebas fotográficas «signo providencial» o «llamada a algo»[39], pues bien, buscaba ver alguna muestra del tiempo, así de simple, reconocer la grafía de una firma del tiempo en los defectos de la luz visible. *L'âme humaine,* su tratado técnico de la fotografía de las auras, se cierra con un capítulo consagrado a la profecía. Baraduc defiende una «síntesis» de la ciencia experimental y de algo que sería un éxtasis del tiempo en su acceso de lo visible; definió la Fotografía como una modalidad del «Verbo», la Profecía[40].

---

[37] *Ídem.* Explicación de la lámina XIV.
[38] Cfr. Benveniste, 1966-1974, I, págs. 134-135.
[39] Baraduc, 1896, láms. XLIX, LII.
[40] *Ídem,* págs. 285-299.

ÉPREUVE XXVIII

PSYCHICONE.

Portrait photographique.

Ame spirituelle. (Dessin.)

Forme oblique.

40. Baraduc.
Su retrato
fotográfico (realizado
por Nadar hijo) y
su propio
«psicono».
L'âme humaine...
(1896).

Y su regreso casi-histérico a la histeria, esa especie de rodeo del objetivo por el que él mismo se volvió *spectrum*, lo formuló él mismo en una especie de vuelco delirante de su pertenencia al saber neuropatológico; en tal que psiquiatra, pero psiquiatra infectado de tan inmensa pasión fotográfica, exigió verificar, es decir, *ver y confirmar lo que se ve durante un delirio;* la hiperestesia histérica se convirtió en su propio objetivo epistémico:

> Los resultados obtenidos son de los más probatorios, y como partida es a la neuropatología a la que corresponde reconstruir el tratado de las alucinaciones, ya que la retina hiperestesiada puede percibir formas que la Iconografía ha demostrado que son reales[41].

Todo esto fue ciertamente refutado por fotógrafos y psiquiatras como una maniobra dudosa (aunque involuntaria) con el revelador[42]. Pero todo esto no era de ninguna forma

---

[41] *Ídem,* pág. 111.
[42] Cfr. Azam, 1893, págs. 348-349; Guébhard, 1897, *passim;* Guébhard, 1897-1898, *passim.*

marginal ni a los saberes ni a las prácticas de fotografía y de la neuropatología de antaño. La teratología científica resulta eficaz en el propio campo de la ciencia.

AURA HISTÉRICA

Ahora bien, ¿de qué podría ser realmente oráculo el retrato de Augustine? La relación de lo visible respecto a aquello de lo que es firma, su «luz intrínseca», resulta sin embargo incomparable, aquí, con lo que proponía la *Iconographie* de Baraduc. Aquí la invisibilidad no es objeto de captura y de convocatoria, sino de negación. Lo que constituye otra manera de nombrar su eficacia.

¿Buscan ustedes un secreto de la imagen? Pues miren ahí, a esa lámina catorce [**34**], *su secreto está escrito debajo,* e incluso en mayúsculas: se trata de su leyenda, «HISTERO-EPILEPSIA» y esto significa que ya entonces Augustine, con quince años y medio, se encontraba recluida en el infierno de los «Incurables» de la Salpêtrière, que se despertaba «con ataques», espasmos, convulsiones, pérdidas de conocimiento, y esto unas mil doscientas noventa y tres veces al año, más tres ataques especiales denominados «epileptiformes»...[43]. Esto significa que ya entonces su brazo derecho, obsérvenlo, no hacía más que ensayar una pose convenida, porque en ese momento Augustine era totalmente incapaz, la mayoría de las veces, de utilizarlo, de dirigirlo: «Fue admitida», se nos avisa, «a causa de una parálisis de la sensibilidad del brazo derecho» y a causa de contracturas o anestesias que afectaban a todos los órganos de la mitad derecha del cuerpo...[44].

En este sentido, la leyenda y el comentario escriptural pasan por alto, pese a ellos (puesto que su intención era la de esclarecimiento), un golpe o un salto del aura sobre la imagen. Una sospecha. Y la admiten, negándola, es decir, acallando el sentido de la palabra, de la palabra *aura.*

Porque la propia palabra habrá hecho las cosas demasiado bien: hablo de golpe y de salto porque *aura* vino a significar

---

[43] Cfr. IPS, II, pág. 167 (para el año 1877).
[44] *Ídem,* pág. 125.

viento, brisa y soplo. El aura es el aire, el aire que sopla sobre un rostro, o a través de un cuerpo, es *el aire del pathos,* es decir, del *acontecimiento* que va a imponer; es la prueba y su soplo, es decir, su *inminencia* sopla ligeramente antes de la tormenta. *Aura,* palabra griega, es una fórmula atestiguada en medicina desde Galeno: es un soplo que «recorre el cuerpo» en el mismo momento en que éste va a sumergirse en el padecimiento y en la crisis. Ahora bien, Charcot denomina *aura histérica* al pródromo del ataque histérico.

Este fenómeno podría ser, siempre en su manifestación expuesta, el carácter distintivo de la propia histeria, porque un «aura epiléptica», por ejemplo, incluso si existiese, jamás se expone: Charcot dice que es demasiado corta, dejándose enseguida desbordar por el propio acceso. Al contrario, el aura expuesta, paciente, es una muestra de histeria, e indica que *la histeria sabe esperar al momento de la crisis*[45]. Y jugar a esa espera hasta en el dolor extremo.

LOS TRES NUDOS

Aura histérica, una sensación de quemadura ácida en todos los miembros, los músculos retorcidos y como en carne viva, ese sentimiento de ser de cristal y rompible, un *miedo,* una retracción del movimiento, un desasosiego inconsciente en el andar, en los gestos, en los movimientos. Una voluntad perennemente tensa en los gestos más simples. El rechazo al gesto simple. Una fatiga abatidora y central, una especie de fatiga de muerte[46]. La sensación de una *oleada:* Augustine decía que parecía que un soplo subiese desde sus pies hasta su vientre, y luego desde su vientre hasta su cuello[47].

La palabra que se entrecorta, la mirada que se extravía, latir de sienes, silbar de inconcebibles estridencias íntimas en los oídos. Bourneville precisa que Augustine, en esos momentos, resulta «descortés, irritable»[48]...

---

[45] Cfr. Charcot, 1892-1893, II, pág. 389; Briquet, 1859, págs. 197-203.

[46] Cfr. Artaud, *OC,* tomo I, vol. 1, pág. 58.

[47] Cfr. IPS, tomo I, vol. 1, págs. 134-135.

[48] *Ídem,* pág. 133.

El aura también aparece descrita como el ascenso de tres *«nudos»*, tres dolores y crispaciones intensas que refluyen por todo el cuerpo: el primero punzando los ovarios, después el segundo, llamado «epigástrico», que asciende como una «bola», alterando el corazón y la respiración, y luego el tercero, denominado «laringismo», que contrae todo el cuello como por efecto de algún estrangulador invisible[49] [cfr. Apéndice 13]. Es en estos momentos cuando la misma Augustine, a voz en cuello, reclama la camisa de fuerza[50]. Porque

> siente cómo su lengua se inmoviliza y se revuelve, la punta hacia arriba, contra el paladar. Ya no puede hablar, pero escucha; una neblina cae sobre sus ojos, y al tiempo que su inteligencia se apaga, siente que la cabeza gira hacia la derecha y que sus manos se crispan dolorosamente. Al mismo tiempo, el dolor en el vientre, en el hueco epigástrico y en la cabeza alcanza su cenit. La sofocación es extrema y enseguida pierde el conocimiento[51].

Así pues, su pensamiento se disemina e involuciona en dolor agudo y en crispación de los órganos. Ya no soporta el más mínimo roce; y la contractura de todo su cuerpo ofrece «una resistencia casi invencible»[52].

Charcot admitió lo siguiente: el aura implica la definición de *un dolor complejo y específico de la histeria,* conformado por «irradiaciones ascendentes» y constricciones nodales dolorosas: «Se revela con características que podríamos decir específicas. No se trata de un dolor banal, puesto que es una sensación compleja»[53].

DISIMULACIÓN Y DISIMILACIÓN

¿Cuál sería, pues, una razón, o al menos un aspecto, de esta complejidad? Recuerden la sospecha de la mentira, recuer-

---

[49] *Ídem,* págs. 129, 143. Cfr. IPS, III, págs. 190-191.
[50] Cfr. IPS, II, pág. 143.
[51] Richer, 1881-1885, pág. 29. Cfr. págs. 22-23.
[52] *Ídem,* pág. 22.
[53] Charcot, *OC,* I, pág. 325. Cfr. Charcot, *OC,* II, pág. 381.

den el *prôton pseudos hystericon*[54], esa «primera mentira histérica» tras la que Freud comenzó a correr.

Los médicos observan a las histéricas y sus espectáculos de dolores descritos como punzantes, o como estrangulamientos, convulsiones espontáneas, y luego se extrañan e intentan ajustar sus quevedos ante lo que Freud denominó, citando a Charcot, la *«hermosa indiferencia de las histéricas»*[55]. La sospecha regresa cuando se dan cuenta de la medida de la siguiente paradoja, que no deja de recordarles cierta paradoja de comedianta: las histéricas hablan y muestran su dolor, se abandonan a los golpes teatrales de auras y de síntomas, cuando un minuto antes aparecían vitales, hermosas, limpias de todo fingimiento y de toda angustia, y luego, un minuto después del ataque innoble, regresan risueñas, limpias de toda angustia. Freud afirmaba en 1926 saber todavía muy pocas cosas sobre esta paradoja, que es una *paradoja de la intermitencia*[56].

Esta sospecha no hace más que engordar el enigma del retrato de Augustine, de su «hermosa indiferencia», su neutralidad, su sonrisa esbozada. La *Iconographie photographique de la Salpêtrière* ha proporcionado, por otra parte, bastantes más imágenes de estas histéricas a propósito de las cuales Breuer podría haber reeditado su referencia al *libro de imágenes sin imágenes...*[57]. Tales son los retratos de «Th...», en las primeras láminas de la *Iconographie,* cuya facies durante el ataque muestra, si se me permite decirlo, la misma «reserva» que en su «fisonomía normal», salvo por la camisa de fuerza: con los ojos abiertos o con los ojos cerrados, según las propias declaraciones de sus fotógrafos y observadores competentes, habría permanecido «fingida»[58]. O bien, en una serie de imágenes de «Geneviève», lo que aparece en la leyenda como aura, «aproximación del ataque», véase «inicio del ataque» [41-42], se manifiesta únicamente, en tanto que visibilidad, mediante una especie de sencilla inflexión de las miradas que tal vez podríamos denominar como *paciencia.*

[54] Cfr. Freud, 1895, págs. 363-367.

[55] Freud, 1915c, págs. 60-61; Breuer y Freud, 1893-1895, pág. 106.

[56] Cfr. Freud, 1926, pág. 31.

[57] Cfr. Breuer y Freud, 1893-1895, pág. 21.

[58] IPS, I, pág. 6 y láms. I-III.

En todo caso, estas jóvenes parecen mostrar que no son lo que parecen. Las imágenes que se toma de ellas ya nos obligan al escepticismo en cuanto a las imágenes. Esto es un efecto de su *quasi*-semblanza. Es lo que da nombre al aura, al frufrú del plumaje y al vuelo de su *actio in distans,* y a todo lo que de ellas, a causa de esto, nos atrae. Esto es desviación, disimulación velada, suspenso de toda oposición de lo que puede decidirse verdadero o no verdadero en la imagen, es enigma, velado, de una «proximación».

Ahora bien, este efecto de *disimulación,* nadie sabrá la manera en que podrá concluirse. La sospecha de simulación pesará, pesará aún y a causa mismo de esa neutralidad de los rostros. El *aura,* esto significa que el alcance temporal de Augustine —posando para el fotógrafo, y esperando, ¿el qué?, ¿alguna crisis?, ¿la que ya nos indica la leyenda?—, que este alcance, es decir, esta tormenta del tiempo, asigna a Augustine al retracto y al acto de una *disimilación*[59].

41. Régnard, «Aproximación del ataque» *(aura histérica), Iconographie...,* tomo I.

42. Régnard, «Inicio del ataque», *Iconographie...,* tomo I.

---

[59] Cfr. Lacoue-Labarthe, 1979b, págs. 106-109. Cfr. Lacoue-Labarthe, 1979a, pág. 24.

Que ella misma se disimulase y se «disimilase» sigue siendo indicio de que Augustine estaba próxima al *desastre*. El *quasi*-rostro de su retrato, cercano a lo que se había manifestado como un *aura histérica*, pero sin manifestarse, en la imagen, no todavía, ese *quasi*-cuerpo se nos sigue mostrando, como se mostraba ante Bourneville y Régnard, más que apariencia y menos que fenómeno. Algo así, tal vez, como un *fenómeno-indicio:*

> Así hablamos de «fenómenos (-indicios) patológicos». Entendemos por ello sucesos corporales que se manifiestan y que, en y por su manifestación, «indican» algo que *no se manifiesta* por sí mismo. La aparición de tales sucesos, su manifestación, corre pareja a la existencia de desórdenes que no se manifiestan por sí mismos. El fenómeno, en tal que fenómeno-indicio de algo, no significa, pues, únicamente que *no:* lo que se manifiesta por sí mismo, sino *el anuncio de lo que no se manifiesta mediante algo que sí se manifiesta*. Estar marcado por un fenómeno-indicio es *no manifestarse*. No obstante, esta negación no debe confundirse de ningún modo con la negación privativa que determina la estructura de la apariencia[60].

LA EXPECTACIÓN COMO MÉTODO («CONTEMPORIZAR»)

¿Qué hace la medicina ante tal fenómeno-indicio? Espera; *observa*. Permite que se le denomine *expectación*, concepto que encontramos principalmente en Pinel. Ahora bien, Charcot le consagró precisamente su tesis para la oposición a la cátedra en 1857. Y no cesó de citarlo, por aquí y por allá, mientras se planteaba difíciles preguntas respecto a las histéricas, preguntas del tipo: «Se curará un día u otro, pero ¿cuándo?»[61].

La expectación, es la «metodología terapéutica» cuando no se sabe curar una enfermedad; ya sea extremadamente benigna (carente de interés) o bien incurable. Es una metodología llamada de la *«contemporización»*[62], magnífica palabra. Mé-

---

[60] Heidegger, 1927, pág. 46 (la cursiva es mía).
[61] Charcot, *OC,* III, pág. 390.
[62] Charcot, 1857, pág. 43 (la cursiva es mía).

todo que comporta, por añadidura, la extrema ventaja científica de constituir un medio de estudio de la «evolución natural de las enfermedades»[63]. Se encuentra, pues, a medio camino de la experimentación, no siendo posiblemente más que una experimentación inmóvil, una respuesta tal vez promovida ante la incapacidad terapéutica, ¿no? —Sí y no, dice esencialmente Charcot, ya que «el arte es uno y tiene por base la observación, la experiencia y el razonamiento»...[64].

Es decir, que frente al fenómeno-indicio y porque algo fatalmente se escapa, el médico espera, acecha, confía, escruta, augura, permanece en su puesto: «*observa*», o «pone bajo observación». Su esperanza será un poco como la que, precisamente, describe Baudelaire a propósito de las *«promesas de un rostro»:* cabellera negra, tan pronto toisón, tan pronto fisura abriéndose, tan pronto «noche sin estrellas»...[65]. «Contemporizar», también es esto.

La expectación es una pregunta al tiempo convertida en pregunta a lo visible: ¿qué es lo que se ha escondido, qué es lo que se esconde, qué corre el riesgo de esconderse, en los más leves pliegues de ese rostro? La expectación es la sospecha de una historia, incluso de un *destino,* hecho arte de la descripción, arte del *detalle:*

> Si nos adentramos en los detalles minuciosos sobre la infancia de los enfermos a los que estamos observando, sobre las circunstancias que han provocado la histeria convulsiva, no es ciertamente con el objetivo de desarrollar sin medida unos hechos que resultan suficientemente interesantes como para que podamos recortar todo lo que sería superfluo. Sino es porque deseamos hacer resaltar los caracteres que distinguen a las histéricas, que permiten *reconocerlas antes de la aparición* de las crisis convulsivas; también es con el fin de mostrar, de forma palpable, las causas que han ejercido una influencia...[66].

Fue por ello por lo que ningún detalle de la historia de Augustine debió escapar al lector de la *Iconographie* (¡Y sin

---

[63] *Ídem,* pág. 45.
[64] *Ídem,* pág. 43.
[65] Cfr. Baudelaire, *OC,* I, pág. 163 («Les promesses d'un visage»).
[66] IPS, II, pág. 167 (la cursiva es mía).

embargo!... verán que el devenir del ver está siempre en trance de echarse a perder...)

SECRETO A PUNTO DE DESVELARSE

La expectación como método, y aquí incluso como iconografía, como publicación, no trata, pues, más que de poner secretos al día. Es la esperanza, instrumentalizada, de un sacar a la luz el secreto.

Es de hecho la puesta en marcha, la activación y la fabricación figurativa de lo que la deontología denomina el *«secreto médico»*. Es un ejercicio de la mirada por el que el secreto se convierte en la cosa, en *la obra misma del médico:*

> Para nosotros, el secreto no es únicamente aquello que nos ha sido confiado, sino aquello que hemos visto, entendido, comprendido con motivo de nuestras funciones médicas. El secreto de nuestros clientes es de tal manera el nuestro, nuestro de los médicos, que él, el cliente, a menudo ignora su existencia o su amplitud, no puede liberarnos de ello porque él mismo ignora aquello de lo que nos desliga[67].

Y hay que destacar lo siguiente: los elementos o campos fundamentales del secreto médico, tal como los codificó Brouardel en 1887, conciernen, en primer lugar, al componente de *vergüenza* de las enfermedades («las afecciones venéreas, llamadas vergonzantes o secretas en el lenguaje popular, todas las enfermedades consideradas hereditarias» de las que la histeria, según Charcot, forma parte), y, en segundo lugar, al propio elemento *temporal* de toda enfermedad grave, más concretamente «el devenir, el pronóstico»[68], que no debe revelarse, en todo rigor, más que a la familia cercana.

En este sentido, la *Iconographie photographique de la Salpêtrière* es una obra escandalosa (salvo por estar reservada a un público considerado experto, pero ¿experto en qué?), una iconografía de los secretos médicos, el esfuerzo de sacar a la luz

---

[67] Brouardel, 1887, pág. 240.
[68] *Ídem,* págs. 241-242.

algo de esas partes vergonzantes, que la misma histeria parece incluso magnificar; y posiblemente incluso porque las magnifique. La *Iconographie* es también, en tal que serie de imágenes fotográficas, dispuestas según una leyenda, una manipulación del tiempo e incluso en el sentido en el que el *tiempo* otorga «la determinación positiva de las cosas cuando sin embargo no están»[69], mientras permanecen escondidas y acalladas en su interior, en la invisibilidad, en un pasado, un porvenir.

El aura de Augustine es, en este retrato que abre la serie, un halo de visibilidad inactual; y ésta no es tanto lo imaginario como la presencia en la ausencia o de la ausencia, como la presencia de *la inminente visibilidad* de algo latente, de un secreto.

SÍNTOMA-TIEMPO
(EL RELATO IMPOSIBLE)

Esta coacción de la visibilidad fotográfica a la inminencia es la coacción misma de la visibilidad del cuerpo histérico a la *intermitencia del síntoma*.

Razón por la cual la transformación del síntoma en *relato icónico,* es decir, «la representación de un momento-instante narrativo dispuesto en forma de modelo de inteligibilidad a-crónica»[70], raya en lo imposible. Un ejemplo: miren las láminas grabadas por Restout para la extraordinaria obra de Carré de Montgeron sobre los Convulsionarios de Saint-Médard[71] (titulada *La Vérité des Miracles...,* etcétera, y la cual apasionó a Charcot, que coleccionó sus distintas ediciones): su sistema figurativo ya requiere una página doble, un «antes» y un «después», como *mínimo de inteligibilidad* de esas apariciones-desapariciones milagrosas de los síntomas «convulsionarios». Y esto es ciertamente un mínimo, ya que la temporalidad del síntoma más bien se hieratiza, se transfija, incluso se emblematiza; nunca es realmente la de un apare-

---

[69] Schelling, cit. por Maldiney, 1975, pág. 38.
[70] Marin, 1977, pág. 70.
[71] Cfr. Carré de Montgeron, 1737, *passim.*

cer. Recuerden además aquello que Lessing escribía sobre la pintura como relato icónico:

> La pintura, debido a los caracteres o medios de imitación que le son propios y que no puede combinar más que en el espacio, debe renunciar totalmente al tiempo; las acciones progresivas, en tanto que tales, no pueden por tanto ser tema de pintura, y ésta debe contentarse con acciones simultáneas o de cuerpos que, por sus actitudes, sugieren una acción continua[72].

Resumiendo (dejaré un momento en suspenso este texto, que incita a una discusión sobre el Renunciar y el Agradar de la pintura).

La fotografía, ella, tiene relación, en su acto, la toma, con el *esto*, «das Diese»: el aquí y ahora[73]. Y, del *esto*, la fotografía no restituye ni rememora en absoluto ningún relato. Más bien no ofrece más que una especie de atestado, e incluso, podríamos decir, de «resurrección» concreta; en ello radica su terriblemente inquietante facultad, su *intensidad:* una fuerza testimonial de tiempo, desgarradora, afilada como un escalpelo. El pasado de una fotografía también es tan afilado y tan «cierto», desgraciadamente, como el presente de mi propia mirada, intenso como un foco de dolor, un pico del tiempo, y no extensivo como una historia que se cuenta. Es esto lo que nos confunde. Es en lo que una fotografía es atestado de tiempo mucho más que de su modelo o incluso de su «sujeto» u «objeto»; y llega hasta abrir una fosa entre su mismo modelo y el tiempo.

¿Por qué? Porque ese tiempo ya se encuentra como minado: es algo que *tiene que ver con un instante, pero vaciado de duración.* La duración sin medida del tiempo de la pose.

TIEMPO DE POSE

Miren por ejemplo la ola de terror que parece recorrer el rostro de otra histérica de la *Iconographie,* llamada «Ler... Rosalie» **[43]**. Pues bien, no se trata en absoluto de un tránsito,

---

[72] Lessing, 1766, pág. 109.
[73] Cfr. Hegel, 1807, I, págs. 83-92.

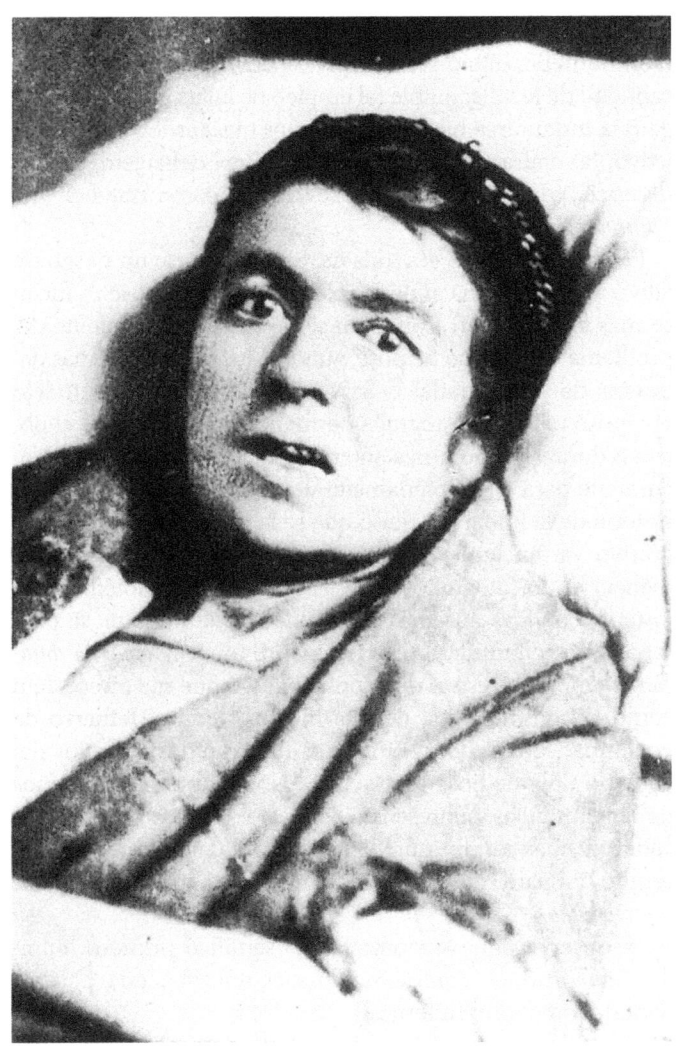

43. Régnard,
«Contractura
del rostro»,
Iconographie...,
tomo I.

sino más bien de una suerte de transfijación, una duración intensiva, una auténtica «contractura del rostro», «más o menos persistente»[74], y que permitió la relativa nitidez de imagen para un tiempo de pose que era fatalmente largo.

---

[74] IPS, I, pág. 22 y lám. VIII.

La gran preocupación de Régnard, con sus placas de colodión húmedo, debió ser siempre la siguiente: ¿cómo, con la cantidad de luz disponible (el empleo de la luz artificial no llegaría a instaurarse hasta algunos años más tarde), con tal objetivo, tal diafragma, según tal «agitación» del sujeto, con tal distancia, y no hablemos del revelador, cómo obtener una *«prueba válida»?*

El acto fotográfico era todavía, en esta época, un riesgo relativo al tiempo, una apuesta: con el tiempo de pose. E incluso más tarde, Albert Londe no se deshizo tan fácilmente del problema del tiempo de pose, «uno de los problemas más delicados de la fotografía»[75]. Sabemos que la primera modelo que posó para una fotografía permaneció inmóvil ante el objetivo durante ocho horas enteras, y que se trataba, afortunadamente para ella, de una naturaleza ya muerta. Después, la historia de la fotografía quiso que se la midiese como un progresivo «arrancamiento al tiempo». Se hizo del instante la esencia de lo fotográfico, queriendo olvidar también que el instante conlleva ausencia y retiro (se decía instante, se pensaba síntesis temporal). Era necesario, pues, *cercenar la duración,* siempre excesiva, de la pose (exceso que me ofrece aquí como la contramedida de esta historia): con el refuerzo de guillotinas, obturadores circulares más rápidos, cálculos del «tiempo útil» de pose (que reduce el «tiempo total»), guiños de las laminillas, sobresensibilidades exquisitas de películas cada vez más impresionables, flashes magnésicos; todo ello resultó útil para reducirlo, ese tiempo, ese auténtico *tiempo de incomodidad.*

(Y observen que «incomodidad» significó primero humillación, tortura y confesión. Bossuet utilizaba esta palabra para denominar el Infierno.)

En cualquier caso, «cuando se trata de reproducir enfermos», escribía además Albert Londe,

> existe, en efecto, un interés evidente en disminuir el tiempo de pose lo más posible, ya sea porque tengamos que tratar con sujetos a los que les resulte difícil mantener la inmovilidad, ya sea porque haya que obrar en salas de hospital, por lo

---

[75] Londe, 1888a, pág. 78.

general mal iluminadas. El aumento de la rapidez de las preparaciones fotográficas ha sido, pues, decisivo desde el punto de vista de sus aplicaciones a las ciencias médicas[76].

Ahora bien, lo que la fotografía, que enseguida se denominará «instantánea», quería aquí negar y reducir, era un poco como su propia matriz temporal, quiero decir su temporalidad-madre, algo que había estado en lo más profundo de su nacimiento. Se trata de la pose. Palabra a la que ahora debemos prestar atención.

— Partiendo de *ponere,* es decir, fundar un personaje, ponerlo en pie, «disponerlo», colocarlo en su *sitio.* Miren de nuevo a Augustine, tal vez no sería más que su verticalidad, su verticalidad provisoria, lo que se «iconografía» como significante de una suerte de ideal o de concepto clínico, su denominado «estado normal».

— Partiendo de *pausa* (el *pausis* griego), el alto, el cese, la pausa. Quiero decir la detención, sí, la *detención* mediante la que se constituye la pose fotográfica, como retención en un ritmo, retención de un ritmo.

— *Pausa* es también el nombre de la «estación», en una procesión, una penitencia, en el vía crucis, y los cuerpos fotográficos son para nosotros unos *cuerpos gloriosos y mártires,* por la misma razón por la que habrán sido entregados a la imagen y retenidos (por la cámara) «en la ambigua frontera entre la ejecución y la representación, entre la cámara de tortura y el salón del trono»[77].

— Vuelvan a escuchar *ponere,* posar, depositar: es extender sobre un lecho fúnebre, es calmar para siempre, es incluso destruir, es amortajar, es disponer las reliquias. Jamás, escribe Barthes, los *cadáveres* están más *vivos* que en fotografía[78], porque la fotografía es una práctica de las reliquias más paradójicas que hay: los momentos de la vida.

— Presten atención una vez más a la palabra: significa colocar, es decir, *investir.* Y desde la retención (detención y cese) se vuelve a lanzar como una *protensión* que es al mismo tiem-

---

[76] Londe, 1889b, pág. 14.
[77] Benjamin, 1931, pág. 66.
[78] Cfr. Barthes, 1980, pág. 123.

po un acto de *desviar* (el *pauein* griego): colocación y desvío, o corrupción, o apuesta sobre el futuro, especulación. Quiero decir, sobre todo, que la pose es un movimiento íntimo de *expectativa*. A propósito de los retratos fotográficos antiguos, escribía Benjamin: «Durante la larga espera de la pose, ellos (los "modelos") se instalan, por así decirlo, en el interior de la imagen»[79]; y esta instalación era inversión, protensión, expectativa; ya que «lo que debía parecer inhumano, podríamos incluso decir mortal, en el daguerrotipo, es que forzaba a mirar (además prolongadamente) una cámara que recibía la imagen del hombre sin devolverle la mirada». Puesto que *no existe una mirada que no espere,* y esto es lo importante, «no existe una mirada que no espere una respuesta del ser, a quien está dirigida»[80].

LA EXPECTATIVA

Expectativa es un término de la mirada, y es un término del tiempo. Sería algo de la visibilidad, que casi se desprovee y se asigna a un tiempo de la espera; con, de la expectativa a la espera, como una falla, contenida pero radical, una separación comparable tal vez a lo que, en la angustia, da la espalda al miedo cercano.

No puedo decir que las imágenes *tengan* una temporalidad, sería una formulación, ¿cómo decirlo?, timorata, incluso supersticiosa, muy débil con respecto a lo que nos *llega* de las imágenes. Las imágenes no «tienen» temporalidad, ni como activo, ni como predicación. *Son duraciones,* duraciones y tiempos sublógicos de miradas sobre las modulaciones: ritmos de retenciones (pasados que aún no han pasado o no han pasado realmente) y de protensiones (cosas por pasar que ya no van a ocurrir); un batir, como de pestañas y párpados, de abrir-y-cerrar; duraciones de *Augenblick,* guiños, vistazos; duraciones de «ojoinstantes», como escribe Joyce[81], «fugagrafías», y qué sé yo...

---

[79] Benjamin, 1931, pág. 64.

[80] Benjamin, cit. por Lacoue-Labarthe, 1979a, pág. 55 (la cursiva es mía).

[81] Cfr. Joyce, 1939, págs. 61, 72.

La fotografía parece no tener futuro, porque «refluye de la presentación a la retención»[82], sin duda alguna. Porque el presente de una imagen no nos llega más que como *retraso* indefectible; aunque la propia imagen estuviese dotada de movimiento, este retraso no se dejaría alcanzar.

Porque se ha terminado un gesto. Tiempo de detención, sin duda. Pero ajustadamente. La expectativa denomina esta detención como presencia, es decir, repito, como inminencia, como urgencia, la urgencia de lo que está ahí, ante mí, pre-esencia, que me mira de frente y que me va a ocurrir de repente como el *suceso* absoluto —pero aquí estoy hablando de la fábrica fotográfica del suceso, hablo de la *facticidad*.

Esto no supone un impedimento: cada detalle fotográfico tiene valor de elemento amenazador. Y cada parcela de amenaza estropea nuestro imaginario en la perspectiva de una carne o incluso de una muerte siempre muy, muy reales. Existe, en los retratos fotográficos, puede que incluso pese a ellos, un *«precursor sombrío»*[83], que vela, de algún modo; siempre espera, espera alguna fulguración, conmoción, catástrofe. Y esta espera se hace imagen, y la imagen se hace en la espera, insomne.

Debería, aquí, preguntar sobre lo que se denomina fantasma *originario*. Pues un retraso que se hace anticipación permanece, pese a su recorrido o a su desvío, pese a su protensión, retraso. E incluso ahí no hace más que adelantarse como retraso. Algo en la propia protensión se habrá quedado, pues, atrás —no, más bien diría que lo que se habría quedado atrás se convierte en *lo lateral* de la mirada, un fantasma. Al que estoy obligado. Desde el principio.

Y la expectativa también denomina esa asignación a un futuro muy anterior. Es esa postura *contorneada*, siempre abandonada a la paradoja, a la contorsión de un futuro muy, muy anterior. Miren de nuevo el retrato de Augustine: creerán estar contemplando un destino, justamente porque este retrato presenta *en vivo* un retraso sobre la muerte de Augustine, puesto que Augustine está para nosotros, y desde hace muchísimo tiempo, muerta y enterrada. Su rostro es, en su retrato,

---

[82] Barthes, 1980, pág. 140.
[83] Cfr. Deleuze, 1968, págs. 152, 156, 162-163.

pasado, finado incluso, y durante ese tiempo, su muerte resulta para nosotros muy latente, muy eminente.

Tal sería la prueba fotográfica, en tanto que apremio de expectativa: saca de su «sujeto» algún «rasgo vivo», y de esta extracción o tratamiento (el propio *por-tracto,* como se decía antaño), de esta lenta tracción, el tiempo justo de una pose, asigna su sujeto a una paradójica existencia de *still life (naturaleza muerta).* Un silencio de vida, una naturaleza muerta en breve. Esto es, pues, como un suspenso de duelo, *la anticipación imaginaria de un duelo.*

> El tiempo de una prueba, cuyo beneficio, o remanente, será tu imagen, la imagen de tus «rasgos vivos» —tu muerte se engalana, hermosa mía: *si vis vitam, para mortem*[84], prepara tu muerte, permítenos engalanarte, hacerte una fotografía; guardemos todo en imágenes, así te protegeremos de toda pérdida, con esos dobles en película de ti misma que son tus retratos, nuestros retratos...

He aquí lo que pudo haber dicho el fotógrafo a «su» Augustine sujeto.

Pues están el fotógrafo y la fotografiada: uno prepara y engalana, la otra está sujeta a una *paciencia* que es padecimiento, drama. El drama de la pose, es decir, el debate del sujeto con la imagen que de él se extrae, manteniéndole sujeto al parecido de un *quasi*-rostro, como por un *quasi-asesinato* —este drama estaría aquí representado por la incidencia estremecedora de un síntoma que «presentaba» Augustine en el mismo momento en que se le hicieron todas esas fotografías: había dejado de percibir los colores; *veía todo en blanco y negro*[85].

«NO TENGO TIEMPO»
(EL ENTREACTO)

Y también decía (puede que incluso ensayando hasta aturdirse), decía: «No tengo tiempo *(bis).*» Y luego: «Te digo

---

[84] Cfr. Freud, 1915b, pág. 267.
[85] Cfr. IPS, II, pág. 129.

que esta noche no puedo (...) me ha asegurado que me mataría...»[86].

Creo que la prueba fotográfica (su coacción de expectativa) disfrutó de una coincidencia, auténtica ganga para una fábrica de imágenes: *el tiempo de la histérica es ya culpable*. Es ya culpable, y en su sencilla relación con la visibilidad, se perfila como teatro de las sombras.

El griego *hystériké* se traduciría como: aquella que siempre se retrasa, la intermitente. Sí, la histérica es intermitente, ella es *la intermitente de su cuerpo:* vive en el riesgo y la desgracia de equivocarse constantemente sobre la pertenencia de su cuerpo, siente que tal vez no sea el suyo, a menudo intenta incluso tomar el cuerpo de otro por el suyo mismo, y este riesgo es una vacilación sin fin y una tentativa recurrente de poner término a la vacilación, un cuestionar sin tregua de la desgracia: ¿dónde, dónde colocar ese cuerpo?

Al temporalizar el sentido según esa vacilación, ese riesgo y esa intermitencia, la histérica experimenta como un *fuera-de-sí* en su relación con el tiempo, ese fuera-de-sí que deja estela, y huellas, y síntomas, en lo visible: acercamientos y rodeos de la histérica en el ser, una relación del tiempo con el estar-ahí, tal puede ser, incluso aquí, lo «cuestionable» por excelencia. Esta estela podría ser el *aura,* un soplo, acariciando su cabellera, portando a su espíritu como unos ruidos extraños[87]. Un *deseo,* algo del futuro que afecta a la representación y en lo que un sujeto, una loca, autodetermina todo su poder[88]. Una *desgracia,* sencillamente aquella, ya, de un «curso incierto y cambiante de los acontecimientos», significado del propio término griego *aura.*

Una desgracia así es la que afecta al retrato de Augustine (la lámina catorce), en los siguientes términos: esta imagen no es más que una intermitencia; es precisamente *un entreacto,* un tiempo de descanso en el «estado del mal histérico», ya que, dice Charcot, «la contractura en los histéricos es siempre inminente»[89], ya que, «en el estado del mal histérico-epiléptico,

[86] *Ídem,* pág. 161.
[87] Cfr. Rimbaud, *OC,* pág. 12 («Ophélie»).
[88] Cfr. Kant, 1798, pág. 109 («De la faculté de désirer»).
[89] Charcot, *OC,* IV, págs. 322-323.

hay de tanto en cuanto momentos de descanso, como entreactos, durante los cuales se interrumpen momentáneamente las convulsiones y el delirio»[90]. Este retrato corresponde a una espera y a una presura: se ha esperado este descanso en el sufrimiento de Augustine para llevarla rápidamente a la palestra, tal vez peinada, vestida, entre el cortinaje oscuro y el velo negro del fotógrafo, para luego tomar de ella, con premura, una «fisonomía normal». Puede entonces que todo esto se tratase de un entreacto de escenas violentas y lances imprevistos...

PERDER EL CONOCIMIENTO
(EL GOLPE TEATRAL)

Lo que quiero decir es que, en este retrato, Augustine puede estar a punto de perder el conocimiento. ¿Cómo lo explicaría? Está cerca de un estado del cuerpo que es un estado y un estado que ya no lo es, y frente al cuerpo, pero del otro lado, en paralelo pero del otro lado, la consciencia todavía se sobresalta, como el miembro de un ser olvidado, y la consciencia es un teatro en el que un día hubo algo, se sentía, creo que se sentía como el miembro tenso de un ser en el paroxismo de lo máximo, pero la mente se ha ido de allí, ya no hay mente o ser, y ni paroxismo ni máximo, y enfrente, pero del otro lado, paralelamente a ella, al igual que ella fue paralela a él, no encontramos más que el cuerpo, despojado de su consciencia, tanto más vivo por estar muerto[91], y ese cuerpo ya no pertenece, ya no pertenece a Augustine.

E incluso el cuerpo de Augustine ya no nos llega, exactamente, como imagen; ya no nos llega más que como *la intermitencia de dos imágenes:* es decir, el sencillo pasar de una página —lámina catorce, lámina quince [44-45].

Lámina quince: un grito, una camisa de fuerza, los retoques de guache necesarios para una prueba muy dañada, la prueba de las convulsiones de Augustine, sobre una cama

---

[90] Charcot, 1888-1889, pág. 69.
[91] Artaud, *OC,* tomo XIV, vol. 2, pág. 245.

Planche XIV.

HYSTÉRO-ÉPILEPSIE

ÉTAT NORMAL

44. [Lámina XIV. Histero-epilepsia. Estado normal]. Régnard. Fotografía de Augustine. *Iconographie...*, tomo II.

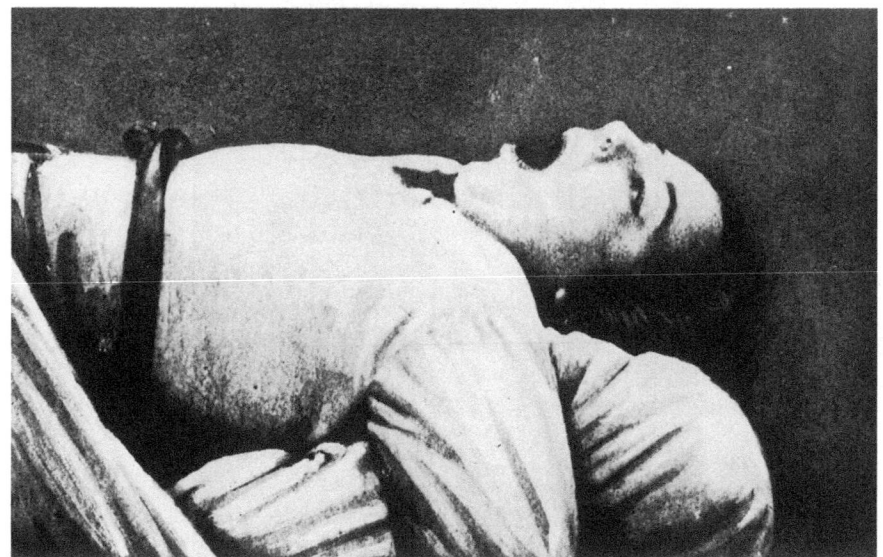

Planche XV.

DÉBUT DE L'ATTAQUE

CRI

45. [Lámina XV. Inicio del ataque. Grito]. Régnard. Fotografía de Augustine. *Iconographie...*, tomo II.

que hubiese volcado boca abajo si no hubiese estado sujeta; un suceso que habría hecho temblar la propia imagen, y puede que incluso hubiese puesto en peligro la integridad de la cámara fotográfica, si no hubiese estado sujeta...

Existe entre esas dos imágenes la intermitencia, para nosotros incesante, de alguien que ya casi no se asemeja a sí mismo en absoluto. Ahora bien, esta turbadora pérdida, de una página y de una imagen a otra, este auténtico golpe teatral, no es más que *soplo del síntoma* en la imagen: la crisis, lo que se llama *el ataque,* en el momento justo en que comienza: *«Inicio del ataque».* La respiración es irregular, la opresión evidente, el habla entrecortada; sintiendo que el ataque es inminente, L... intenta contenerse: «Siento... que... me cuesta... respirar... No... me... pondré... enferma... con tal de... que... no me den... nitrito de amilo». Se producen movimientos de elevación del vientre; un mascullar intermitente; las fosas nasales se abren, la frente se frunce, los párpados laten con rapidez, la mirada se hace fija, las pupilas se dilatan, los ojos se vuelven, la enferma ha perdido el conocimiento»[92].

---

[92] IPS, II, pág. 143.

□

CAPÍTULO 6

Ataques y poses

UN CUADRO CLÁSICO

Si la enferma pierde el conocimiento, ¿qué le queda al conocimiento para agarrarse al ser de la enfermedad? Le queda el *espectáculo* de la enfermedad.

Espasmos, convulsiones, síncopes, semblanzas de epilepsia, catalepsias, éxtasis, comas, letargias, delirios: mil formas en unos instantes. El «genio» de Charcot habrá sido, repito, no sólo el de conseguir hacer una *descripción* de todo esto, sino incluso el de enmarcar esta descripción en un *tipo general,* que recibe el nombre de «gran ataque histérico» y al que algunos añadieron «completo y regular»[1]. Se desarrollaría según cuatro fases o periodos: la *epileptoide,* que imita o «reproduce» un acceso epiléptico estándar; el *clownismo,* que es la fase de las contorsiones o de los llamados «movimientos ilógicos»; las *«poses plásticas»* o «actitudes pasionales»; y, finalmente, el *delirio,* el delirio llamado terminal: ésta es la triste fase en la que los histéricos «se ponen a hablar», la fase en la que, en todo caso, se intenta por todos los medios detener el ataque.

Ahora bien, todo esto es ya como una gran revancha del discurso icónico sobre las intermitencias y las paradojas de evidencia del cuerpo histérico. Ojo por ojo. Charcot domes-

---

[1] Cfr. Charcot, *OC,* I, págs. 367-385, 435-448; Richer, 1881-1885, págs. 1-168; Gilles de la Tourette, 1891-1895, II, págs. 1-76.

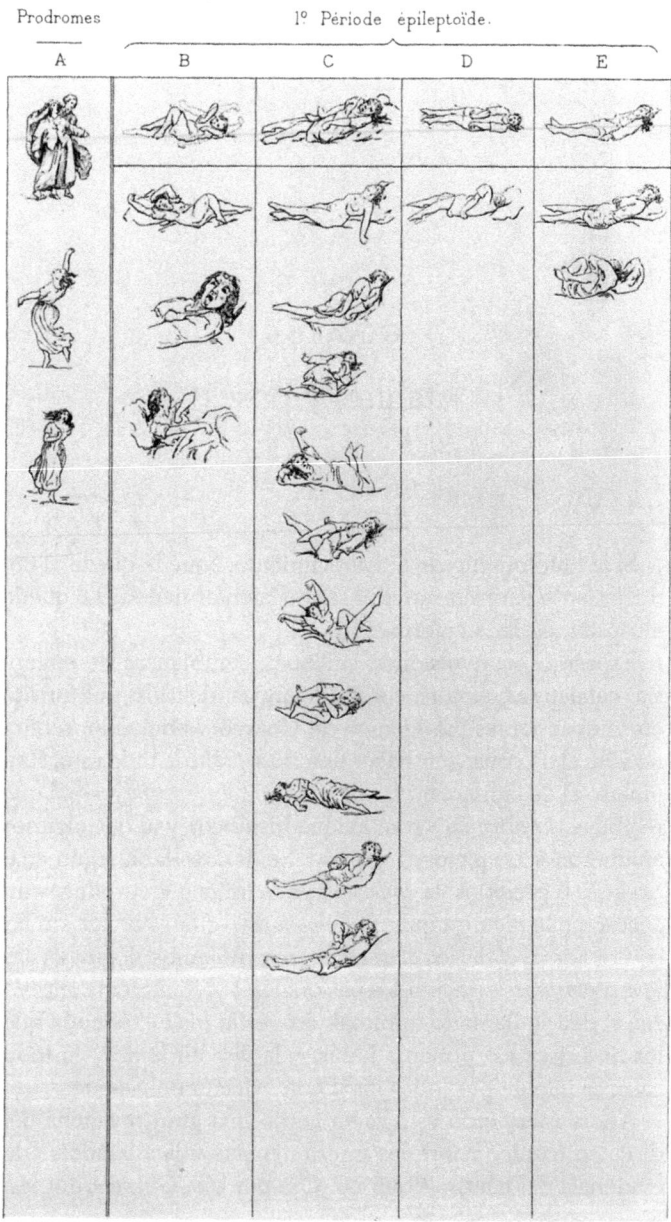

46. [Lámina V.
Pródromos.
1.º Periodo
epileptoide.
2.º Periodo de
clownismo.
3.º Periodo
de las actitudes
pasionales.
4.º Periodo
de delirio]. Richer,
cuadro sinóptico
del «gran ataque
histérico completo
y regular», con
posturas típicas y
«variantes». *Études
cliniques...* (1881).

2º Période de clownisme.   3ºPériode des attitudes passionnelles   4º Période de delire.

F	G	H	I	J	K	L

ticó la más barroca de las teatralidades, logró imponer su autoridad, digo bien autoridad, de realizar no solamente un cuadro clínico sino además un *cuadro clásico*. Revancha académica sobre la profusión de formas heterodoxas: es decir, su clasificación.

Seamos precisos: Charcot fue más bien un maestro de obras y comanditario de un tipo narrativo e icónico que su concepto de la histeria, así como su objetivo epistémico, principalmente exigían. El maestro de obras, el auténtico resistente, el meticuloso, el orfebre, y con razón, fue Paul Richer, el interno ojito derecho del servicio; tal vez por ser un grafista muy dotado: era profesor de anatomía de la Escuela Nacional Superior de Bellas Artes de París.

Richer recorrió, pues, con su plumilla, todo el «gran ataque histérico completo y regular» en ochenta y seis figuras, y consiguió reducir a tan sólo nueve figuras sus «principales variedades» o variantes, es decir, consiguió la perfección del modelo. Consiguió realmente rematar la empresa subsumiendo toda esa serie figurativa en una única tabla, un cuadro sinóptico que ofrecía, horizontalmente, «la reproducción esquemática del gran ataque en su perfecto desarrollo», y, verticalmente, para cada fase, una muestra de las «variedades» más, digamos, clásicas[2] **[46]** [cfr. Apéndice 14]. Sinópticamente, de un único y panorámico vistazo.

Y esto bien valía, en efecto, la más rigurosa, la más concisa pero fatalmente larga de las descripciones; o más bien, permitía la existencia y la validez metodológica de los rasgos pertinentes, permitía que fuese posible una descripción, y además concisa[3]. Un patrón figurativo permitía, pues, discriminar por fin, en la histeria, formas «completas», formas «medianas» y formas «rudimentarias» o «groseras»[4].

La tabla también fue clásica en lo siguiente: se convirtió en autoridad. Todos partieron de ella[5]. Todos, a su manera, le rindieron homenaje o se definieron basándose en ella: así, los alemanes Andree y Knoblauch hicieron para los varones his-

---

2 Cfr. Richer, 1881-1885, págs. 1-338.

3 Cfr. Charcot, *OC*, I, págs. 435-448 (descripción redactada por Richer).

4 Cfr. Charcot, *OC*, I, págs. 367-385.

5 Cfr. Freud, 1886a, págs. 10-11; Freud, 1888, págs. 41-43.

téricos y para los traumatizados por la guerra lo que Richer había realizado, representando en su tabla —tal vez el lector se haya percatado de ello— sólo un tipo femenino[6]. En cuanto al profesor Rummo, no dudó, desde su clínica de Pisa, en hacer editar un *Omaggio al prof. J.-M. Charcot:* una serie de setenta fotografías, setenta posturas y posiciones, como el catálogo viviente de «la» crisis histérica (un entramado rallado y recurrente que nos ofrece una impresión casi cinematográfica), catálogo en el que lo real, autentificado fotográficamente, habría venido a rendir homenaje a lo racional de los conceptos nosológicos y de los tipos figurativos de la Salpêtrière[7] **[47-48]**.

Hay incluso, en la *Iconographie,* algo de este valor de homenaje, también diríamos de vasallaje, como un deseo, un deseo implícito: Bourneville viene a sugerir, a una vuelta de página, que las fotografías mostradas se parecen a los tipos definidos por Charcot, «puesto que», dice él, Charcot fue su maestro de obras (¿maestro del pensamiento?, ¿acaso piensan esas imágenes?):

> Los ataques de A... se parecen, en cuanto a la sucesión de periodos, a los ataques de los enfermos de los que hemos hablado hasta aquí. Nos limitaremos a destacar que en ellos nos encontramos con todos los caracteres que el señor Charcot ha descrito en las lecciones que acaba de realizar en la Salpêtrière. Esto es algo totalmente natural, ya que ha sido siguiendo sus consejos y sus indicaciones que se emprendió la tarea que proseguimos publicando la *Iconographie*[8].

En efecto, es algo totalmente normal. Está dentro de la naturaleza de las imágenes clásicas y constituye toda su eficacia: obligar a lo real a parecerse a lo racional.

AUGUSTINE COMO OBRA DE ARTE

¿Y Augustine? Augustine fue, en esta fabricación figurativa y taxonómica, como una perla, una obra maestra, la perfección misma, es decir, la coartada perfecta.

---

[6] Citado y reproducido por Charcot, 1888-1889, págs. 425-430.
[7] Cfr. Rummo, 1890, *passim.*
[8] IPS, II, págs. 200-201.

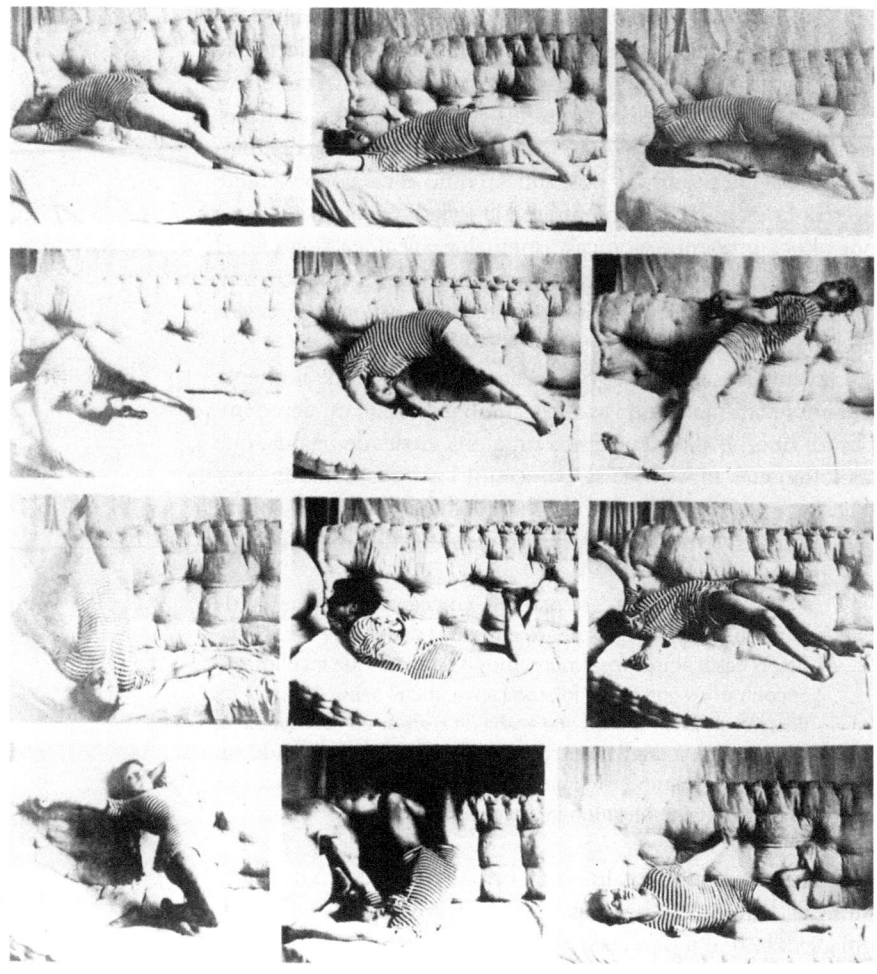

47-48. Rummo.
Dos láminas
de la *Iconografia
fotografica del Grande
Isterismo* (1890),
dedicada
a Charcot.

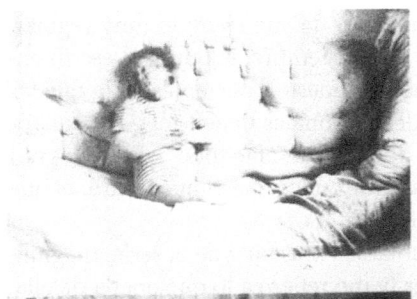 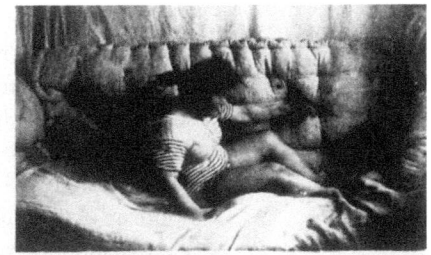

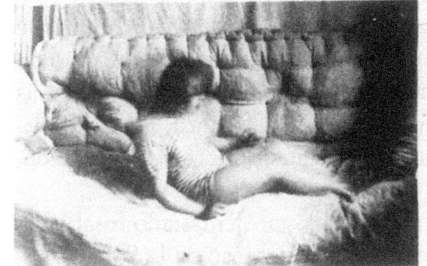 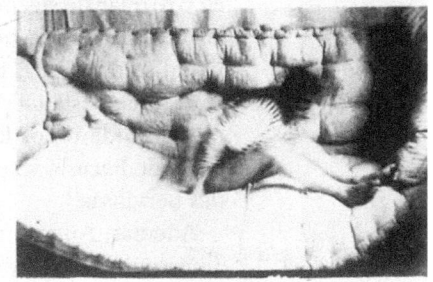

III. Periodo - Atteggiamenti della fisonomia.

  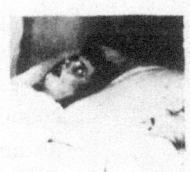

Charcot habla de ella como de «un ejemplo muy regular, muy clásico»[9] y Richer, como siempre, la pondera escribiendo de ella «que es aquella de nuestras pacientes en la que las poses plásticas o actitudes pasionales tienen mayor regularidad»[10]. Además, ¿no es de destacar, ante todo, que en la gran tabla de Richer es el rostro de Augustine el que ilustra, el que «sinoptiza» el tipo histérico?

Y Augustine, pero hablamos más bien de la serie, magnífica y regular de sus poses (y me refiero a lo que queda de ella, la magnífica serie de láminas de la *Iconographie)*, Augustine habrá sido, pues, el maniquí estrella de todo un concepto de la histeria, hasta tal punto que, por ejemplo, Moebius, el más misógino de todos los psiquiatras de la época, no pudo privarse de hacerla «figurar» en su tratado sobre las enfermedades nerviosas[11].

Además, Augustine no parecía estar demasiado resabiada. Tenía quince años y medio cuando ingresó en la Salpêtrière, y a esa edad aún no piensa uno en dedicarse a imitar fraudulentamente, por ejemplo, el «rítmico baile de San Vito», mal que precisamente padecía: fue, pues, considerada, de alguna manera, como una histero-epiléptica honesta, ni «farsante», ni «estilosa»[12]: así pues, *regular*. Tenía quince años y medio cuando ingresó en la Salpêtrière; fue bajo la propia mirada y ternura de sus médicos que se «hizo mujer», es decir, que le *llegó la regla*, detalle que no se nos omite[13].

Pero repito que lo que hizo de Augustine una de las grandes estrellas de la *Iconographie photographique de la Salpêtrière* fue ante todo toda esa especie de desarrollo temporal, siempre muy bien trazado de «pausas» y de «entreactos», de sus ataques: una especie de desglose dramatúrgico, en actos, en escenas y cuadros, de sus síntomas. Esa llamada intermitencia *plásticamente regular*. De este modo su cuerpo efectuaba una donación rigurosa de sí mismo, poquito a poco, primero a, luego b, después c[14]. Y parecía

---

[9] Charcot, *OC,* I, pág. 396. Cfr. Bourneville, 1876, págs. 100-101.

[10] Richer, 1881-1885, pág. 90.

[11] Cfr. Moebius, 1886, pág. 110 (fig. 33); Moebius, 1901, *passim.*

[12] IPS, II, pág. 184.

[13] *Ídem,* págs. 132-133, 137, etc.

[14] *Ídem,* págs. 130-131, 169-173, etc. Cfr. Richer, 1881-1885, págs. 75-76, 186.

permitir olvidar que la representación, en cuanto forma del tiempo, olvida un cierto infortunio del tiempo.

EL MOMENTO ESCULTURAL
(LA CONTRACTURA)

Existe un momento, escribe Hegel, en que la estatua, que es el «reposo totalmente libre», demanda convertirse en un *Sí mismo* vivo: es así como «el hombre se coloca él mismo en el lugar de la estatua»: se convierte en «obra de arte viviente». Y entonces, escribe Hegel, el hombre se convierte en el «movimiento totalmente libre»[15], y entonces, ¡es ocasión de fiesta!

Una histérica puede ser una obra de arte viviente, y persistiré en hablar de Augustine como obra maestra, la obra maestra y la «cosa» de sus médicos; pero, en cierto sentido, una histérica *sigue siendo estatua,* porque le falta esa perfecta libertad de movimiento de la que habla Hegel. Cuando se mueve, incluso de forma violenta, se asemejaría más bien a una marioneta, pero ¿la marioneta de quién?

Puede que permanezca autopasmada de ser una obra para otros, y de no poder por ello abandonar algo así como un «ahora inmóvil» de fantasma. Ahora bien, esto llega incluso a constituir una ganga para el fotógrafo cuando el tiempo de posado se le hace largo.

Esto se denomina la *contractura* histérica. Y no se trata de un concepto tan sencillo. Algunos pretenden que se trata de un fenómeno muscular *paradójico* que podríamos formular de la siguiente manera: un músculo es susceptible de entrar en estado de contracción (incluso permanente) por el solo hecho del acercamiento de sus puntos de contacto, dicho de otra manera, por el solo hecho de su *relajamiento.* Charcot criticó esta noción de paradoja muscular, debida entre otros a Westphal, enunciando que la contractura histérica, incluso permanente, «encuentra su causa en la *tensión* brusca del grupo muscular antagónico»[16]. Charcot llamaba «diátesis de con-

[15] Hegel, 1807, II, págs. 239-240.
[16] Charcot, *OC,* IX, pág. 456 (la cursiva es mía). Cfr. Charcot, *OC,* I, páginas 347-366.

tractura» al concepto general de la «predisposición especial del músculo a entrar en contractura»[17].

Pero subsisten algunas paradojas inexplicables. En primer lugar, lo que Briquet llamaba una «perversión de la contractilidad»[18] habrá permanecido como una especie de tierra de nadie nosológica: *entre parálisis y contorsión,* entre inmovilidad y movimiento[19]. La contractura histérica es una impotencia motriz, la rigidez involuntaria y persistente de algún miembro, y sin embargo no se trata de una parálisis en el sentido clásico, ya que la propia textura de la fibra muscular permanece inalterable, así como la estructura de los centros motores. Su paradoja reside en su naturaleza exclusivamente *local* (sin lesión concomitante), en su carácter extraordinariamente *móvil;* y luego, sobre todo, es *intermitente.* Su paradoja es ser el detalle (local) o el intermedio (incluso una fase) de los ataques convulsivos de la histeria, no constituir más que un hilo en la madeja de todos los desarreglos motores que vinieron a revolver y casi a dislocar el pobre cuerpo de Augustine: «sacudidas», «temblores», «calambres», «saltos» y «sobresaltos», y no sigo[20].

Sus contracturas eran imprevisibles: su cuello *se torcía* de repente, tan violentamente que el mentón llegaba a sobrepasar el hombro y llegar hasta el omóplato; su pierna *se quedaba tiesa* de pronto, como patizamba, con tal flexión que «el talón llegaba a adaptarse contra el peroné»; sus dos brazos *se retorcían* de repente, efectuando varias veces seguidas ese cruel movimiento, y luego se quedaban totalmente rígidos:

> Todo el *cuerpo* se vuelve rígido; los *brazos* se quedan tiesos, ejecutando o no un movimiento en círculo más o menos perfecto, luego a menudo se acercan uno a otro sobre la línea media, con los puños tocándose por su cara dorsal (lámina XVI)[21] **[49].**

---

[17] Charcot, *OC,* IX, pág. 447; Cfr. Richer, 1891, *passim.*

[18] Briquet, 1859, págs. 477-478.

[19] Cfr. Pitres, 1891, I, págs. 377-481; Gilles de la Tourette, 1891-1895, I, págs. 433-485; III, págs. 1-157; Richer, 1892, págs. 2-3, etc.

[20] Cfr. IPS, II, pág. 183.

[21] *Ídem,* págs. 134-135, 137, 139, 144.

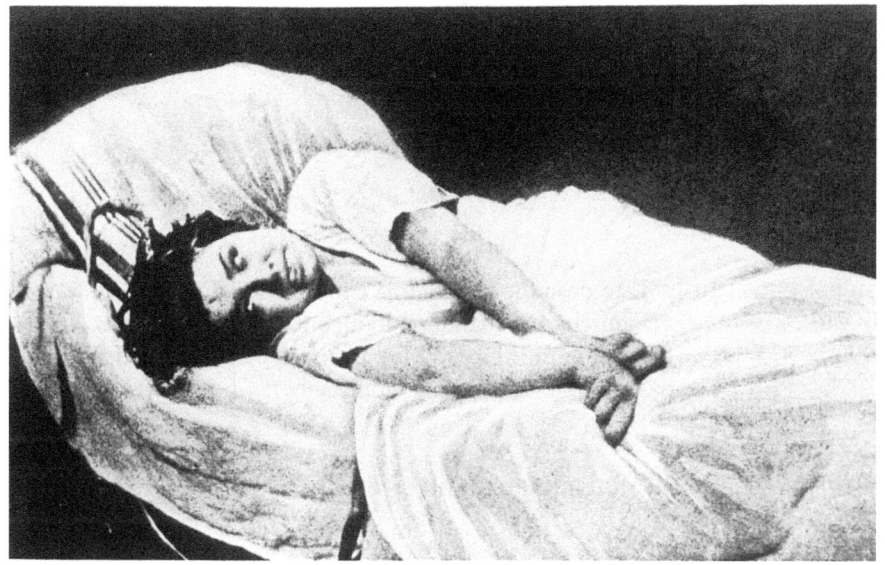

Planche XVI.

TÉTANISME

49. [Lámina XVI. Tetanismo]. Régnard. Fotografía de Augustine. *Iconographie...*, tomo II.

50. Richer. La «fase de inmovilidad tónica o tetanismo», lámina grabada según la fotografía precedente. *Études cliniques...* (1881).

Esto describe la paradoja e incluso las angustias del *tetanismo:* un cuerpo abandonado a contracturas increíbles y recurrentes, pero imprevisibles, intermitentes. Richer denominaba esto una «inmovilidad tónica»[22].

LA INALIENABILIDAD

Insisto en que esto fue una ganga para Régnard, porque el tetanismo constituía a la vez una pausa en el movimiento, posibilitando la pose, posibilitando por tanto una imagen nítida. Y al mismo tiempo, era el signo más probatorio de la gesticulación desordenada de un cuerpo histérico en pleno ataque: era por tanto *un momento fijo de la contorsión,* véase de la convulsión. El momento *escultural* de una especie de motricidad sin embargo totalmente desenfrenada. Una estatua de dolor vivo.

Y esto no debe entenderse como una metáfora, porque las contracturas histéricas, las de las manos y los pies especialmente, constituyeron el material más generoso de un *museo de vaciados en escayola* que Charcot había constituido también en la Salpêtrière: otro eminente «laboratorio» de la predación de

---

[22] Richer, 1881-1885, pág. 44.

51. Vaciado
en escayola
realizado «en vivo»
para el «Museo de
los vaciados» de
a Salpêtrière,
conocido como
«Museo Charcot».

formas patológicas (actualmente casi totalmente destruido). Era, en efecto, tan fácil verter la escayola sobre tal «mano deformada» o tal «pie zambo», tan fácil de amasar y de recubrir los miembros *agarrotados* de dolor, tan fácil dejar secar esa buena escayola y obtener un buen, un hermoso vaciado de los más pequeños poros y de los más pequeños pliegues, ¡los pliegues mismos del ataque histérico! Esto resultaba fácil, ya que consistía únicamente en *confirmar* el estado de hecho, la contractura; sin duda, algunas veces prolongarla un poco, pero qué más da: el cuerpo histérico, estucado, era incluso más digno de atención, de ciencia, de ternura, quién sabe [51].

Me viene a la mente una palabra: *régimen de «manos-muertas»*, que designa una práctica que tal vez piensen caduca: el derecho que tiene un señor de disponer de los bienes de su vasallo a la muerte de éste.

Taller de vaciado y taller de fotografía fueron de este modo como los instrumentos de una especie de derecho de inalienabilidad figurativa sobre los cuerpos de las histéricas. Sus cuerpos eran todos sus bienes y sus contracturas fueron especialmente como una dación al gran museo parisino de la patología. Hablo de derecho más que de saber, porque esto seguía aún sin explicar gran cosa del propio mecanismo de la contractura histérica[23]. No obstante, ya hacía las veces, y maravillosamente, de la mejor descripción o del mejor esquema[24].

Pero veamos. Nada es sencillo y no se nos puede escapar, por ejemplo, lo siguiente: ni los vaciados ni las fotografías habrán suplantado, en los procedimientos de figuración y de transmisión, la práctica del *esquema*. Paul Richer se *sirvió* efectivamente de la fotografía de Augustine tetanizada [49] para *grabar* algo del denominado «primer periodo» —«epileptoide»— del ataque histérico[25] [50]. Se trata de una operación fundamental porque *recompone* la imagen fotográfica y, al hacerlo, la asigna finalmente a un *relato* clínico, ahí está todo el envite.

De esta manera, el grabado adquiere por sí mismo el derecho de inalienabilidad sobre la fotografía: compone *a posteriori* una coherencia significativa sobre el «bien» visible dejado por la prueba. Comparen: unas piernas descubiertas, una nueva contractura, como el fondo de una fotografía que no mostraba lo suficiente; una exageración absolutamente «expresiva» de la crispación de los hombros; los senos algo más destapados; una espuma bien definida que sale de la boca; la desaparición de las correas de la cama; y hasta la cabellera, que Richer nos ofrece también más «expresiva», como una desordenada oleada de la pasión.

---

[23] Cfr. Noica, 1908, pág. 36.

[24] Cfr. Charcot, *OC,* III, págs. 99-100; Charcot, 1888-1889, pág. 350.

[25] Cfr. Richer, 1881-1885, lámina II, págs. 39-68 (notas 61-62).

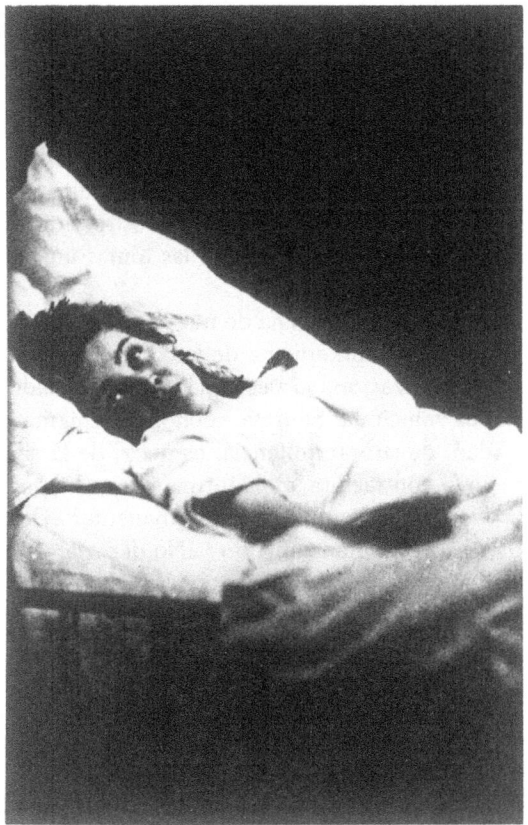

Planche XVII.

TÉTANISME

ATTITUDE DE LA FACE

52. [Lámina XVII. Tetanismo. Actitud del rostro]. Régnard. Fotografía de Augustine. *Iconographie*..., tomo II.

EL AFECTO, COMO ACECHANDO

Por supuesto Richer no extrajo ningún esquema de la siguiente lámina de la *Iconographie* [52], aunque llevó una leyenda idéntica, «tetanismo», y con la siguiente precisión (¿se trata realmente de una?): «Actitud del rostro». Y es que esta prueba no cuenta nada, nada que resulte realmente descriptible, puesto que no es más que rostro y mirada. Rodeados de sombra. Que aparecen en las tomas únicamente como *acechando*.

Con esta fotografía de nuevo se nos arroja sobre lo que sigue siendo un enigma de la contractura histérica, que su esquematización, su descripción o su vaciado en escayola no nos soluciona. Se trata, repito, del enigma de su temporalidad, de su intermitencia, es decir, de la siguiente pregunta: ¿esta contractura, en la forma en que ha podido «alcanzar su *maximun* de golpe», será permanente? ¿Desaparecerá «súbita» y «espontáneamente»? ¿No debería «conducirnos de forma evidente a sospechar en ella la inminencia de una *tempestad* histérica»?[26]. ¿O a algo más?

Con esta fotografía de hecho se nos arroja de nuevo sobre la pregunta de la relación entre la contractura histérica y lo que ésta esconde y que, tal vez, la fundamenta. Ahora bien, el *acecho* que se cierne sobre esta imagen tal vez sea el de un *afecto*. Kant hablaba de esas emociones que «tienen de particular que *paralizan* la finalidad que se proponen. Son el sentimiento repentino de un mal como ofensa, pero su violencia es incapaz de apartar dicho mal»[27]. Resulta curioso, aquí, leer a Kant refiriendo de inmediato esta definición a un enigma, una sospecha que concierne justamente a algo como un *acechar de la inminencia en la visibilidad:* «¿A quién debemos temer más; a aquel a quien una cólera violenta hace *palidecer* o a aquel a quien hace *enrojecer?*»[28]. Resulta realmente imposi-

---

[26] Charcot, *OC,* III, págs. 41-42. Cfr. Bourneville y Voulet, 1872, *passim;* Richer, 1889, *passim.*

[27] Kant, 1798, pág. 115 (la cursiva es mía).

[28] *Ibídem.*

ble ver algo parecido a esto en el rostro de Augustine, y sin embargo yo presiento toda la imposición de un afecto. Y, en este caso, ningún texto de la Salpêtrière podrá servirme realmente de atestación, ya que no hay más que apuntes de síntomas «físicos».

Freud, no obstante, y desde 1888, se preguntó sobre las parálisis y las contracturas histéricas; incluso en francés y ¿siguiendo tal vez la ortodoxia de Charcot? Lo intentó. Pero, unas cuantas páginas y Freud ya no puede seguir a Charcot hasta el final, es decir, hasta el modelo teórico de la famosa «lesión dinámica»: se toma las cosas más «inocentemente», constata que «la histeria se comporta en sus parálisis y otras manifestaciones como si no existiese la anatomía»[29].

Entonces, para salir de la aporía (¿por qué en la contractura el órgano es «masa inerme», por qué se hace el muerto si está intacto e incluso intensamente sensible?), Freud demanda gracia: «No pido para esto más que el permiso de pasar al campo de la psicología»[30], escribe casi como un prisionero que pide al director su visado para salir al extranjero.

Y antes que decidirse a emprender realmente la fuga, se pone a dar ejemplos tomados de los mitos y la antropología; viene a hablar de *«asociación»*, de *«valor afectivo»*:

> El órgano afectado o la función abolida está inscrita en una asociación subconsciente provista de un gran valor afectivo y podemos demostrar que el brazo se libera tan pronto como este valor afectivo se borra (...). La lesión en las parálisis histéricas no consiste en otra cosa más que en la inaccesibilidad de la concepción del órgano o de la función por parte de las asociaciones del yo consciente...[31].

Este valor de asociación, intuido por Freud, es crucial; ¿acaso no podría guiarnos ya en el extraordinario recorrido de las contracciones de Augustine? «... *Contractura de la mandíbula y de la lengua.* No podemos desplazar la mandíbula.» No obstante, se logra abrirle la boca.

---

[29] Freud, 1888-1893, págs. 50-51.
[30] *Ídem*, pág. 52.
[31] *Ídem*, págs. 53-54.

Se ve la *lengua* al fondo de la boca, totalmente vuelta hacia atrás en semicírculo, la punta resulta invisible; se diría que la enferma va a tragarse su propia lengua (...). A veces L..., que lleva la camisa de fuerza, intenta frotarse el *ojo derecho,* con la excusa de que está pegado, «que quiere reunirse con el ojo izquierdo». ¿Se trata de una *contractura del músculo derecho interno?* Es muy probable. L... se ha quedado *sorda* desde hace tres cuartos de hora. Pretende que tiene «una araña dentro del oído derecho», sin duda para explicar las sensaciones que está experimentando[32].

LA MIRADA TORCIDA DE LA HISTÉRICA

Que un afecto se asome y aceche en la mirada, ésta es la idea que rechazó Bourneville con relación a Augustine. Si constataba, con razón, algún vínculo entre los trastornos de la vista y la contractura histérica, era para tomar nota del hecho de que todo eso era únicamente, o *quasi,* un problema de los músculos.

Odio a la mirada, ya. Pero pasión, ciertamente, por examinar, por *escrutar en el interior* de las pupilas, iris o retinas de las histéricas. Modo de traficar ventajosamente para la ciencia, un en-frente[33] de la histeria. Y Charcot bien se jacta de ello: «He examinado posiblemente miles de veces el campo visual de las histéricas»[34], y será así como entre en la materia.

Pasión también por la exhaustividad, más bien por el agotamiento: trazar una tabla de todos los «síntomas oculares» que hay en la histeria, agotarlos (y el agotamiento no acaba en el *en-face,* sino en el abarcarlos). Resumiendo: parálisis del aparato motor del ojo, espasmos de los párpados, micropsias, macropsias, constricción concéntrica del campo visual y las discromatopsias (daños del sentido de los colores) más diversas, aunque «con bastante frecuencia persiste únicamente la *noción del rojo»,* constata Charcot[35]; las histéricas pueden ver el mundo, por ejemplo, como «en una pintura gris en camafeo

---

[32] IPS, II, pág. 142.
[33] El autor utiliza la expresión francesa *en-face,* juego de palabras de enfrente *(en face)* y rostro *(face). (N. del T.)*
[34] Charcot, 1887-1888, pág. 294.
[35] Charcot, 1888-1889, pág. 163.

o en una acuarela en tonos sepia»[36], y así seguidamente, de acuerdo con ello.

El término más importante fue, durante mucho tiempo, la palabra *«funcional»:* todos esos desarreglos eran funcionales, ni más, ni menos, porque de nuevo no se veían acompañados por *ninguna alteración visible* en el fondo del ojo[37].

Otro asunto que permanecía siendo bastante inverosímil, pero que permanecía, era que la ley llamada de los «haces del opticus»[38] se dejaba ridiculizar sin ninguna vergüenza por la «visión histérica». La «visión histérica» se burlaba de toda la anatomía, véase de toda la fisiología del ojo; permanecía *torcida,* véase retorcida. En todo caso, la mayoría de las veces era *disimétrica:* así, Augustine sufría de una importante disminución de la agudeza visual hacia la derecha, pero disfrutaba de una «más que normal»[39] hacia la izquierda; era sobre todo en la derecha donde era discromatópsica: confundía el rojo y el azul, el verde y el naranja, o bien se volvía totalmente acromatópsica y entonces lo veía todo como en una fotografía...[40].

Los psiquiatras de la Salpêtrière prestaron una atención muy persistente a estos fenómenos de no-simetría de la mirada. La *midriasis,* es decir, la dilatación anormal de la pupila (a menudo acompañada de una persistente inmovilidad del iris) estaba considerada como un *estigma histérico*[41], véase neuropático en general; Charles Féré, gran especialista de todas las criminalidades y «degenerescencias», también escribió un interesante artículo sobre «la asimetría cromática del iris considerada como estigma neuropático»[42].

(Divulgo, de pasada, un pequeño cotilleo: el profesor Charcot sufría él mismo ese vergonzante estigma. Aunque sobre ello planee un cierto silencio, se darán cuenta por ejemplo de que sus retratos fotográficos dejan huella, en la mayor parte de las ocasiones, de un rechazo constante a posar totalmente de frente.)

---

[36] Charcot, *OC,* I, pág. 429 (redactado por Bourneville).
[37] *Ibídem.* Cfr. Gilles de la Tourette, 1891-1895, I, págs. 321-432.
[38] Cfr. Schaffer, 1893-1894, *passim.*
[39] IPS, II, págs. 129-136.
[40] *Ibídem.*
[41] Cfr. Lafon y Teulières, 1907, *passim.*
[42] Cfr. Féré, 1886, *passim.*

CLICHÉ A. LONDE   PHOTOTYPIE BERTHAUD

BLÉPHAROSPASME HYSTÉRIQUE

LECROSNIER ET BABÉ, ÉDITEURS

53. [T. II, lámina XVII. Blefaroespasmo histérico]. Londe. Fotografía de «guiño histérico». *Nouvelle Iconographie...* (1889).

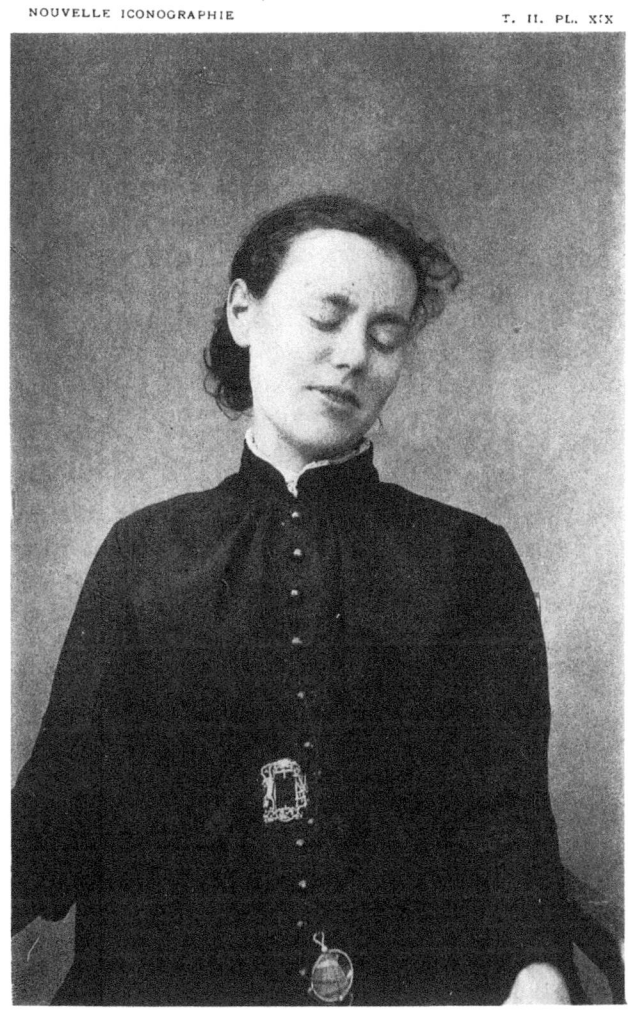

NOUVELLE ICONOGRAPHIE   T. II. PL. XIX

CLICHÉ A. LONDE   PHOTOTYPIE BERTHAUD

BLÉPHAROSPASME HYSTÉRIQUE
(SECTION DES NERFS SUS-ORBITAIRES)

54. [T. II, lámina XIX. Blefaroespasmo histérico (sección de los nervios supraorbitales)]. Londe. Fotografía de una histérica «fotofóbica». *Nouvelle Iconographie...* (1889).

Y cuando se fotografiaba a histéricas aquejadas de problemas oculares, era necesario en cualquier caso, y para localizar exactamente la menor disimetría, colocarlas ortogonalmente frente a la cámara. Albert Londe exigía además una mirada que fuese «natural y perpendicular a la dirección general de la figura», exigía «mirar y no fijar la mirada», porque fijar la mirada, decía, daba demasiada «dureza»[43]. Nos ha dejado así algunos retratos, clásicos del género, en la *Nouvelle Iconographie de la Salpêtrière:* como el de esa joven aquejada de una contractura espasmódica del párpado (hasta el punto de que, cuando se «intenta levantarlo, se siente una resistencia que, aunque no sea considerable, resulta sin embargo muy apreciable»[44] y que se quedaba afónica cuando Gilles de la Tourette, su médico, intentaba suprimirle ese permanente, ese insultante guiño [53]. O bien el retrato de «Jeanne Ag., 26 años», cuyos ojos fueron «el foco de una hiperestesia exquisita»[45], y sepan que en medicina la palabra «exquisita» no comporta ninguna connotación de atractivo; incluso cualquier luz resultaba un tormento para esta joven (sin embargo a Londe le hizo falta luz para llevar a cabo su cliché y, en el retrato del rostro, con los párpados bajados, nos queda patente el dolor de la prueba de posado); destaquemos como detalle que un médico bien intencionado había además seccionado los nervios supraorbitales de esta *fotofóbica,* y de ambos lados, antes incluso de su entrada en la Salpêtrière, es decir, justo antes de que Gilles de la Tourette, puede que algo contrariado nosológicamente, llegase a reconocer un «origen psíquico» de este síntoma[46] [54].

MIRADA DE DESDÉN, A PLACER

Psíquico, en la Salpêtrière, venía a significar psicofisiología, más bien neuropatología. Fue como algo «completamente obligatorio para un Instituto neuropatológico»[47] que Charcot de-

---

[43] Londe, 1896, pág. 290.
[44] Gilles de la Tourette, 1889, pág. 111.
[45] *Ídem,* pág. 129.
[46] *Ídem,* págs. 186-187.
[47] Charcot, *OC,* III, pág. 6.

cidió hacer edificar, en 1881, todo un «laboratorio» de oftal-
mología, junto al taller de fotografía y al museo de vaciados
en escayola. Hubo allí como una auténtica industria de con-
trastes y mensuraciones de todos los actos perceptivos, imaginables o inimaginables. Se observaba de arriba abajo y
con toda tranquilidad la mirada desdeñosa de las histéricas.
Se trazaban cartografías, especialmente de los campos visuales, sobre formularios estándar que debían «rellenarse», colo-
rearse.

Sí, mirar con desdén significa también contemplar, ¡pero
de qué manera! ¿Y exactamente de cuál? Esto es lo que yo me
pregunto. Quiero indicar ya que los protocolos de los exáme-
nes de los ojos dependían casi únicamente de una pulsión,
cuyo objeto habrían sido todas las visiones de los demás (más
concretamente, las visiones de los enfermos): era una *pulsión
escópica*, la pulsión escópica en tanto que se destina a disfrutar
de todas las demás pulsiones: la pulsión escópica totalitaria.

Ahora bien, la histeria convenía bien a esto, incluso se
prestaba. Sus intermitencias, sus auras pasajeras o tal sentido
de los colores venía a convertirse por entero[48], toda transfiguración sintomática en general se volvía propicia, para Charcot,
para la clínica, para «ver algo nuevo».

Por su parte, Freud indicó que los problemas de la visión
en la histeria eran realmente la muestra de una *disociación* del
proceso perceptivo entre, decía, las pulsiones sexuales y las
pulsiones del yo; consecuencia de este efecto disociativo: se
produce cuando tienden a *ver en el inconsciente* que las histéricas se quedan ciegas, sin darse cuenta. Ya que la visión es merecedora de rechazo, un «grupo de representaciones» que experimentan algo así como un, decía, *Urteilverwerfung,* un «juicio de condena»[49]. Ahora bien, el propio síntoma tiene como
«condición previa» el fracaso del rechazo[50]. ¿Qué quiere decir esto? Que el ojo está condenado a una situación imposible, la de «servir a dos amos a la vez», escribe Freud[51], y de
una atracción, por ejemplo, de una seducción, *Reize,* vendría

---

[48] Cfr. Charcot, *OC,* I, pág. 430.
[49] Cfr. Freud, 1910, págs. 168-169.
[50] *Ibídem.*
[51] *Ídem,* pág. 171.

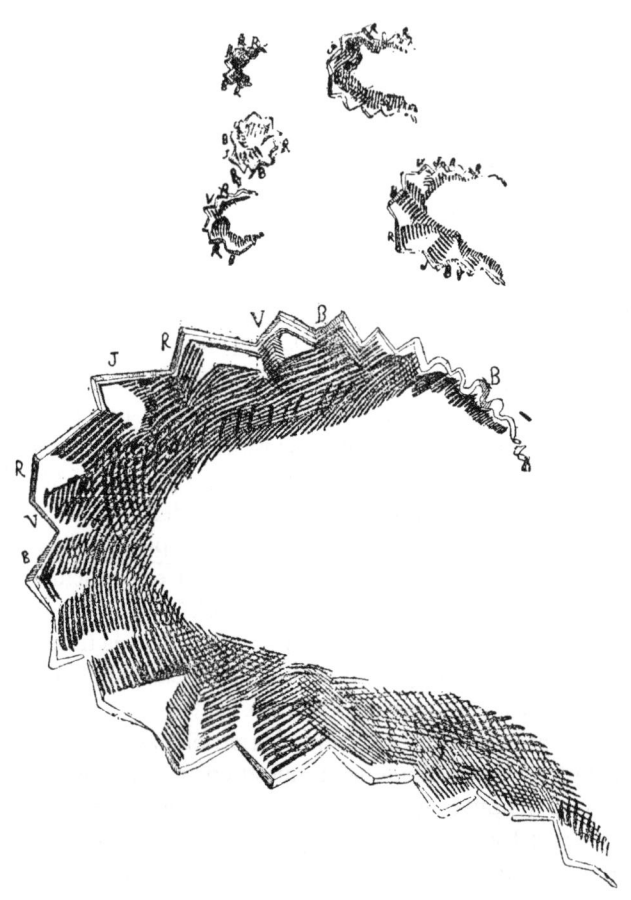

55. Figuración
de un «escotoma
centelleante»
(las letras indican
los colores).
Charcot, Œuvres,
tomo III.

sin duda a surgir cierta «irritación», *Reize,* una infección, una disociación de la visibilidad.

Ahora bien, todo esto existe porque existe, e incluso en el corazón de la visión, la *culpabilidad*[52]. Casi llego a creer que, en el recinto de la Salpêtrière, uno de los dos «jefes» en cuestión bien pudo responder al nombre de «Charcot», por ejemplo. «Charcot», como instancia, en el corazón del propio síntoma histérico. También imagino a Charcot y sus colegas (¿sus cómplices?) viendo siempre «algo nuevo» a medida que

---

[52] *Ídem,* pág. 168.

«sus» histéricas eran, ellas, más, más íntimamente culpables, y de una culpabilidad de la que incluso llego a creer que la Salpêtrière fue como el campo de gestión.

Y, además, esto era motivo para Charcot de avanzar cada vez más en su propia *Schaulust*, y de esta manera derivaba, llegaba incluso a querer ver en el interior de la más fugaz e inconsciente visión de estas jóvenes de ojos incomprensiblemente irritados, asignadas a residir en su servicio. Sí, seducción e irritación funcionaban bien juntas.

Charcot, por ejemplo, puso sus miras sobre el *escotoma centelleante*, esa evanescente «figura luminosa» que obnubila la visión durante las «migrañas oftálmicas» u otros síntomas más característicos de la histeria; se consagró a describirlo, a contarlo como guión o recital, a convocarlo como esquema figurativo, a producir por tanto un *croquis*[53] [55]. Además, a menudo intentó arrancar a sus pacientes una descripción conforme a la suya, conforme a su esquema figurativo (él mismo se vio, «alguna vez» según decía, sometido al escotoma, posiblemente por ello aún más deseoso de analizarlo); pero sin otro resultado más que algunas paradojas como la de un «deslumbramiento» de las tinieblas, formulación para él inadmisible. Charcot veía en el escotoma una «fortificación», decía, e incluso «a la Vauban»[54] [cfr. Apéndice 15].

Otro ejemplo, vinculado a esta pasión por penetrar a través de la mirada en la intimidad del ver de otro y en la intimidad misma de su no-ver: tal es el caso de la «supresión brusca y aislada de la visión mental de los signos y de los objetos, formas y colores»[55]; alguien que casi se le parecía, quiero decir un hombre dotado de un gusto por las formas y de una memoria visual extraordinarios, vino a encomendársele porque experimentaba una pérdida total de toda ideación de la forma, del color; ya no podía «figurarse» nada, olvidaba los rostros de todos sus allegados e incluso el suyo, que no reconocía en un espejo. El pobre desgraciado soñaba sin imágenes[56]. No se sabe si este extraño y anónimo caso llegó a curar-

---

[53] Charcot, *OC,* III, págs. 74-75.
[54] Charcot, 1887-1888, pág. 69.
[55] Cfr. Charcot, *OC,* III, págs. 178-192.
[56] *Ídem,* págs. 182, 187, etc.

LES RÈVES.

Pour l'explication du frontispice voir pages 381, 421 et 422.

56. Hervey de Saint-Denys, *Les rêves et les moyens de les diriger* (1867). Lámina del frontispicio.

se, pero sí que sirvió de materia para que Charcot elaborase conceptos, todos ellos dominados por la función de la imagen: un concepto de la *palabra* en tanto que «complexus» de *imágenes* («imagen conmemorativa», «imagen auditiva», «imagen visual», «imagen motriz de articulación», «imagen motriz gráfica»); una teoría de las amnesias, de la memoria en general como imposición de las *imágenes;* e incluso una ciencia de los sueños, como ciencia de imágenes íntimas...[57].

En cualquier caso, ese mal de la visión significó para él una ocasión para ver cosas nuevas.

SUEÑOS (TEATRO, FUEGO Y SANGRE)

Pero acuérdense de los sueños de fuego, cofres de imágenes o de joyas, de los sueños de cuadros, de la Madona Sixtina: Freud habrá escandido la palabra de Dora, que le devanaba una madeja de dos sueños, y ¿qué comprendió? Vio una escisión del cuerpo histérico y del sueño histérico (el sueño de un cuerpo erótico, totalmente erótico, pero en el fondo vaciado de símbolos, fijado en imagen)[58]; Freud descubrió como una *indirección de la representación,* que le obligó a seguir significantes no sólo por las huellas sino además por las modulaciones de los *rodeos,* y esto era interpretar[59].

En cuanto a Charcot, él iba en busca de una *unidad dramática* y no de una escisión. Más que interpretar, escenificaba según la unidad de lugar y de tiempo de una representación muy «clásica». Necesitaba que se produjese *todo sobre el mismo escenario,* una especie de recinto de visibilidad, para lograr su mirada *única.* Permanecía sordo a los ruidos que se producían entre bastidores, a los ruidos de la calle tras de él. No imaginaba la existencia de otro tipo de teatralidad, de otro estilo —como el de un «teatro privado» por ejemplo, tal vez privado de espectador. Puesto que Charcot exigía asistir a todo. Rechazaba de antemano la idea de «otro escenario» (es decir, de un escenario absolutamente inalcanzable a la mirada).

---

[57] *Ídem,* págs. 188-192.
[58] Cfr. Freud, 1901-1905, págs. 46-83.
[59] *Ídem,* pág. 8.

Planche XVIII.

ATTITUDES PASSIONNELLES

MENACE

57. [Lámina XVIII. Actitudes pasionales. Amenaza]. Régnard. Fotografía de Augustine. *Iconographie...*, tomo II.

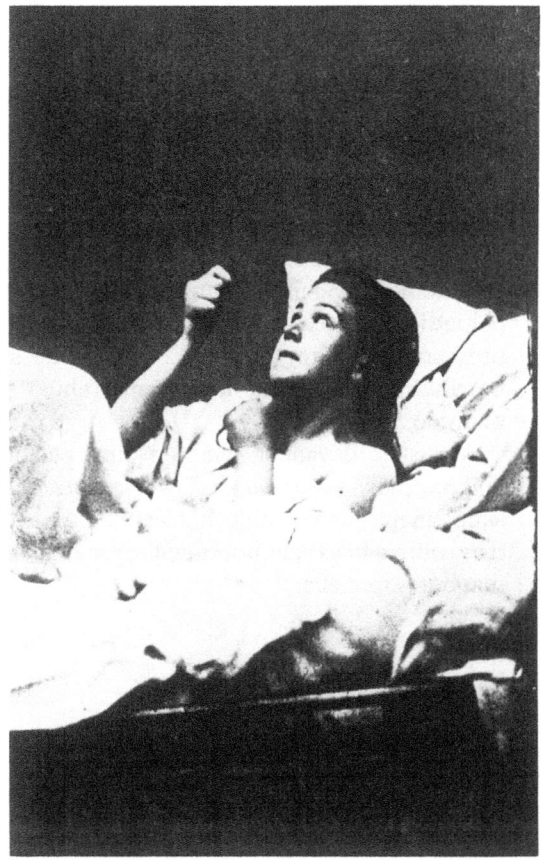

Planche XXVII

ATTITUDES PASSIONNELLES

MENACE

58. [Lámina XXVII. Actitudes pasionales. Amenaza]. Régnard. Fotografía de Augustine. *Iconographie...*, tomo II.

Indico de paso que fue lector de Hervey de Saint-Denys, autor de una especie de manual de escenificación, la pequeña guía de los *medios de dirigir* nuestros propios sueños[60]. Hay todo un capítulo dedicado a la analogía entre el sueño y la fotografía (los *«clichés*-recuerdos»)[61]; el grabado de la portada nos muestra incluso un sainete «típico» de sueño (mujer desnuda, miradas de hombres, un pintor...) y la figuración de algunos bonitos escotomas de colores [56].

En el caso de Bourneville, se puede decir que intentó contar con honestidad todo lo que soñaba Augustine. La clínica (de *kliné,* la cama), si no la llave, de sus sueños. Sueños de fuego, también[62]. Sueños de no permanecer emparedada en la Salpêtrière; marcharse y asistir «a un teatro en el que se representaba una revolución»[63]. Sueños de sangre, «sueños horribles sobre los que la enferma rehúsa dar detalles», a menudo[64].

Augustine devanaba también otras palabras, pero ¿para qué receptor? *«Imaginamos que hemos soñado»,* decía, «cuando simplemente hemos oído hablar»[65]. Y no sabremos mucho más sobre ello ya que Bourneville, justamente, no insistía demasiado sobre ello.

VISIONES

Augustine, por el contrario, oía voces y tenía visiones de forma irreprensible, y entonces se liberaba algo así como un secreto, no sólo se liberaba sino que se representaba realmente, y además como en un *excesivo primer plano.*

Entonces, con los labios húmedos, conocía la ciencia de perder la antigua conciencia al fondo de una cama[66], y de demostrarlo por medio de cien gestos. Quedaba claro que en

---

[60] Hervey de Saint-Denys, 1867, *passim.*
[61] *Ídem,* págs. 18-33.
[62] Cfr. IPS, II, pág. 131.
[63] IPS, III, págs. 189-190.
[64] IPS, II, pág. 135.
[65] IPS, III, pág. 199 (la cursiva es mía).
[66] Cfr. Baudelaire, *OC,* I, pág. 159.

Planche XXIV.

ATTITUDES PASSIONNELLES

HALLUCINATIONS DE L'OUIE

59. [Lámina XXIV. Actitudes pasionales. Alucinaciones del oído]. Régnard. Fotografía de Augustine. *Iconographie...*, tomo II.

ese momento caía bajo la influencia de «imaginaciones que no tienen por causa más que el cuerpo», puras ilusiones, por tanto[67], y, desde el punto de vista de la medicina legal, había una gran preocupación por denunciar las «falsas alegaciones de histéricas alucinadas»[68].

Eran en su mayoría visiones de violaciones, sangre, de nuevo fuegos, terrores y odios frente a los hombres. Terrores, ciertamente. Pero no obstante como caídos del cielo para un saber psiquiátrico animado en su totalidad por la pasión dramatúrgica.

Repito que, con estas «visiones histéricas», *se colocaba en primer plano una representación*[69]: aquella misma sobre la que indiqué que estaba sujeta al rechazo; pero el rechazo, ahí, era puesto en jaque y de forma tan radical que la propia identidad de Augustine *era expulsada*, totalmente, de la realidad; y el rechazado realizaba un regreso fulminante, saliendo así de las llamas, en la mundanidad de Augustine, algo así como una *proyección*, en el sentido fuerte de la palabra, una proyección totalmente dirigida hacia una *imagen*, una imagen especular. «Visiones», por tanto: el alcance de todo el estar-ahí de Augustine por medio de una imagen *«en acto»*, gesticulada. Que una «visión», la más íntima e inmediata, fuese representada y puesta en escena, como la sobrestimación ante todos de un espectáculo de sí mismo, del sí mismo, esto es lo que permitía sacar *clichés* [57-58]. Más aún en cuanto que a veces Agustine se *tetanizaba en el acto de imagen* que constituía su «visión» [52].

«Gritos de espanto, de dolor, lloros ahogados; X... se excita, se levanta, se pone en cuclillas sobre sus talones, su actitud, su fisonomía expresan amenaza; las láminas XVII [52] y XVIII [57] representan esa fase en dos ataques distintos»[70]. Lo que Bourneville ya pasa por alto es *el sentido de esta amenaza*, su motivo, puesto que Augustine parece tanto sufrir [58] como hacer sufrir [57].

Existen, pues, fragmentos silenciados, en el comentario, incluso a pesar de que Augustine, liberando su «visión» en la

---

[67] Cfr. Descartes, *OC,* pág. 706.
[68] Cfr. Pitres, 1891, II, págs. 34-47.
[69] Cfr. Freud, 1894, págs. 11-13.
[70] IPS, II, pág. 162.

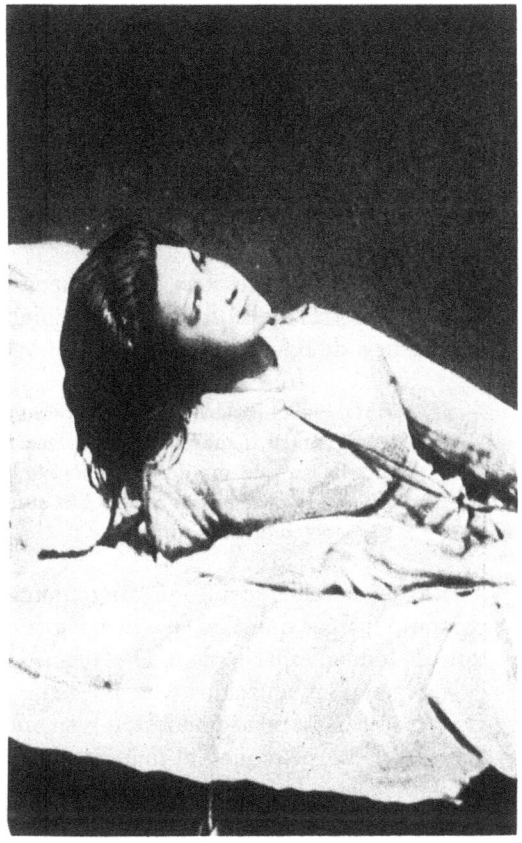

Planche XIX.

ATTITUDES PASSIONNELLES

APPEL

60. [Lámina XIX. Actitudes pasionales. Llamada]. Régnard. Fotografía de Augustine *Iconographie...*, tomo II.

aparición de una gesticulación, casi se condenaba a una narración, un decir, ligeramente mediatizados, de su experiencia delirante. Como para justificar a su imagen «a aparecer» en la *Iconographie*, ella misma ofrecía una *leyenda de sus gestos*. Y con un cierto placer.

(En lo que nunca habrá alcanzado hasta donde Rimbaud había dejado sus huellas: «Las alucinaciones son innumerables. Es eso lo que siempre he tenido: no ya fe en la historia, el olvido de los principios. *Me lo callaré:* poetas y visionarios se pondrían celosos. Soy mil veces el más rico, seamos avaros como el mar»)[71].

Su fisonomía «expresaba», pues, amenaza, tal vez porque su boca profería al mismo tiempo, casi inmediatamente, bajo la influencia de Bourneville:

> «¡Mal bicho! ¡Patán!... ¿Está esto permitido?...» Se esconde el rostro con las manos, cruza los brazos, amenaza con la cabeza: «¡Hace que me enfade muchísimo!... Iré tan pronto como pueda... Me envías ranas.» Ella abre la boca e introduce su mano como para sacar algo[72].

Pero ahí, aparentemente, ningún retraimiento. Más bien al contrario, parece que algo se embala, una infección alucinatoria de todo el espacio, de todo el tiempo. Palabra enloquecida, órganos enloquecidos. Veía por todas partes bestias negras, «parecidas a ratas grandes», o bien «planas, negras, con conchas»[73]. En ocasiones, el mundo entero se coloreaba de extraños reflejos. Los fantasmas poblaban la vida de Augustine. Se encontraba sumergida en el corazón de los dramas que había vivido personalmente o leído en las novelas[74]. De repente, los muertos «se desencadenan» e, informa Bourneville (sin sentirse afectado en lo más mínimo): «Cuando los hombres que la rodean hablan, salen llamas de su boca»[75]. Incluso cuando Augustine sufría simples alucinaciones acústicas, no dejaba de unir el gesto a esa palabra (o a esa mú-

---

[71] Rimbaud, *OC,* pág. 100 («Une saison en enfer») (la cursiva es mía).
[72] IPS, II, pág. 147.
[73] *Ídem,* pág. 129. Cfr. Charcot, *OC,* IX, pág. 292; Richer, 1881-1885, pág. 9.
[74] Cfr. Richer, 1881-1885, pág. 11.
[75] IPS, II, pág. 132.

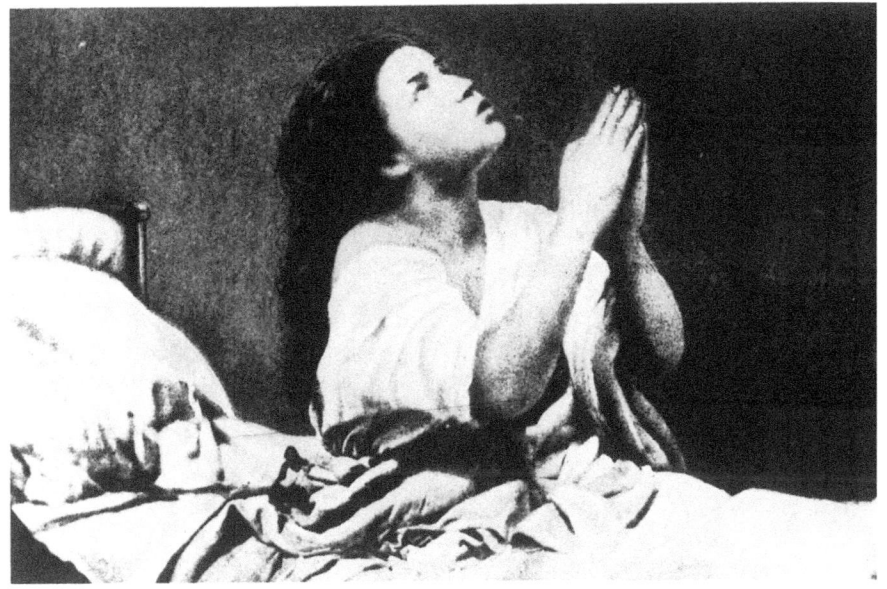

Planche XX.

ATTITUDES PASSIONNELLES

SUPPLICATION AMOUREUSE

61. [Lámina XX. Actitudes pasionales. Súplica amorosa]. Régnard. Fotografía de Augustine. *Iconographie...*, tomo II.

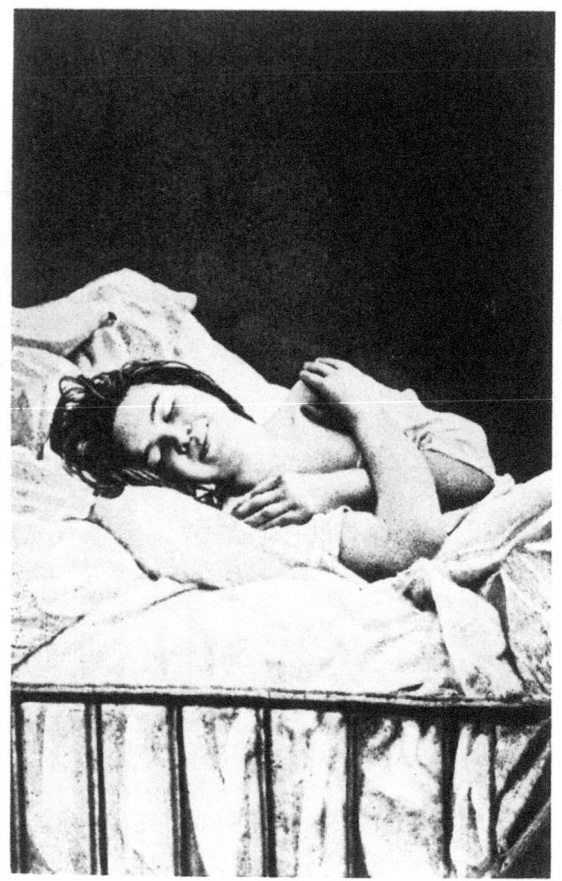

Planche XXI.

ATTITUDES PASSIONNELLES

EROTISME

62. [Lámina XXI. Actitudes pasionales. Erotismo]. Régnard. Fotografía de Augustine. *Iconographie...*, tomo II.

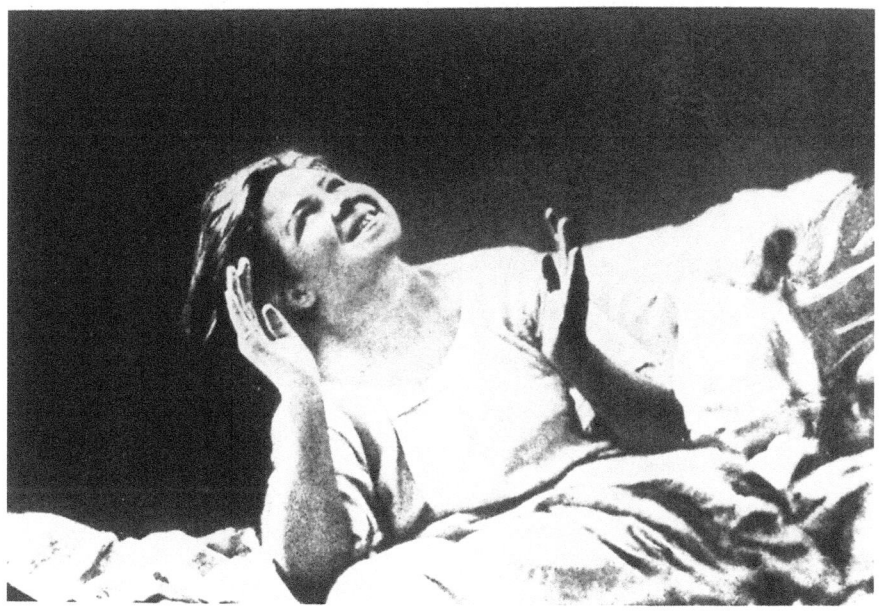

Planche XXII.

ATTITUDES PASSIONNELLES

EXTASE (1876).

63. [Lámina XXII. Actitudes pasionales. Éxtasis (1876)]. Régnard. Fotografía de Augustine. *Iconographie...*, tomo II.

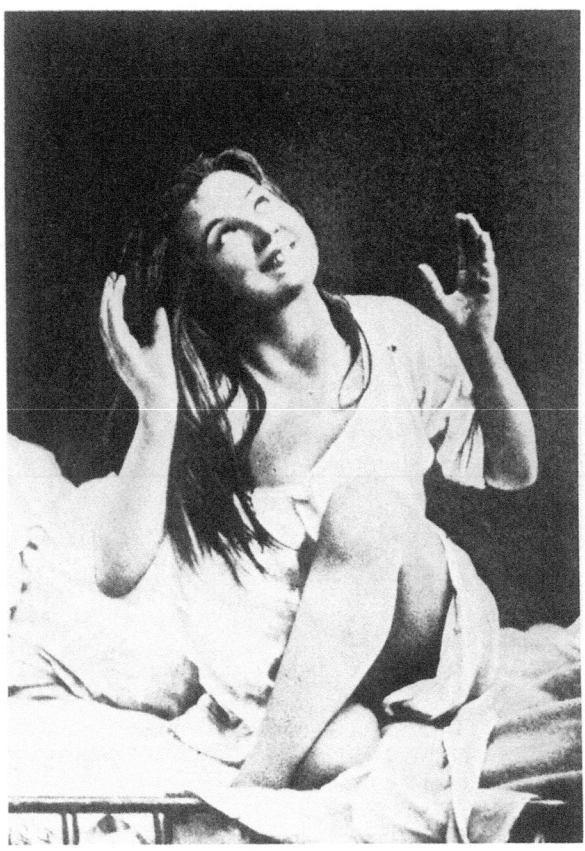

Planche **XXIII**.

ATTITUDES PASSIONNELLES

EXTASE (1878).

64. [Lámina XXIII. Actitudes pasionales. Éxtasis (1878)]. Régnard. Fotografía de Augustine. *Iconographie...*, tomo II.

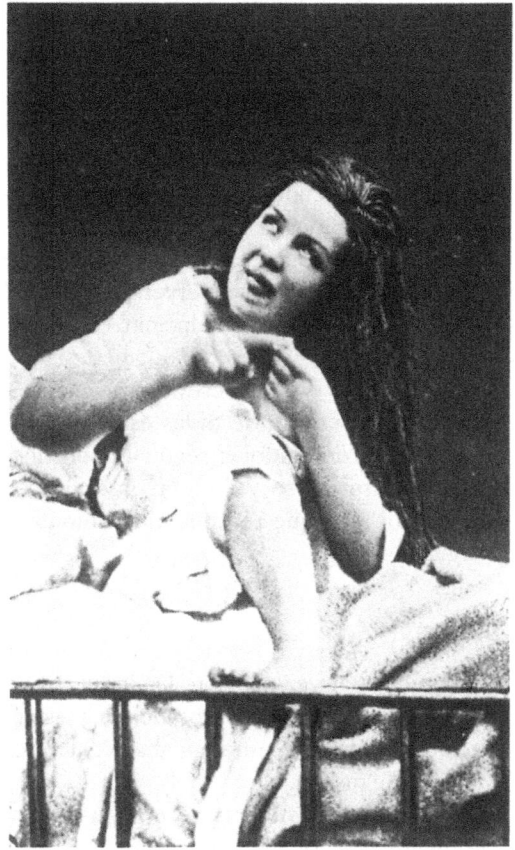

Planche XXVI.

ATTITUDES PASSIONNELLES

MOQUERIE

65. [Lámina XXVI. Actitudes pasionales. Burla]. Régnard. Fotografía de Augustine. *Iconographie...*, tomo II.

sica) que llegaba de fuera. Y el cliché resultaba aún más probatorio[76] **[59]**.

Los terrores sexuales fueron incontables[77]. Sin embargo, no fueron «iconografiados». ¿Por qué? Cuando además en el delirio histérico, que juega tanto con un fuego de *Unheimliche*, el miedo se convierte tan a menudo en una especie de suerte obligada...

Pero Charcot, imbuido de sus descripciones clínicas, repleto de los problemas taxonómicos que entonces se planteaban, no se preocupó en absoluto por entrar en la cuestión de la angustia o el deseo. Su atención se dirigía hacia los efectos del tipo: las histéricas alucinan en proporción a la estructura territorial de sus estesias perversas, quiero decir pervertidas (así, Augustine no podía alucinar con besos más que en el lado derecho de su cuerpo hemianestesiado)[78].

En cuanto a Richer, creyó ofrecer, en su famosa tabla, la estructura íntima de todas esas llamadas «actitudes pasionales», ordenándolas según el sofisticadísimo *distinguo* de una «fase triste» y de una «fase alegre»[79]. Pero no nos dice a qué hay que remitir, íntimamente, la «llamada» de Augustine **[60]**.

ÉXTASIS

Llamada, tal vez petición. De lo que, en el fondo, el texto estaría totalmente desmembrado. Una visión tal vez demasiado, demasiado loca, estrangulaba la palabra, espantaba la mirada de Augustine.

Un *éxtasis. Extasis, raptus, excessus mentis, dilatatio mentis, mentis alienatio,* formas atestadas, tradicionales, de una frontera entre la locura y... la mística. Así es, Augustine mira hacia arriba, une las manos, etc. Bourneville no dejó de evocar, e incluso de convocar, a las grandes místicas cristianas para dar cuenta, describir y justificar en la historia el escándalo y la belleza reunidos de los éxtasis histéricos; para hablar de «Geneviève», hablaba de Marie Alacoque: «Tenía sin cesar ante sus

---

[76] *Ídem,* pág. 164. Cfr. Richer, 1881-1885, pág. 10.

[77] Cfr. IPS, II, págs. 147-151, etc.

[78] Cfr. Charcot, *OC,* I, págs. 432-433; Richer, 1881-1885, pág. 10.

[79] Cfr. Richer, 1881-1885, págs. 89-116 y lám. IV.

ojos el objeto *invisible* de su amor. Lo contemplaba, lo escuchaba, vivía bajo el encanto de una visión perpetua que la hacía disfrutar de su celeste esposo»[80].

Fue también de esta manera como Augustine se convertía ella misma en *forma atestada,* clásica, una forma típica de la histeria, durante sus llamados «ataques de éxtasis»[81]. Resulta realmente crucial ese momento en que una «gran forma» *nosológica* (que también podemos encontrar en Ribot, en Janet y en muchos otros) viene a nacer como por transfiguración de una «gran forma» de la *iconografía* religiosa más «clásica», ¿o debería decir más bien «barroca»? Paciencia. Con ello no quiero más que llamar la atención sobre esa connivencia fundamental de una práctica clínica con paradigmas figurativos, plásticos, literarios. Y la Salpêtrière se revela al respecto como el recinto de una experimentación y de una fabricación de «modelos vivientes» para un museo imaginario que podría creerse pasado de moda, pero que no lo es. Miren si no [61-64].

Llamadas, tal vez peticiones: las manos se enlazan hacia aquel al que no puede asir, pero que es, y del que le separa un espacio[82]. Peticiones, súplicas, tal vez duelo. Pues no. Más bien «suplicación amorosa». Se trata evidentemente de un hombre, ¡la llamada era para un hombre! «X... hace: psitt; psitt; está sentada a medias, ve a un amante imaginario al que llama»[83]. ¿Y entonces?

> Él cede, X... se acuesta colocándose sobre el lado izquierdo de la cama y mostrando el sitio libre que le deja en la cama. Cierra los ojos, su fisonomía denota la posesión, el deseo saciado; los brazos están cruzados, como si abrazase al amante de sus sueños sobre su seno. En ocasiones, se observan ligeros movimientos como si acunase; otras veces, abraza la almohada. Luego, pequeños gemidos, sonrisas, movimientos de la pelvis; palabras de deseo o de estímulo. Al cabo de apenas un minuto —se sabe que en los sueños todo transcurre rápidamente—: X se incorpora, se sienta,

[80] IPS, II, pág. 220.
[81] Cfr. Richer, 1881-1885, págs. 211-222.
[82] Cfr. Mallarmé, s.f., pág. 110.
[83] IPS, II, pág. 162.

mira hacia arriba, une sus manos en una súplica (lámina XX) **[61]** y dice con tono lastimero: «¿Ya no quieres? ¡Otra vez...!»...[84].

EL ESPOSO INFERNAL

Encore[85] significa: de ahí (hinc) a (ha) esta hora (hora). Posiblemente sea el término de una muy, muy vieja persecución, temporal, insondable y que se extravasa en su empleo[86].

Artaud escribe, apuntando al *éxtasis,* que se rebasa una penetración[87]. Retirada, no, más bien atracción, atracción pero fuera de sí. Los pormenores, véase la tontería, se arrancan, se subliman. Y se libera una no-relación[88]. O escuchen también *pasmo,* con ecos de *spasmos,* el acto de sacar fuera, atraer hacia, el acto de desgarrar, de devorar, de arrancar en *espasmos casi una muerte*[89].

Pero nosotros no tenemos por patrimonio común de este movimiento más que una extrema fascinación, siempre un poco turbia. Un ejemplo: los surrealistas no encontraron nada mejor que conmemorar un «Cincuentenario de la Histeria» en 1928, reproduciendo esos mismos éxtasis fotografiados de Augustine, esos clichés del éxtasis, y con lo siguiente como punto de partida, como eslogan:

> Nosotros, los surrealistas, celebramos aquí el cincuentenario de la histeria, el descubrimiento poético más importante de finales del siglo XIX. (...) Nosotros, que no hay nada que queramos más que a estas jóvenes histéricas, cuyo perfecto tipo nos ha sido ofrecido gracias a la observación relativa de la deliciosa X. L. (Augustine)...[90],

etcétera. Se trataba de nuevo de anexionar la histeria a un «medio de expresión», al «arte», se trataba de continuar rego-

---

[84] *Ídem,* págs. 162-163. Cfr. págs. 135, 140, 145-146, 164; IPS, III, págs. 189-190; Richer, 1881-1885, págs. 121-123, 134-135, 211-222, 226-229.

[85] *Encore:* otra vez, de nuevo. *(N. del T.)*

[86] Cfr. Artaud, *OC,* tomo I, vol. 1, pág. 235 («Extase»).

[87] *Ibídem.*

[88] Cfr. Lacan, 1972-1973, págs. 11, 18, 68.

[89] Cfr. Descartes, *OC,* pág. 751 («De la pâmoison»).

[90] Aragon y Breton, 1928, pág. 20.

deándose con las gesticulaciones, sin embargo tan dolorosas, de una Augustine convertida en pobre *vedette*. Bien es cierto que un éxtasis no puede más que fascinar, transfigurar al testigo, ver al compañero pasmado por el *encore*, convertido en *espectador*. Porque existe ya una llamada excesiva que se dirige siempre más allá de los presentes. Les provoca, ciertamente, pero *se dirige a un Ausente*, a un futuro muy anterior.

El Ausente, objeto del *encore*, siempre está cercano, invisible, inminente y perdido para siempre. Por ejemplo, un amante de «Geneviève» murió. Ella se escapó por una ventana, intentó, durante la noche, exhumar su cuerpo; sufrió una «crisis» en el mismo cementerio; estaba «como muerta»[91]. Unos años más tarde, el amante regresó y, apunta Bourneville (empleando el presente del indicativo, casi olvidadizo del *fictum)*, «tienen relaciones sexuales reiteradas en las que ella asegura sentir como en el pasado; está cubierta de sudor y sus partes genitales están húmedas» (empleando aquí el presente del indicativo, como acto de verificación: él verifica la eficacia del *fictum)*[92]. «Geneviève» llega a alucinar un aborto; pero la sangre brotaba, brotaba realmente a borbotones[93]. Fascinante, ¿verdad?

Charcot, Bourneville y los demás hicieron en realidad «trabajar» esta fascinación sonsacando beneficios de todas sus vertientes: así, convocaban el éxtasis religioso para explicar el éxtasis histérico y, dándole la vuelta, explicaban el éxtasis religioso, sus estigmas de todo tipo, su misma historia, como las manifestaciones histéricas de puros delirios eróticos. Esto permitía, entre otras cosas, reducir la existencia de ese Ausente a la ausencia sin mezcla, y a tal hacer-el-amor de la «soledad compartida»[94] a una «abolición del sentido genésico»[95], ya que las histéricas hacen el amor con nada: ¿cómo podrían «sentir» algo? Yo llamo a esto una reducción, sobre todo porque la llamada histérica, en su relación con la nada, continúa siendo justamente una *provocación*[96].

---

91 IPS, I, pág. 151.
92 IPS, II, pág. 203.
93 *Ídem*, pág. 207.
94 Lacan, 1973b, pág. 23.
95 IPS, I, pág. 72.
96 *Ídem*, págs. 70-71.

Y porque el Ausente al que se llama es tan, tan eficaz, que resulta *diabólico*. Rimbaud lo describió con exactitud en 1873, concediendo momentáneamente la palabra a la delirante:

> Soy esclava del Esposo infernal, aquel que ha perdido a las vírgenes locas. Se trata bien de ese demonio. No es un espectro, no es un fantasma. Pero a mí, que he perdido la cordura, que estoy condenada y muerta para el mundo —¡no me matarán!— ¡Cómo describírselo! Ya ni siquiera sé hablar. Estoy de luto, lloro, tengo miedo. (...) Sus misteriosas delicadezas me sedujeron. Olvidé todos mis deberes humanos para seguirle. ¡Qué vida! La vida de verdad está ausente. No estamos en este mundo. Voy allí donde él va, tengo que hacerlo. Y a menudo se enfurece contra mí, contra *mí, alma desgraciada*. ¡El muy Demonio! Es un Demonio, ¿saben?, *no es un hombre*[97].

LA MUJER ALTERADA

Así pues, vivía en la inextinguible embriaguez (¡plaga social!) de un encuentro fantasma, *«alfin son tua, alfin sei mio»*, al fin soy tuya, al fin eres mío (es el vals lento, el dúo fantasma de Lucia di Lamermoor). Pero era una relación con la Nada. Ahí no hacía, la muy desgraciada, más que *deteriorar su placer al encontrarlo:* ésta es la misma definición que da Kant de los «vapores» histéricos que, según él, «consumen» a las mujeres[98].

Puesto que, se dice también, es destino de las mujeres, que «su espera se vea cien veces burlada»[99].

En todo caso, el ataque histérico se habrá «desencadenado» como por el efecto exactamente *catastrófico* (discontinuidad repentinamente evidente, visible) de un estado de crisis, es decir, de amenaza, que generaba esa *expectativa*, como transfinita, de un disfrute: puesto que es un Ausente el que la dirigía. Entonces, disfrutar se habrá *extasiado* en un *más-allá;*

---

[97] Rimbaud, *OC,* págs. 102-103 («Une saison en enfer», «Délires I», «Vierge folle»).

[98] Cfr. Kant, 1798, pág. 98.

[99] Diderot, 1772, pág. 950.

es decir, un vacío absoluto y sin atributos, una alteridad radical. *Pérdida,* pérdida desgarradora, tetanizada.

Un estado amoroso sigue persistiendo, la hace tal vez soportable, un estado amoroso anima esta expectativa cuando la expectativa emplaza a la pobre alma a la inmovilidad. Esta doble coacción, espera y amor, ¿no podría haber sido inventada ya como *pose,* como *escenografía?,* ¿como «actitudes pasionales»? En cualquier caso, el amor permanece ahí impotente, narcísico, aunque en el fondo, recíproco[100].

Puesto que pérdida, exclusión, dilaceración también indican, recíprocamente, algo así como un *disfrute suplementario,* algo que parece existir, ahí, ante nuestros ojos, violento en demasía, pero muy íntimo, pero que hace signos a los testigos de la escena, algo que, parece ser, reemplaza en el éxtasis a esa imposibilidad real de una relación, de la «relación sexual»[101]. Si nuestra Augustine sufre de una «abolición del sentido genésico», y concretamente de una anestesia total de todo el lado derecho de la vulva y si, pese a ello, todos podemos verla, en sus «actitudes pasionales», disfrutar, descargar, secretar[102], ¿no sería, mis queridos colegas, que disfruta *de otra cosa?* Pues por supuesto, mis queridos colegas. Esto, queridos colegas, esto es evidentemente cosa de mujeres.

¿Pero en qué consiste ese suplemento, señores? ¿Es un misterio? Se trata de todo el misterio de un *significante,* del que la histérica, imperativamente, escénicamente, se muestra como el súcubo.

Ahora bien, entre espectáculo de la pérdida, de la alteración, y sospecha del suplemento, de un enigmático disfrute, el conocimiento de la histeria no puede él mismo, fascinándose, por menos que volverse loco en ciertos momentos. Y eso pese a que el modelo neurofisiológico de un disfrute como descarga de *presión* haya sido creado para denegar dicha *tensión,* alteración que es de una clase totalmente distinta[103].

Por tanto, el saber ante la evidencia misma de un espectáculo de disfrute, *el saber se altera* también. Y, concretamente,

[100] Cfr. Lacan, 1972-1973, págs. 12-13.
[101] *Ídem,* págs. 44, 68.
[102] Cfr. IPS, II, págs. 123, 153, etc.
[103] Cfr. Safouan, 1979, págs. 60-61, 64.

se ahoga, se excita aún más, se tantaliza. *Qué quiere una mujer,* la pregunta quedará sin resolver, incluso si, histérica, dicha mujer parecía cumplir a porfía un *acceso,* una accesión, una posesión, una invasión de deseo. Ella misma *experimentaba* la escisión de la prueba y del saber[104]; ¿cómo podría haberlo enunciado?

«Ignoro cómo se *¡¡¡fabrica!!!* el regocijo, pero yo lo filtro a través de una placa de vacío»[105]... Ciertamente, jamás se le dio a Augustine tal enunciado. Pero repito que Augustine, pese a la plasticidad incluso «clásica» de sus poses, seguía colocando su mejilla contra la placa, es decir, con su rostro colgado en el abismo de una retroculpabilidad que, ineluctablemente, lanzaba *discordia* a todas sus euforias, festines de imágenes, a todas sus exultaciones, a todas sus sonrisas.

Y puede que en lo más profundo de su ser, ella pensase algo así como:

> No me preocupo en absoluto por ustedes. Es por mí por quien temo, temo dejar muy pronto de querer a cierta persona. Probablemente me haya hecho culpable de una importante falta ante sus ojos... Pero ignoro de qué soy culpable, y de ahí viene toda mi desgracia... Y he aquí que ahora es verdad. Pero ¿qué es lo que es verdad? Me pregunto no obstante si *él* también tendría parte en algo...[106].

POSES DEL PLACER (UN DOBLE CUERPO)

No puedo imaginarme que esta culpabilidad, convertida ya en escisión, y que esa otra escisión, de pérdida suplementaria, en el disfrute, no puedo imaginarme que todo eso *no afecte* al *espectáculo.*

¿De qué manera? Mediante el desdoblamiento de los cuerpos. Respecto al tiempo: una pose se extirpa de un movimiento, de una tensión; una pose es una intermitencia; aquí está el desdoblamiento interno de la imagen de los cuerpos.

---

[104] Cfr. Breuer y Freud, 1893-1895, pág. 132; Freud, 1895, págs. 336-338 («L'épreuve de la satisfaction»).

[105] Artaud, *OC,* tomo XIV, vol. 2, pág. 56.

[106] Dostoievski, 1873, págs. 291-292.

La reproducción de esas escenas tan variadas como imprevistas se llevará a cabo por la Fotografía con ciertas dificultades, hay que decirlo, puesto que se suceden con rapidez. Habrá que estar siempre preparado para actuar y captar la actitud interesante en el momento que se quiera. En esta hipótesis, como por cierto ocurre con las precedentes, resulta absolutamente recomendable el empleo de la cámara de doble-cuerpo; puesto que la enferma se desplaza constantemente y no sería posible efectuar la puesta a punto mediante los procedimientos ordinarios[107].

(Y de esta manera, incluso la cámara oscura, el órgano predatorio de las pasiones histéricas, se vio como obligado a un *doble cuerpo.)*

Esta expresión denomina sobre todo una escisión, fundamental, del *ser* y de la *identificación,* en todos los sentidos de la palabra. Pero la identificación es tan lábil en la histeria...

Ineludiblemente surge como secuela una suerte de inestabilidad general en las imágenes. Un efecto de la crueldad más pura. Todas las escisiones fueron enlazadas en los momentos de las tomas, atadas, clavadas vivas, fueron hieratizadas en algunas *poses.* El placer se condenaba a las representaciones, ésta es la ley absoluta del género.

Pero en este caso, tratándose de la histeria, las representaciones son excesivas, particularmente *hipertensas,* dice Freud. Como respuesta, toda pose las obedece, se aliena a esta intensidad. Las consecuencias psíquicas son incalculables, puede que ininteligibles[108].

Ahora bien, la representación, concretamente en la economía freudiana, no «reproduce» un objeto (un objeto de deseo): *produce la ausencia* y dinamiza su pérdida. Al producirla, le otorga valor de «suplemento», y diría que valor, no de claridad pero sí de fogonazo. La representación, en la histeria, sería el disfrute mismo hecho pérdida en tanto que la pérdida se hace *acontecimiento,* acontecimiento visible, acontecimiento también agitado.

Y esto es exactamente un doble cuerpo: el acontecimiento a la vez abierto, ofrecido e indescifrable, de los disfrutes histéricos; y después la invención, en esta aporía, de un espectáculo, de una *simulación.*

---

[107] Londe, 1893a, pág. 102.
[108] Cfr. Freud, 1895, págs. 359-360.

GESTOS AFECTADOS

La histeria es tal vez ininteligible. En la histeria, la manifestación no puede extirparse de la apariencia. Pone en movimiento algo de la *mimesis,* pero que no sabe extirpar el arte de la naturaleza, o de forma recíproca, el *agere* del *facere.* En ella, los afectos son gestos y los gestos, apariencias.

Gesto viene del verbo latino *gerere,* que significa producir pero también hacer parecer, representar un personaje *(gerere aliquem),* y también llevar algo a cabo, de forma muy tangible. Puede que dicho verbo nos hable de la *facticidad.* Significa por último *pasar el tiempo.*

Ahora bien, el gesto histérico se encuentra muy afectado, y en todos los sentidos, está como crucificado entre afectación y afecto —y aflicción, quiero decir atentado, quiero decir angustia del tiempo.

Existe, pues, *afecto,* pero ¿de qué se trata exactamente? La Escuela de la Salpêtrière admitió un «estado mental» histérico: la sensibilidad emotiva a menudo se encontraba asociada a lo que se denominaba «la degenerescencia mental»[109]. Breuer y Freud, en la misma época, llegaron más lejos. Intentaron, bien es cierto, establecer un vínculo entre la visibilidad de una emoción y las muy íntimas «excitaciones tónicas intracerebrales»; esperaban formular, tal vez formalizar el afecto en términos de *cantidades;* hablaban de la expresión motriz de los afectos como de un «reflejo»[110]. Pero su concepto de la *abreacción* tendía también, claramente, a dar cuenta de la motricidad afectiva por medio de conceptos como «estado de deseo» o «asociación subconsciente»[111]. *Lenguaje* y *representación* aparecían ya totalmente implicados en el asunto: «El ser humano encuentra en el lenguaje un equivalente del acto, equivalente gracias al cual el afecto puede ser abreaccionado. (...) Fue así como el ser normal logró, mediante los afectos de

---

[109] Cfr. Gilles de la Tourette, 1891-1895, I, págs. 486-555.

[110] Cfr. Breuer y Freud, 1893-1895, págs. 152-161, 165-166; Freud, 1895, págs. 315-317.

[111] Cfr. Freud, 1888-1893, págs. 53-54; Freud, 1895, págs. 339-340.

la asociación, hacer desaparecer el afecto concomitante»[112]. Ahora bien, es exactamente esto lo que la histeria no sabe hacer: en ella, toda la aflicción permanece, atravesando la garganta, yendo a diseminarse por todos los órganos, permanece «fresca», es decir, siempre renovada en su crueldad, y todas las representaciones se infectan de ello, se vuelven patógenas.

Podemos por tanto decir que, si las representaciones convertidas en patógenas se mantienen así en todo su frescor y siempre igual de cargadas de emoción, es porque se les prohíbe la usura habitual debida a una abreacción y a una reproducción en estados donde las asociaciones no se verían entorpecidas[113].

Y luego está el *tiempo*. La persistencia del afecto aferrada a las representaciones es una *retención,* un trabajo de la *memoria.* «Barreras de contacto» demasiado frágiles[114]. Breuer y Freud dieron la siguiente formulación *princeps: «Es sobre todo de reminiscencias de lo que sufre la histérica»*[115]. Y el propio concepto de abrirse camino del dolor buscaba su noción psíquica[116].

Finalmente está el *movimiento,* y por ejemplo un abrirse camino del dolor, justamente, en las «actitudes pasionales» del ataque histérico: Breuer y Freud se atrevieron a dar al respecto una hipótesis según la cual esos movimientos *expresan el recuerdo,* aunque (o tal vez puesto que), dicen, «siguen siendo parcialmente inexplicables»[117].

Encontrarse en un estado de extrema conmoción, esclarecido de irrealidad, en una especie de pérdida repentina del sentido del movimiento, en el mismo momento incluso en que se desencadena: esto afecta, pues, a la histérica como un afecto, como la efectividad de un *drama* tremendamente *virtual* (pero que, en este caso, está lejos de oponerse a lo real),

---

[112] Breuer y Freud, 1893-1895, págs. 5-6.

[113] *Ídem,* pág. 8.

[114] Cfr. Freud, 1895, págs. 318-322; Breuer y Freud, 1893-1895, páginas 128, 231.

[115] Breuer y Freud, 1893-1895, pág. 5. Cfr. págs. 172-178.

[116] Cfr. Freud, 1895a, págs. 326-327 («L'épreuve de la souffrance»).

[117] Breuer y Freud, 1893-1895, pág. 11.

un drama que la memoria le devuelve, como se devolverían un choque, un golpe.

LA PRIMERA ESCENA,
«COMO UN GOLPE RECIBIDO EN PLENO ROSTRO»

Un drama virtual: muy lejano, pasado, en cierta manera olvidado; muy, muy cercano, inminente, yendo a repetirse.

Charcot utilizó desde muy pronto la expresión *«histeria traumática»*. Estudió, por ejemplo, los efectos psicopatológicos de las colisiones de los trenes, catástrofes de la época, e intentó ofrecer una teoría de la relación causal entre lo que denominaba el *«shock* nervioso» y los síntomas subsiguientes, neurasténicos (en el hombre) o histéricos (en la mujer, más «impresionable»)[118].

(En 1898, basándose concretamente en esta ciencia del choque, una ley sobre accidentes laborales se propuso indemnizar a ciertos «traumatizados»; sí, el ser-traumatizado iba a ser, finalmente, unido por entero al ser-enfermo.)

Éste es el estilo-Salpêtrière de los traumatismos; se trata realmente de simples escenas:

> Un día, el chico encargado del anfiteatro trajo al laboratorio, para ser fotografiada, la cabeza de una enferma que había fallecido a consecuencia del desarrollo de un enorme tumor que le había ocasionado una considerable deformidad. W..., habiéndose introducido subrepticiamente en el laboratorio, no tuvo tiempo de cubrirse la cabeza; como consecuencia de ello, le sobrevino una violenta impresión que su imaginación reproduce en los ataques[119].

(¿Y cómo no estar loca si se hizo retratar ella misma, para la *Iconographie,* en el mismo lugar exactamente?)

> Un día, A... trabajaba en una fábrica de sedas, en la calle Enfer, y por la noche iba al colegio. Su patrón estaba conten-

---

[118] Cfr. Charcot, 1888-1889, págs. 131-139; Thyssen, 1888, *passim.*
[119] IPS, III, pág. 33.

to con ella. Un día del mes de abril (¿?) de 1875, una máquina de la fábrica estalló cerca de ella. Aunque nadie resultó herido, A..., que tenía el periodo, se asustó muchísimo; le invadió una risa nerviosa y al cabo de algunos minutos, unos *ataques histero-epilépticos*...[120].

Y la pasión por lo *pintoresco* llegaría hasta el siguiente extremo: Charcot hacía dibujar a algunos de sus enfermos su personalísima *escena traumatizante,* como por ejemplo la fulguración a consecuencia de la cual un hombre se había puesto muy nervioso e incluso le había dado un ataque de nervios; Charcot hizo que seguidamente se volviese a grabar esta escena para la publicación de sus Lecciones de los martes[121].

El padecimiento sordo de los dramas familiares resultaba menos precioso a su espíritu de «veedor». Pero estaba ahí, ineluctable. Entonces, lo examinaba de todas formas, pero con una especie de desvinculación (más tarde verán que teorizaba e instrumentalizaba dicha desvinculación), algunas veces incluso, cómo decirlo, con cierto sentido del humor:

(Una persona que acompaña a la joven: dieciséis años.)
Sr. Charcot: ¿Qué relación tiene con ella?
Respuesta: Soy su amiga.
Sr. Charcot: Bueno, ¿y su madre?
Respuesta: Su madre está muerta. Tiene una suegra, pero no puede quedarse con ella.
Sr. Charcot: Ven ustedes, entre los orígenes de la corea hay que colocar a las suegras. En este caso, la suegra puede ser una de las causas ocasionales[122].

Pero también en numerosas ocasiones no pudo más que quedarse perplejo: tal mujer propina la más benigna, la más cotidiana de las tortas a su chaval, y hete aquí que se queda totalmente paralizada. ¿Por qué?[123]. ¿Podemos denominar trau-

[120] IPS, II, pág. 189.
[121] Cfr. Charcot, 1888-1889, págs. 439 y fig. 95.
[122] Charcot, 1887-1888, pág. 251.
[123] *Ídem,* pág. 111.

matismo a algo *insignificante,* o a algo que únicamente ha *estado a punto* de producirse, o incluso a algo que no existe más que en la *imaginación* de las histéricas?[124].

Por último, a menudo la *discrepancia* de los efectos y de la supuesta causa traumatizante (en este caso choque, síntoma en otros) condujo a Charcot, entre otros motivos, a no considerar el acontecimiento, el «golpe», más que como un simple «agente provocador» de la histeria[125]; la causa determinante seguía siendo el factor hereditario.

Ahora bien, esta misma discrepancia, esta «desproporción», fue lo que precisamente retuvo Freud acerca de la histeria[126]. Anotó las descripciones que daba Charcot del ataque histérico, poniendo en relación la «actitud pasional» con una efectividad, no del traumatismo, sino de la *memoria del traumatismo:* de alguna manera traspuso, simplemente, para comenzar, el determinismo «físico» enunciado por Charcot al «campo psíquico»[127].

Y después, fue a la *palabra* a lo que vinculó a la histérica. Comprendió que una simple frase podía ser «como un golpe recibido en pleno rostro»[128], es decir, un golpe no obstante, un auténtico golpe, y del que el rostro podría mostrar rastro, de una manera u otra. Freud vio que ciertas contracturas histéricas, el hecho para Elisabeht v. R..., por ejemplo, de encontrarse «clavada en el sitio», podían ser la *imagen-acto,* si se me permite decirlo, de antiguos sustos[129]. No refutó la *temporalidad invertida* de la eficacia de los traumatismos, tampoco refutó su siempre posible facticidad; más bien examinó todo esto como la extrañeza de un funcionamiento de la *memoria*[130]. Intentó también comprender la no menos extraña capacidad de *apercibimiento* de los traumatismos en la actualidad de los síntomas histéricos[131].

---

[124] Cfr. Charcot, 1888-1889, págs. 527-535 (redactado por Dutil).

[125] Cfr. Charcot, *OC,* IV, pág. 323.

[126] Cfr. Breuer y Freud, 1893-1895, pág. 2.

[127] Cfr. Freud, 1892-1894, pág. 137; Freud, 1909-1910, pág. 21.

[128] Breuer y Freud, 1893-1895, pág. 142.

[129] *Ídem,* pág. 119.

[130] *Ídem,* pág. 97. Cfr. Freud, 1896c, págs. 92-94.

[131] Cfr. Breuer y Freud, 1893-1895, pág. 138.

En resumen, incluso cuando lo reconocía como fragmento referenciado en lo real, Freud planteaba el traumatismo según sus efectos en los sentidos, según sus desplazamientos en la memoria.

El traumatismo, en tal que *incidente*[132], se prestaba ya en su concepto al juego al que se presta su significado original: puesto que en él se encuentra *incidere*, con una i breve, que es *in-cado*, caer por casualidad, abatirse sobre, o sobrevenir, o convertirse súbitamente en presa de algo *(incidere in furorem et insaniam:* volverse loco); y luego *incidere* también, pero aquí la i es larga, que es *in-cœdo*, verbo de la entalladura, de la incisión: corte y grabado a la vez, violencia de una herida —perennidad de un estigma, de una escritura, de una sentencia. Freud se planteaba el traumatismo como un *acontecimiento significante.*

RECHAZOS Y RESACAS
DE LA PRIMERA ESCENA

Existe un sujeto para el tiempo, no a la inversa; lo que remite al sujeto a una efectividad, es una memoria; es la propia memoria la que libera lo intempestivo, lo intempestivo de un síntoma, por ejemplo[133].

Que la histeria sea una enfermedad puede significar primero lo siguiente: *la memoria falla,* el pequeño artículo cuarenta y dos de las *Passions de l'âme,* «Comment trouver en sa mémoire les choses dont on veut se souvenir»[134] [Cómo encontrar en nuestra memoria las cosas que queremos recordar], sigue sin ofrecer una solución, y lo mismo ocurre con la «puesta a punto fotográfica» memorizante, al estilo Bergson[135]. Bien es cierto que Charcot se inclinaba a menudo hacia casos de «amnesias retrógradas» consecutivas a los *«shocks* nerviosos», consideraba incluso la «amnesia anterógrada» (la imposibilidad de «grabar en» la memoria los hechos actuales) como un síntoma histérico-tipo porque, decía, «esta amnesia

---

[132] *Ídem,* pág. 1.
[133] Cfr. Schefer, 1975, págs. 128-129.
[134] Cfr. Descartes, *OC,* págs. 715-716.
[135] Cfr. Bergson, *OC,* págs. 276-277.

no es realmente más que aparente»[136]. Aparente pero efectiva. Charcot, frente a la extremada labilidad de las amnesias histéricas, apela a un concepto «territorial» de la memoria, tomado de Gall y de Ribot, un concepto muy de acuerdo con la clínica anatómica: se trata del de las *memorias parciales*, relativamente independientes, ligadas a «centros» concomitantes, en el cerebro, en los centros que se esperaba poder localizar en las circunvoluciones, quién sabe...[137].

Pero también están las hipermnésicas, para quienes la repetición es como una erótica. Existen también, en la histeria, *excesos de la memoria*. Sujetos abandonados a la memoria, a la efectividad, la intempestiva efectividad. «Actitudes pasionales»: violentas resacas de la «primera escena», reposición en escena.

Resulta interesante que exceso y defecto no se hayan visto incluidos por parte de Freud por lo que constituyen, clínicamente hablando: una contradicción. Los ha atribuido a ambos a un solo concepto (no clínico): el *rechazo*. Desde el *Inicio*, se entiende que tanto la obsesión como la amnesia histéricas son dos efectos, siempre *desplazados*, del mismo rechazo y «podemos deducir», escribe Freud, «que el enigma descansa en el mecanismo de dicho desplazamiento»[138].

Es por esto por lo que, en cualquier caso, las *representaciones* permanecen tan «frescas» en la histeria, «hipertensas», tan «eficaces» incluso pese a ser inaccesibles al yo[139]. Las representaciones, en la histeria, son como fatales, son *destino* y *castigo* para un sujeto[140], privan y satisfacen una memoria al mismo tiempo.

CONVERSIONES DE LA PRIMERA ESCENA

La «primera escena», la denominada «traumática» ya constituye por lo tanto, debido a *su capacidad de desplazamiento*, un acontecimiento significativo. Un significado viene a alcanzar al sujeto en su conjunto, su cuerpo, su palabra, su pasado,

---

[136] Charcot, 1892-1893, II, pág. 266.

[137] Cfr. Charcot, *OC*, III, págs. 178, 518-519.

[138] Freud, 1895, pág. 363.

[139] Cfr. Breuer y Freud, 1893-1895, pág. 8; Freud, 1901-1905, págs. 9-10; Freud, 1926, pág. 92.

[140] Cfr. Freud, 1926, pág. 15.

todo el advenimiento de su destino. Un algo que se desplaza. Que *escapa*.

La histérica dice: *non memini*, o lo que es lo mismo: «Me acuerdo de haberlo ignorado en el pasado»[141], pero al recordar, vuelve a sobrevenir, para la histérica, esa ignorancia punzante, como una pérdida, de cualquier simple sentir de sus gestos, incluso cuando tienen lugar, extenuándola, por medio de «actitudes pasionales».

La *«escena»* sería, pues, también, en cierta forma, como una *«idea»*, quiero decir en el sentido en que: las ideas no van sin *miembros*, y entonces ya no son ideas sino miembros, miembros guerreando entre ellos, puesto que el mundo de lo mental nunca fue más que lo que queda de un pisoteo infernal de los órganos...[142].

Tremenda aporía de lo «orgánico» y de lo «físico». Todo síntoma histérico exhibía, enarbolaba, ¡exponía! esta aporía, ante un médico a menudo en silencio. Una casi farsa, socarronamente infernal, desafío malvado del no-saber al saber.

En esta aporía, Charcot intentó ofrecer un dibujo, un trazado de fronteras, intentó una recomposición territorial. Necesitó plegar (véase recortar) los cuerpos a su espacialidad del concepto. Freud se arriesgó a ofrecer una teoría totalmente diferente. Lanzó una palabra, *«conversión»*, y luego se puso a correr tras ella, durante mucho, mucho tiempo; Freud, como si dijéramos, corrió «tras» la conversión y su obra contiene no menos de tres conceptualizaciones[143].

Y es que cualquier tentativa de enunciar una *cadena causal* en cuanto a la histeria sigue siendo escabrosa, se denuncia a sí misma. Ciertamente, el «trabajo» de formación de los síntomas histéricos se deja relacionar con ciertos mecanismos, ciertas operaciones analizables, como «regresión», «condensaciones», «sustracciones» (a la conciencia), «desvinculaciones» e «inervaciones» (de los «símbolos mnésicos»)[144]. Cierto. Pero hubo algo que siguió siendo imposible contar, los mil y un recorridos de la «conversión», sus intermitencias, todo un

---

[141] Schefer, 1975, pág. 24.

[142] Cfr. Artaud, *OC,* tomo XIV, vol. 2, pág. 48 (la cursiva es mía).

[143] Cfr. David-Ménard, 1978, págs. 283-284 (y *passim).*

[144] Cfr. Freud, 1894, págs. 4-5; Freud, 1915c, págs. 60-61, etc.

embrollo de visibilidades que depende del hecho bruto, principal, pero tremendamente enigmático, de que venga a *presentarse* una *pulsión:* «actitudes pasionales». Todo un embrollo de especialidades, ni totalmente reales, ni totalmente imaginarias.

«Conversión» es en realidad el término de una *paradoja causal.* ¿Cómo se «causa» la visibilidad histérica? Vean a propósito de esto la prudencia y la especie de fragilidad de esta metáfora freudiana, la de la *guirnalda:*

> Supongo que aquí se trata de pensamientos inconscientes, desarrollados sobre relaciones orgánicas prefiguradas, comparables a guirnaldas de flores colgadas de un alambre, de manera que podemos encontrar, en un caso distinto, pensamientos diferentes entre los mimos puntos de partida y de llegada[145].

PANTALLAS ENCUBRIDORAS DE LA PRIMERA ESCENA

¿Y entonces? ¿Dónde estarían el centro, el corazón, el núcleo, el *Ser* de una guirnalda?

Es un hecho que numerosas histéricas ofrecen sus «primeras escenas», con palabras directas y sencillas, con lo que se denomina *todo lujo de detalles.* La propia narración extrae, de ese lujo, un efecto de choque. Un delirio que parece demasiado preciso para ser tan sólo un delirio.

Bourneville camufló su indecisión colocando la narración de una «primera escena» concerniente a Augustine en la sección de las *«informaciones complementarias»* (y no cita todas sus fuentes); se trata de la violación de Augustine, que entonces contaba trece años y medio de edad, por parte de «C...», su jefe, en cuya casa vivía y que, además, era el amante de su madre.

> C..., tras desplegar ante sus ojos todo tipo de promesas, haberle ofrecido hermosos vestidos, etc., viendo que no quería

---

145 Freud, 1901-1905, pág. 62.

ceder, la amenazó con una cuchilla de afeitar; aprovechándose de su temor, le hizo beber licor, la desnudó, la echó sobre la cama y tuvo con ella relaciones completas. A la mañana siguiente, L... estaba indispuesta, había perdido un poco de sangre, sufría dolores en sus partes genitales y no podía caminar. Al día siguiente bajó y como rehusó dar un beso a C... según la costumbre y que, al verle, se quedó completamente pálida, la señora C... comenzó a sospechar. Durante la comida, C... no dejó de lanzarle miradas amenazantes a fin de imponerle silencio. Al continuar el estado de malestar, pensaron que se trataba de la primera aparición de la menstruación. L... volvió con sus padres. Vomitaba, le dolía el vientre. Un médico, al que se llamó, también creyó, sin examinarla, en la aparición de la regla. Unos días más tarde, L..., estando tumbada en la cama, sintió miedo al ver los ojos verdes de un gato que la miraban, empezó a gritar, su madre acudió y la encontró totalmente asustada, sangrando por la nariz. Después comenzaron los *ataques...*[146].

Hay que intentar comprender cómo Bourneville, relacionándola con el concepto clásico de la fabulación histérica, llegó a plantearse la *veracidad* de esta escena.

Frente a todas las alegaciones de Augustine (proferidas sobre todo durante el periodo delirante del ataque) debía sin duda plantearse, en algún momento, la sencilla pregunta de: ¿es verdad?, ¿es mentira? Por más que el *síntoma* histérico llegase a ser reconocido, por Charcot, como específico, el problema de un *sujeto simulador* persistía, y todo *decir* histérico reclamaba, metodológicamente, la prueba de una *sospecha* sistemática[147]. Los médicos siempre desconfiaron de la fabulación, considerada, insisto, como típica de la histeria, y entonces se convertían para la ocasión en investigadores, interrogaban a los padres, a los testigos, para verificarla. Pero verificar una violación que ha ocurrido hace tiempo es difícil, ¿verdad? Esto no explicaba la naturaleza de los síntomas (como mucho el contenido de tal delirio). ¿No es cierto? El problema se hacía entonces más punzante: ineluctable persistencia de los efectos traumáticos.

---

[146] IPS, II, págs. 126-127.
[147] Cfr. Wajeman, 1980, *passim.*

Verificar un pasado absoluto es difícil. Augustine, no obstante, tranquilizó a sus médicos en cuanto a la exactitud de su «escena», porque la *imagen que anticipa* (al igual que se anticipa un argumento para su defensa, en un proceso) *resultaba coherente:* la «calidad de imagen» fue prueba de ello. Se le otorgó crédito.

Pero preguntemos todavía más al abogado del diablo. Freud, por tanto, habrá complicado sobre este punto la obligación de veracidad de todo investigador. Nos habla de recuerdos, de los más precisos, los más coherentes; nos habla de imágenes perfectamente «puestas a punto», con todo lujo de detalles; nos habla como de una *pantalla* (término que se vio, a partir únicamente de 1864 y sin duda gracias a la profusión de la fotografía, dotado de un sentido totalmente nuevo: superficie sobre la que se puede reproducir una imagen proyectada).

«Pantalla encubridora»: ésta es la hipótesis de una imagen en la memoria extrañamente estratégica: emerge totalmente *diferenciada,* formada, precisa —cuando de hecho no busca más que *escamotear,* dice Freud, que deformar, que desplazar. Puesto que, de hecho, no «emerge», se *forma,* es decir, que también modifica formas. Busca que lo «esencial» (de algo real, de una «primera escena») pueda olvidarse[148]. Ya sea esa imagen «verdadera» o «falsa», el problema ya no se encuentra ahí, se trata de un problema de verdad y no de veracidad.

Es *un compromiso convertido en figuración,* un desplazamiento de los afectos y de las intensidades sobre una imagen «sin esencia», despliega, pues, toda una manipulación temporal, se hace retrógrada y anticipadora por turnos; es como una simetría tremendamente artera de la amnesia histérica; es un engaño de la memoria, pero memoria a pesar de todo; es, dice Freud, «la llave para comprender la formación del síntoma»[149].

Es la imagen hecha *leyenda*[150], la muy (demasiado) precisa leyenda del síntoma; resultaba, pues, totalmente conveniente al estilo de la *Iconographie.* Pero está totalmente alienada al síntoma: un fantasma de su desdoblamiento o incluso de su explicitación, una guirnalda únicamente imaginaria.

---

[148] Cfr. Freud, 1899, *passim;* Freud, 1901, págs. 51-59.

[149] Freud, 1899, pág. 118.

[150] Cfr. Freud, 1901, pág. 56.

EFECTOS

Heme aquí, tras un rodeo, frente a la misma paradoja: la visibilidad más evidente, aquella en la que colocar la leyenda se mostraba casi como *«rendirse al sentido»*, la evidente visibilidad, pues, de las «actitudes pasionales» [57-65], es la misma que ahora parece desbaratar todo saber, toda voluntad de veracidad.

Puesto que las imágenes son, ciertamente, coherentes, portadoras de sentido, ¡y qué sentido!, pero su misma estabilidad escamoteó un desplazamiento que, sin embargo, las fundaba; ahí estaba toda su estrategia; y su coherencia comporta por tanto algo de abusivo, de dúplice, de *capcioso*. ¿De qué manera?

¿Tal vez bajo una especie de jeroglífico? Si el síntoma escatima en la histeria imágenes y actitudes, es porque se comporta él mismo, dice Freud, *como una imagen,* una imagen de memoria[151]. El síntoma, escribe en otra parte, pero sólo a unas cien páginas de distancia, el síntoma es *como un símbolo*[152].

De nuevo aparece aquí una paradoja causal de la formación del síntoma histérico, tal como Freud llegó a considerarla, casi al tiempo de la muerte de Charcot: la «primera escena» (es decir, el «traumatismo») no es eficaz si no desfila primero a través de una cadena bastante inextricable de memoria, si no *se asocia* de forma múltiple, si *no se simboliza*[153]. Y la imagen —me refiero ahora a la ostentación sintomática de las «actitudes pasionales»— se demuestra como *instancia de sobredeterminación,* es decir, de un «trabajo», dice Freud, muy «complejo» de los significantes dentro de la lógica de un tiempo[154]. Se apoya en una multiplicidad, está consagrada a la multiplicidad, restituye temblando el tiempo de su manifestación.

«Primera escena»: totalmente difractada, por lo tanto, totalmente fracturada. Adiós unidad de lugar y unidad de tiem-

---

[151] Cfr. Breuer y Freud, 1893-1895, págs. 240-241.
[152] *Ídem,* págs. 143-144.
[153] *Ídem,* pág. 140.
[154] Cfr. Freud, 1901-1905, pág. 19; Freud, 1908, págs. 152-153.

po. De esta manera se mantendrá un cierto misterio en cuanto al sentido de las «actitudes pasionales» de Augustine. El misterio podría ser, en el fondo, el siguiente acontecimiento: que una *«actividad se fusionará con una representación», «una representación de deseo»*[155].

Deseo, representación, actividad: esta «fusión» habrá sacudido todo a su paso, a su «abrirse camino». Deseo: Freud habrá estado por lo tanto como obligado a dialectalizarlo, más allá de Hegel, y a difractar cada vez más esa unidad representativa de las «primeras escenas», de las que las «actitudes pasionales» no obstante siguen siendo un re-juego. Freud denominó *fantasma* a la lógica de esta difracción y de esta «fusión» de acto, de deseo y de representación. La noción de síntoma se vio totalmente sacudida: «Los síntomas histéricos no son nada más que los fantasmas inconscientes que han encontrado mediante la "conversión" una forma figurada»[156].

Si la «escena» resulta primitiva, es ante todo porque su *drama* (acto, deseo y representación) es ya en sí mismo una *economía de la impulsión*. Si la «actitud pasional» desbarata, desborda y desvía su leyenda, es ante todo porque *su dramaturgia se cristaliza* (concretizada, petrificada, en destellos, difractada): a cambio, irrupción de un fantasma inconsciente que, a través del acontecimiento simbólico del regreso, confirma la desgarradora realidad de un ataque histérico.

Irrupción: recordemos que, desde 1892, Freud enunciaba con gran precisión el carácter central de las «actitudes pasionales» en el ataque histérico. Decía que todo el sentido del síntoma descansaba ahí; decía que el sentido de las «actitudes pasionales» estalla por un *«regreso de la memoria»*[157].

Cristal: «Lo que hace al ataque incomprensible», escribía diecisiete años más tarde, «es que ofrece una figuración simultánea a varios fantasmas en el mismo material, dicho de otra manera, que procede a una *condensación»*[158].

Desviación: «Debido a la *inversión antagonista de las inervaciones,* análoga a la transformación de un elemento en su contrario que

---

[155] Freud, 1908, pág. 151 (la cursiva es mía).
[156] *Ibídem.*
[157] Freud, 1892, pág. 152. Cfr. Freud, 1908, pág. 150.
[158] Freud, 1909, pág. 161.

es habitual en los sueños, tiene lugar una deformación totalmente extraordinaria; por ejemplo, en el ataque aparece representado un abrazo de la siguiente manera: los brazos están estirados convulsivamente hacia atrás hasta el punto de que las manos se unen por encima de la columna vertebral. (...) *La interversión de la cronología* al interior del fantasma figurado casi provoca la misma confusión y errores; esta deformación encuentra por su parte su réplica exacta en más de un sueño que se inicia por el final de la acción para terminar por el comienzo»[159].

Si de una *escena* se dice que es «primitiva», es que el acontecimiento no se confunde de ninguna manera con alguna efectuación de la realidad: el «origen» de la histeria sería ya, aunque *protón,* un *pseudos,* es decir, no una falsedad pero sí una *invención:* simplemente un *efecto:* «Un recuerdo aplazado», cuenta Freud, «no se transforma en traumatismo más que *tras-el-golpe*»[160].

Y el presente de la imagen, en la «actitud pasional», posiblemente no sea más que el *efecto* de un *efecto;* en todo caso, su «regularidad plástica», por más inductora de sentido que sea, no es para nosotros más que un cristal muy, muy *capcioso.*

ATENTADOS

Y sin embargo, evidentemente, muy, muy violento. Brazos y piernas totalmente retorcidos, dolores punzantes... Bourneville llamaba a esto *exacerbaciones*[161]. Augustine, ella, continuaba siendo presa de incesantes delirios de violación. «¡Cerdo!, ¡cerdo!... Se lo diré a papá... ¡Cerdo!, ¡cómo pesas!... Me haces daño (...) C... me ha dicho que me mataría... Lo que me enseñaba, no sabía lo que significaba... Me separaba las piernas... Yo no sabía que era un bicho que iba a morderme»[162]. Y sin embargo de esos momentos, hay que repetirlo, ninguna fotografía fue considerada digna de ser tomada o al menos de ser publicada.

[159] *Ídem,* pág. 162.
[160] Freud, 1895, pág. 366.
[161] IPS, I, pág. 78 (la cursiva es mía).
[162] IPS, II, págs. 139, 161.

No obstante, Augustine volvía a interpretar su violación, volvía a interpretar, *un contraefecto*. Pero ¿qué quiere decir *volver a interpretar?* ¿Y cuál es la eficiencia propia de un *efecto?*

Volver a interpretar es ya puntuar, destacar de alguna manera, reponer, añadir, obligar a los espectadores de la escena a «llamar a cada cosa por su nombre», lo que finalmente no resulta tan fácil porque nos hace pensar que «para hacer una tortilla hay que romper los huevos»[163]... Resumiendo, esto quiere decir que para hacer una Augustine «plásticamente regular» es necesario contar con al menos una, una de primera escena; para que ante nosotros vuelva, pues, a representarse, sobre el estrado, frente al objetivo, esa «acción vergonzante», ese «asunto», ese «abuso», esa «aventura»; para que delante de todos ella siga siendo lo que fue o debió ser, «lucha», «brusquedad», «danza pélvica», y no sigo[164]: es decir, una *violación*.

(¿Y cómo no pensar que, a través de una memoria de tales atentados, Augustine debió percibir como terroríficos todos esos rostros que la rodeaban de un público que volvía a desnudar todas y cada una de sus «actitudes pasionales»?)

Freud llegó incluso a la percepción de que, respecto a la histeria, era ahí donde yacía toda la especificidad de la causa: en una experiencia precoz y cruel del atentado sexual[165], que se simboliza[166], y se vuelve a interpretar, pero «convertida», en el ataque[167].

¿Y Charcot? Habría pensado lo mismo, pero nunca habría dicho nada. Esto es lo que sugiere la conocida anécdota de una charla privada entre Charcot y Brouardel durante una recepción, sorprendida por el atento oído del joven Freud. Charcot susurraba: «Pero en los casos parecidos, siempre se trata del asunto genital, siempre..., siempre..., siempre...» Y Freud cuenta: «Diciendo esto, cruzó los brazos sobre su pecho y se puso a dar brincos con su habitual vivacidad. Me

---

[163] Freud, 1901-1905, págs. 34-35.

[164] Cfr. Guiraud, 1978, págs. 15-23 (los 1.300 términos del coito).

[165] Cfr. Freud, 1896a, págs. 53-55; Freud, 1896b, págs. 62-66; Freud, 1905a, págs. 45, 157-159.

[166] Cfr. Freud, 1900, pág. 298.

[167] Cfr. Freud, 1909, págs. 164-165.

acuerdo de haberme quedado estupefacto durante unos instantes y, al volver en mí, haberme preguntado: ¿Si lo sabe, por qué nunca lo dice?...»[168]. Nunca lo dijo porque su voluntad de saber, que era voluntad de tener bajo su observación algunas «regularidades plásticas» definitivas, su voluntad de saber fue tal vez también voluntad de evitar.

¿Cómo hizo, pues, para evitar un sentido que Augustine no cesaba de vociferar a través de las salas del asilo: «Saca, pues, la serpiente que tienes en el pantalón... Es un pecado...»[169], etcétera, etcétera?

Porque la histérica *repite su desgracia* sin cesar. No solamente volviendo a representarla, sino además *reconvocando* siempre su inesperada llegada. La histérica inventa entonces *un atentado generalizado,* el atentado a todo pudor: «Dirigiéndose a uno de los asistentes, se inclina bruscamente hacia él diciendo: "Abrázame... Dame... Toma. Aquí tienes mi..." Y sus gestos acentúan más el significado de sus palabras»[170], mientras que Bourneville, taquigrafiando la escena, dudaba en tomar nota y colocaba puntos suspensivos, por decoro, «etiqueta» diríamos: impresionado, tal vez, por la obscena zalema —a esto, en ocasiones, lo llamaba «saludos»[171]— de la que fue seguramente, un día u otro, el mártir, el laureado.

En cualquier caso, se revela la especie de prodigio que representa un ataque histérico, y en torno al cual todo un saber psiquiátrico revoloteaba y se enloquecía, a veces se inquietaba y a menudo se tranquilizaba: puesto que en esta repetición de la desgracia sexual, de la violación, Augustine no interpretaba únicamente su «propio» papel, que habría sido de dolor o simple «pasividad»; concertaba, en un mismo movimiento, su sufrimiento con el acto agresivo, *interpretaba también* al cuerpo agresor[172], y su temor se relevaba finalmente sobre una especie de intensa satisfacción, una satisfacción... ¡autoerótica![173]. Y fascinante.

---

[168] Freud, 1914a, pág. 78.
[169] IPS, II, págs. 151, 161. Cfr. págs. 150, 152-153.
[170] IPS, I, págs. 70-71.
[171] Cfr. Charcot, *OC,* I, págs. 388-390.
[172] Cfr. IPS, II, págs. 133, 139, 147, etc.
[173] Cfr. Freud, 1909, págs. 163-165.

Esta combinación es un auténtico *prodigio de plasticidad,* un auténtico prodigio de teatralidad: dos cuerpos en uno, cuerpos en los que «la mujer no está únicamente unida interiormente al hombre, sino horriblemente visible, ambos agitados en un espasmo de histérica, por una risa aguda que convulsiona sus rodillas y sus manos», como pudo haberlo escrito Proust.

La histérica no tiene, pues, un papel propio. Asume todo, actriz omnímoda de su memoria, se encuentra muy, muy lejos de ser formal como una imagen única.

OBSTINADOS JIRONES DE IMÁGENES
(PARADOJAS DE VISIBILIDAD)

Y sin embargo todo su destino, ya lo he sugerido, es un castigo de imágenes. Un acto al que está obligada, una realización externa a su voluntad de todos los movimientos en todos los miembros y en vistas de una representación de la que ignora todo (se trata de una representación inconsciente)[174] pero que, obstinadamente, hace alarde de imágenes, de «actitudes pasionales». He aquí la especie de castigo que arrastra tras de sí.

Ya puede permanecer atenta en todo momento a la apariencia de su cuerpo, la puesta en escena, retorcida y violenta del fantasma, cortocircuita toda especulación, toda palabra; y esta puesta en escena, el «lenguaje motor» del ataque, se obstina, en el corazón de una visibilidad, pero al límite de lo analizable.

La propia inquietud del cuerpo histérico, la incesante inquietud motriz, permanece como una *obstinación plástica,* aunque siempre fragmentaria, aunque siempre culpable, aunque siempre dolorosa. Y de esta manera esta inquietud llama la atención, pese a todo, de la mirada.

Llama, pues, la atención de la mirada por su propia paradoja de visibilidad. La paradoja: la «actitud pasional» habrá elaborado un disfrute a través de todas las re-representaciones de un tormento; habrá vuelto a representar con gran pre-

---

[174] Cfr. Freud, 1901-1905, pág. 33.

cisión lo que la histérica temía padecer y volver a padecer, desplazando, locamente, los órganos, los miembros, ¡todo el espacio! Siempre habrá intentado una relación sexual, pero únicamente con el Ausente, y por ello no quedarán más que unos pedazos, dispersos, del placer. Todo disfrute habrá quedado suspendido, aunque, y por ello, figurado, y el propio síntoma habrá constituido finalmente un beneficio, cruel, como el turbio pago de ese suspenso.

Otra paradoja: toda «actitud pasional» es profundamente «ilógica»[175], tan sólo se sueña un cuerpo coherente, éste siempre derivará de ritmos a catástrofes, y vuelta a salir de las metonimias, deseos y sueños de otro cuerpo, coherente, habitable. Es un espacio imaginario el que habita ese cuerpo abandonado a las exacerbaciones, pero, en este caso, imaginario no significa no-realizado, puesto que los gestos sí han tenido lugar; imaginario significa que la pulsión es inactualizable como tal y el fantasma infigurable como tal. Aquí radica el desgarramiento y la desgracia de la visibilidad histérica.

La histérica, escribe Freud, busca escaparse «continuamente, mediante sus asociaciones, al campo de la significación contraria»[176]. Y he aquí cómo se crea, plásticamente, la paradoja, cómo se lleva a cabo, cómo agita todo un cuerpo:

> En un caso que observé, la enferma sujetaba el camisón contra su cuerpo con una mano (en tanto que mujer) mientras que con la otra mano intentaba arrancárselo (en tanto que hombre). Esta *simultaneidad contradictoria* condiciona en gran medida lo que tiene de incomprensible *una situación no obstante tan plásticamente figurada* en el ataque y se presta por ello perfectamente a la *disimulación* del fantasma inconsciente que está actuando[177].

Paradoja de evidencia, es decir, paradoja de temporalidad; puesto que es la memoria la que vuelve aquí al *tiempo retorcido,* la que le deja oscilando entre indicativo y desiderativo, la

---

[175] Cfr. Richer, 1881-1885, págs. 69-78, especialmente pág. 76.

[176] Freud, 1908, pág. 155.

[177] *Ibídem* (la cursiva es mía).

que hace coincidir series temporales absolutamente heterogéneas[178]; es una estrategia capciosa de la memoria la que a pesar de todo hace de todo esto *un espectáculo llevado al límite,* es decir, perfecto, es decir, retorcido y excedido.

ORNATOS Y DIVERSIONES

Espectáculo llevado al límite. Esto significa también que el cuerpo histérico exige (y no que utiliza) una forma de teatralidad que el propio arte teatral hubiese temido sacar a la luz por lo mucho que se estigmatiza, en carne viva, una forma, desgarradora, de esencia del teatro. Puesta al límite de esta esencia. Así pues, un *arte* se precipita, se impacienta localmente, pasa por la prueba de una ausencia de fin, se *des-obra* en lo extremado mismo de su *acto*[179].

Recuerden también lo siguiente:

> La escena no ilustra más que la idea, no una acción efectiva, en un himen (de donde procede el Sueño), vicioso pero sagrado, entre el deseo y el cumplimiento, la perpetración y su recuerdo: adelantándose aquí, rememorándolo allí, en un futuro, en un pasado, *bajo una falsa apariencia de presente*[180].

La facticidad. La facticidad, incluso ociosa. Es la especie de antinomia temporal de una *imitación llevada al límite.* La *Darstellbarkeit* freudiana o «aptitud en la escenificación», dramatizando de parte a parte todo dolor real en ficción de escena primitiva, propulsando el cuerpo de dolor en la especie de placer cruel, transfinito, de un cuerpo-actor (Diderot intuyó esta «simultaneidad contradictoria» de las temporalidades en el delirio histérico: «La mujer», decía, «porta en su interior un órgano susceptible de terribles espasmos, que disponen de ella y suscitan en su imaginación todo tipo de fantasmas. Es en el delirio histérico donde regresa al pasado, donde se lanza hacia el futuro, donde *todos los tiempos son para ella presente*»)[181].

---

[178] Cfr. Maldiney, 1975, págs. 18-20; David-Ménard, 1978, págs. 33-36.
[179] Cfr. Blanchot, 1955, págs. 227-234 («Le regard d'Orphée»).
[180] Mallarmé, *OC,* pág. 310 («Mimique»).
[181] Diderot, 1772, pág. 952 (la cursiva es mía).

Gilles de la Tourette, en el bando de la Salpêtrière, escribió en su gran tratado ese axioma considerado histórico: «Nada puede imitar la histeria, que constituye el síntoma de la propia histeria»[182]. La *mimesis,* síntoma histérico por excelencia. La histeria considerada como «todo un arte», el arte y la manera del «teatralismo», como siempre se dice en psiquiatría, y que ninguna teatralidad habrá podido igualar en sus farsas. Al mismo tiempo un histrionismo y una máscara trágica convertida en carne. Al mismo tiempo velo, disimulación; al mismo tiempo don ingenuo, sincero, de identificaciones multiplicadas.

Una histérica repetirá todo lo que se dice en torno a ella[183], una histérica querrá ser todo el mundo, o más bien *habrá querido tener el ser* de todos y cada uno. Pero no habrá tenido más que el aire, en una *distracción perpetua,* un estallido en mil pedazos de todos los papeles. Freud intentó dar una explicación de esta desviación obstinada, desgraciada, de las *identificaciones:* éstas son, en la histeria, terriblemente *parciales,* son la regresión y el «asentamiento» de una inicial «tendencia erótica», decía, pero no es más que un «asentamiento» incoherente, que va diseminándose, siempre antagonista (se esperaría más bien una coherencia de los papeles en la identificación, puesto que es así como se considera que se organiza la «personalidad»)[184].

Una actriz nunca llegará tan «lejos» ni «en profundidad» como una histérica, sea cual sea el papel que interprete. La sangre brotará por sí misma (¡se abrirá una herida en el interior de un cuerpo!) en las manos de una histérica que «interprete» a una santa marcada de estigmas. Pero una histérica, porque no le bastará del todo interpretar un solo papel, querrá interpretarlo todo, o interpretar demasiado. Y por ello nunca resultará creíble.

Para terminar, se abrirá para siempre una *brecha de identidad* en todos esos juegos de superficies atravesados de agotadoras y múltiples identificaciones. Es esto exactamente, dice Freud, lo que «vuelve al ataque impenetrable»[185].

---

[182] Gilles de la Tourette, 1891-1895, I, pág. 111.
[183] Cfr. IPS, III, pág. 22, etc.
[184] Cfr. Freud, 1921, págs. 128-129.
[185] Freud, 1909, pág. 162.

Sin embargo, la «actitud pasional» es un *don absoluto,* abierto. Un don de imágenes, ciertamente, pero tan generoso que en él se abandona algo más. Bourneville explicaba la ostentación de los dolores de Augustine escribiendo que ella «había ofrecido» tal o cual síntoma, y después...[186].

Augustine fingía «de veras». Una paradoja de comediante que casi la desgarraba. Su cuerpo estaba como *penitente* de ese mismo *fingimiento* y, por eso, parecía como *pintado* con anterioridad, es decir, ausente aunque aparente. Quiero decir, fotografiado. Porque todos sus retratos se hicieron en buena medida y eficacia tanto de ese fingimiento como de esa falta.

Debería tal vez precisar esa palabra, *fingimiento,* con la palabra *afeite.* «Todo lo que adorna a la mujer» —escribía Baudelaire, ¿como elogio?—, «todo lo que sirve para ilustrar su belleza, forma parte de ella misma», y algunas líneas más adelante, hace un elogio del maquillaje: «La *nada* embellece lo que es»[187].

Como si los afeites fuesen no solamente visibilidad sino tiempo, duración, destino, sí, digo bien: destino de mujer (acuérdense de lo escrito en *Los demonios:* «Era evidente que la señorita Lebiadkine usaba afeites y se pintaba los labios... Ven ustedes, es así como permanece sentada días enteros, completamente sola, sin moverse; se echa las cartas o bien se mira en el espejo»[188]. *Maquillarse* comportaría la acción de hacer (la etimología del «maquillaje» designa justamente un «hacer», tan sólo un «hacer»), ¿el hacer-mujer? ¿el hacer-histérica? La simple confusión resulta tremendamente elocuente.

En cuanto a Augustine:

> Por lo demás, todo en ella anuncia a la histérica. El cuidado que dedica a su aseo; cómo arregla sus cabellos, las cintas con las que le gusta adornarse. Esta necesidad de adorno es tan aguda que cuando está sufriendo ataques, si se produce una remisión, aprovecha para atar una cinta a su camisola; esto la distrae, le resulta agradable: «Cuando me aburro, dice, no tengo más que hacer una lazada roja y mirarla...». No hay que

---

[186] IPS, II, pág. 135, etc.

[187] Baudelaire, *OC,* II, pág. 714 («La femme»), pág. 715 («Éloge du maquillage»).

[188] Dostoievski, 1873, págs. 150-151.

decir que la mirada de los hombres le resulta agradable, que le gusta mostrarse y desea que se ocupen de ella[189].

¿Qué significado tiene ahí ese «por lo demás»? Tan sólo hay que leer el párrafo precedente: «Los antecedentes de X... nos hacen ver lo mucho que se ha descuidado su infancia. La conducta de su madre, las relaciones establecidas por el hermano entre su hermana y sus amigos, explican en parte la conducta... ligera de la enferma»[190]. ¿No es acaso como una retracción moral del médico frente a lo que sin embargo es para él una mina iconográfica, la histérica vocación de adornarse?

Retracción moral o bien simple perplejidad «científica», ¿una perplejidad del saber ante el deseo de la histérica? En efecto, ¿qué pretende al adornarse? La imagen que ofrece («actitudes pasionales»), ¿de qué disfrute sería resto, u ortopedia, o diversión?

¿Y por qué el *extremo narcisismo* histérico oscila de la risa loca al dolor, al espasmo, a la muerte en algunas ocasiones? Adornarse, ¿sería una diversión de muerte?

La soledad compañera

Y yo, ¿adónde he llegado? Las «actitudes pasionales» me dejaban totalmente postergado ante esas fotografías, ante una complejidad temporal fijada, ante la complejidad de esas relaciones de *gestos* (contradictorios) a *fantasmas* (múltiples) y a *figuración* (paradójica).

¿A qué apela, pues, el fantasma histérico en su exposición de gestos convertida en desenfreno y convertida, siempre, en espectáculo? ¿No apelaría justamente a la *situación misma del espectáculo,* a su intersubjetividad escabrosa, siempre al borde del escándalo, como exceso, provocación, «proximación», pero siempre, o casi, mantenida en los límites de una visibilidad fotográficamente encuadrable, es decir, de una distancia, de una separación regulable?

---

[189] IPS, II, pág. 168.
[190] *Ídem,* págs. 167-168.

Mi hipótesis es que la situación fotográfica, durante un tiempo, fue tan providencial al fantasma histérico como las «actitudes pasionales» lo fueron a los fantasmas iconográficos de Bourneville y Régnard. Una cierta «proximación», una cierta separación. Un marco, un atavío (aderezo, matiz, adorno, delimitación).

Augustine casi bailaba ante Bourneville y Régnard. Hacía guiños de sus propias contorsiones. Pero velaba la eclosión de su delirio, al que, tal vez, asistía. Y, además, esta disimulación también la interpretaba, ¿no? Pese a que se esforzaba en ser un modelo de veracidad (la veracidad de un concepto de Charcot, el de la «histero-epilepsia»). Pese a que estaba condenada a cierta mímica identificatoria demasiado parcial, demasiado lábil. Pese a que estaba condenada al tremendamente simple dolor de un síntoma real.

Cadena perpetua de semblanzas, que reemplazan, *que recuerdan* su auténtica desgracia, la imposibilidad de toda relación sexual salvo con un Ausente, es decir, Nada. Cadena y atavío de semblanzas; lo único soportable de su mal: *existir para otro, al menos como espectáculo.*

Augustine buscó en la *mimesis* un remedio a la *mimesis,* a su incredibilidad: paradoja de una comediante que no sabe de qué es modelo, maniquí, *vedette* (encontrarán además en *vedetta* el ver, *vedere,* y también el velo, *veletta, vela).*

Forzaba, doblaba todo su cuerpo a una especie de trivialidad de *la apariencia:* la apariencia como destello y como resplandor, la apariencia como aparecer, el «ad-parence»; la apariencia como ilusión[191]. Esto no impedía no obstante que todo ello hiciese *aparición,* es decir, que cada vez tenía lugar algo que sacudía, sorprendía todo el espacio. Acontecimiento de imagen, imposible de pacificar, con su sentido incapaz de ser desarrollado porque siempre *escapa* ante vuestros propios ojos, ante vuestras narices, fotógrafo. Acontecimiento dúplice, duplicidad incapaz de pacificar del velado y de una desnudez cruel con la que nunca se supo qué hacer.

Un ejemplo. «Geneviève» se inventaba una rival (respecto al amante ausente) y llegaba incluso a escribirle cartas:

---

[191] Cfr. Heidegger, 1935-1952, pág. 109.

Salpêtrière, 28 de diciembre de 1878. Señora, ¡ay, señora!, no sé si podrá perdonarme alguna vez, puesto que soy totalmente culpable ante usted; ya que veo que lo sabe usted todo; voy a serle franca, voy a confesarlo todo. ¿Recuerda la noche del 15 de agosto, *esa mujer velada* que vio salir de su habitación y a la que cedió el paso. Pues bien, *era yo...*[192].

Y después «Geneviève» se desnudaba completamente y seguidamente hacía el amor con algún espectro, «manteniendo seguidamente que era el Sr. X... quien le había quitado su camisa»[193]. Y luego, ante la cámara de Régnard, volvía a colocarse el largo velo negro de sus, decían, «pesares»[194].

Movimiento terco, inmutable. ¿Qué era esto, entonces, salvo un movimiento del *deseo?* Bourneville hablaba de la «mirada brillante» de las histéricas, de la «especie de particular excitación»[195] que las embargaba sin descanso, hasta provocarles crisis, síncopes, delirios.

El espectáculo de la «actitud pasional» sería por tanto como un formalismo del deseo, el acontecimiento significativo de una relación con el Otro.

Es, en primer lugar, *separación:* no-reciprocidad (la histérica se vela en fragmentos de sus interpretaciones y el psiquiatra se pregunta: «Ella me muestra esto, pero ¿qué es lo que quiere?»; adorno y partición (parcialidad enigmática de las identificaciones); y, finalmente, «torsión en el retorno»[196]: la alienación de la que Augustine hacía espectáculo y que se presentaba ante sus médicos, esa alienación se ofrecía como dialéctica viva de las *miradas.* Interrogaba fatalmente la mirada del que la miraba, interrogaba con crudeza el sentido, fantasmático, sí fantasmático, de su postura «científica».

Posiblemente sea ésta toda la estrategia de la histérica en cuanto al espectáculo que generosamente ofrece de sus síntomas: *desafía el deseo del espectador, consagra y desafía su maestría.* Como si dirigiese una persecución (un proyector) sobre ese espectador que, hasta ese momento, había pensado estar se-

---

[192] IPS, II, pág. 214.

[193] *Ídem,* pág. 215.

[194] *Ídem,* pág. 206, lám. XXXIX.

[195] IPS, III, pág. 7.

[196] Cfr. Lacan, 1964, págs. 194-195; Lacan, 1966, págs. 843-844.

guro en las tinieblas de terciopelo de su butaca de patio; sin embargo, ella no hace más que explicarle, por medio de gestos insólitos, que la calidad de su dolor se desarrollará a voluntad del deseo figurativo de él. No obstante, el efecto de esta *explicitación* sigue siendo en el fondo muy cruel.

Ella se aliena totalmente al espectáculo, exigiendo que cada espectador sea un auténtico director de escena. Exige, a voz en grito y convulsión, exige *mantener el deseo de otro*. Pero el grito de esta exigencia resuena naturalmente como desafío, farsa, maldad, burla[197].

Y es así como la terrible soledad de las «actitudes pasionales» se convierte en una *soledad compañera,* no menos terrible en un sentido, compañera ahí de la mirada presente de otro.

La histérica habrá apelado a un Ausente, seguro, pero también habrá ido en busca, en la ostentación de su sonrisa dirigida a nadie en concreto, de una *«prima de seducción»*, *Verlockungsprämie*[198], que hace de su desgraciada sonrisa, una sonrisa sin embargo para alguien. Su misma burla habrá permanecido en el entredós. ¿A quién se dirigía entonces [65]?

Ahora bien, aquí está, ese placer suplementario: *una mirada.* Que no vale gran cosa, bien es cierto, pero tesoro añadido al Nada de la relación tentada en las crisis y los pesares. Así, «la histérica se muestra como signo de algo en lo que el Otro podría creer; pero para constituir dicho signo ella se muestra totalmente real y es necesario a cualquier precio que ese signo se imponga y marque al Otro»[199]. Augustine, por ejemplo, se ofrecerá, se impondrá como disfrute, disfrutará, pues, y su disfrute al-vacío se difractará en todos los disfrutes para otro (entre ellos nosotros, más allá de su muerte) de verla disfrutar o de verla abandonarse a una (mascarada de) pasión masoquista.

En cualquier caso, es como una estructura de emparejamiento imaginario de la histérica y de su médico captador de imagen.

La «actitud pasional» es, pues, un drama escénico que, en partida doble, busca la relación imposible: ya tenga lugar una relación, pero con Nada (con el Ausente); ya el presente, el

---

197 Cfr. Lacan, 1964, págs. 38-39.
198 Cfr. Freud, 1908, págs. 80-81.
199 Lacan, 1961-1962, págs. 315-316. Cfr. Lacan, 1966, págs. 221-222.

testigo, Régnard por ejemplo, permanezca ahí como un espectador abandonado al suspense de convertirse o no en el primer actor de su *prima donna,* siempre estará sola sobre el escenario.

EL DESEO DE CAUTIVAR

La histérica, de alguna manera, *fomenta el deseo del Otro*[200]. Pero lo alucina, enlaza el reconocimiento del deseo a su propio deseo de reconocimiento y se embauca, naturalmente (captación neurótica), sobre el sentido del deseo de otro. Permanecerá, pues, enlazada al entramado de la infatuación, de la ley del corazón, del narcisismo, porque toda su estrategia especula sobre hipótesis imaginarias[201].

Y permanecerá *cautiva* de una situación, el espectáculo (el de su cuerpo) en el que cree poder, mediante la coreografía de las convulsiones, de las «actitudes pasionales», *atraerse todas las miradas,* todas las «libido spectandi» posibles e imaginables, en las que cree convertirse en «una especie de ídolo, puede que algo estúpido, pero resplandeciente, encantador, que mantiene los destinos y las voluntades suspendidas a sus miradas»[202], con su propia mirada soñando crearse una mirada-maestra a su imagen... Resumiendo, se sueña a sí misma como el ídolo femenino con el que todos los hombres soñarían.

Así pues, y aunque captada, alienada, ilusoria, muy a menudo esta estrategia, para su médico, funciona, es eficaz. Ocurre que la histérica se convierte en mujer fatal, ocurre que le *cautiva.*

Porque sus intrigas son refinadas y terriblemente inteligentes. Posee, diríamos, una práctica hábil del *ofrecer-a-la-vista,* parece conocer el arte de trenzar la evidencia de un espectáculo de su cuerpo con la *sospecha* de aquello que quiere, de hecho, esbozar, es decir, su llamamiento a ser todo, sí, *todo el objeto del deseo de otro.* Conoce, pues, la ciencia de convertirse en objeto para otro.

---

[200] Cfr. Lacan, 1961-1962, pág. 362.
[201] *Ídem,* pág. 281. Cfr. Lacan, 1966, págs. 99, 165-166, 170-177, 524, etc.
[202] Baudelaire, *OC,* II, pág. 713 («La femme»).

Pero al objetualizarse, su yo dilacera su presencia y su gesto se vuelve *sobreactuado,* en su sentido más amplio: el de un acto fuera-de-sí. Y he aquí a donde la conduce su llamamiento a ser querida. A un pesar de identidad.

LA OBLIGACIÓN DE SEDUCIR

Es indiscutible que el amor sexual desempeña un enorme papel en la vida y que la conjunción, en las alegrías amorosas, de satisfacciones físicas y psíquicas constituye uno de los puntos culminantes de dicho disfrute. Aparte de algunos fanáticos chiflados, todos los seres humanos lo saben y conforman su vida a esta noción. Sólo la ciencia tiene todavía escrúpulos en reconocerlo. Por otro lado, cuando una mujer implora el amor de un hombre, a él le resulta muy penoso rechazarla y negarse a ello. Además, pese a la neurosis y a la resistencia, *un encanto incomparable* emana de una criatura noble que confiesa su pasión. La tentación no viene provocada por una solicitud carnal grosera que no resultaría más que chocante y más bien debería suscitar un sentimiento de tolerancia, puesto que se trata ahí de un fenómeno natural. Se trata de las emociones de deseo más refinadas, aquellas que están inhibidas en cuanto a su finalidad, las que *arriesgarían hacer olvidar* a un hombre, tentado por una tal aventura, las leyes de la técnica y del deber médico[203].

La medicina de la histeria, ¿estaría viviendo en el riesgo? ¿En el riesgo de un *encanto?*[204].

Un encanto, sí. En la Salpêtrière, ese infierno, las histéricas no cesaron de *hacer guiños* a sus médicos. Fue una especie de ley del género, no únicamente la ley del fantasma histérico (deseo de cautivar), sino además la ley de la misma institución asilar. Y diría incluso que ésta tenía estructura de *chantaje:* en efecto, habría hecho falta que cada histérica *hiciese muestra,* y regularmente, de su ortodoxo «carácter histérico» (gusto por los colores, «ligereza», éxtasis eróticos...) para no ser

---

[203] Freud, 1915a, págs. 128-129 (la cursiva es mía).

[204] La palabra encanto *(charme),* que aparece a lo largo de todo el texto, tiene siempre el valor de «seducción», «encantamiento». *(N. del T.)*

destinada de nuevo al «Ala», de gran dureza, de las simples y denominadas incurables «Alienadas»[205].

El encanto era por tanto como una táctica obligada, con el Infierno-Salpêtrière distribuyendo sus pobres almas examinadas a círculos más o menos espantosos, entre los cuales el Servicio de las Histéricas, con su vertiente «experimental», fue un poco como un anexo del Purgatorio.

La situación de chantaje era por tanto más o menos la siguiente: o bien me seduces (demostrándome, por medio exactamente de ello, que eres histérica) o bien yo te considero como una Incurable y entonces serás, para siempre, no exhibida sino escondida, en la oscuridad.

Seducir consistió, pues, para las histéricas, en confirmar y sosegar cada vez más a los médicos en cuanto a su concepto de la Histeria. Seducir fue, pues, también, de forma recíproca, una tecnología de saber científico, en la que cada uno añadió su granito de arena (todo un derroche de energía) para su propio desposeimiento, de palabra y de cuerpo. Seducir fue tal vez, para la histérica, llevar al Maestro cogido por la oreja, pero para llevarle a ser siempre un poco más el Maestro. Mediante un extraño vuelco, seducir se convirtió por tanto para la histérica en una violencia cada vez más cruel que había de infligirse, en cuanto a su propia identidad, ya tan maltrecha.

De esta manera, en la Salpêtrière, la histeria no debía dejar de *agravarse,* cada vez más demostrativa, con más matices, cada vez más sumisa a guiones (y esto, más o menos, hasta la muerte de Charcot). Una especie de fantasma masoquista funcionaba de pleno, según su *rasgo demostrativo* (hacerse ver sufriendo), según su eminente carácter de *pacto,* también de connivencia.

(Connivencia: *connivere:* quiere decir a la vez: guiño el ojo, hago un guiño, cierro los ojos)[206].

Y esta connivencia, aunque coaccionada, fue una relación casi amorosa, porque *el encanto que se operaba* era el mismo

[205] Cfr. Guillain, 1955, págs. 134-135.
[206] Barthes, 1977, pág. 79.

motor (aunque «ilusorio») efectivo, eficaz, de toda la operación.

«DESEAR: MI GLORIA»
(DE CÓMO LA HISTÉRICA ENAMORABA A SU MÉDICO)

Freud lo admitió enseguida. Un médico estudia la histeria, esto

> *le toma un tiempo considerable* y presupone que existe en él un gran interés por los hechos psicológicos y *mucha simpatía personal* hacia los enfermos que trata. No podría imaginarme estudiando, en detalle, el mecanismo psíquico de la histeria en un sujeto que me pareciese despreciable y repugnante y que, una vez que lo conociese mejor, se mostrase incapaz de inspirar alguna simpatía humana...[207].

Toma de tiempo: encanto: *tiempo de toma de la transferencia.*
Pero en la Salpêtrière «encanto» y «simpatía» no eran procedimientos que se dejasen confinar en gabinetes burgueses, divanes, terciopelos y objetos de arte. «Encanto» y «simpatía» fueron bullicio de burdel, todas las mujeres mezcladas interpelando a la interna de servicio o, de paso, desgañitándose en llamadas inapropiadas, en strip-teases, ¿cómo decirlo?, *insignes,* en «groseras solicitaciones carnales»[208]. ¿Seducciones pese a todo?

En todo caso, podemos llamar a esto *transferencias,* en el sentido freudiano. Pero comprendan que aquí las transferencias fueron ensayos, en el sentido de un teatro, y teatro en el sentido *hard,* indecente.

> ¿Qué son esas transferencias? Son ediciones noveles, copias de tendencias y de fantasmas que deben ser despertados y devueltos a la conciencia mediante los progresos del análisis, y cuyo rasgo característico es el de reemplazar una persona conocida anteriormente por la persona del médico[209].

---

[207] Breuer y Freud, 1893-1895, pág. 213 (la cursiva es mía).
[208] Cfr. IPS, I, págs. 70-71, etc.
[209] Freud, 1901-1905, págs. 86-87.

Ahora bien, ese movimiento del fantasma hacia su reproducción puede llegar a perderse, escribe Freud, hasta llegar a convertirse en una auténtica *servidumbre sexual*[210]. Y lo que caracteriza a la histeria, desde ese punto de vista, es su incansable *creatividad de transferencias*, renovadas incesantemente[211], relevándose ella misma sobre la incansable creatividad (sí, creatividad) de los *síntomas*.

Y la demanda de amor de las histéricas fue síntoma, de la misma manera que el síntoma era demanda de amor. Desenfrenada.

¿Qué hacer? Qué hacer, se preguntaba Freud, frente a la «muestra de un cuerpo al desnudo» de cierta paciente[212]. ¿Abstenerse? ¿«Dejar subsistir necesidades y deseos»?[213]. Sudores fríos. En todo caso, pensaba, refiriéndose a las «mujeres de pasiones elementales», que «una necesidad de amor tan incoercible» precipita la cura hacia un «inevitable fracaso» (desde el punto de vista terapéutico; ¿pero es este punto de vista el único en toda la práctica de la Locura?) y, entonces, «hay que batirse en retirada»[214]. ¿Qué hacer?

Freud intentó acordar, nuevo pacto, una solución a esta alternativa ética, o erótica. Hay que, decía, «mantener la transferencia tratándola como si fuese algo irreal», no olvidar nunca que el amor de una histérica está «alienado», que a ella «le resulta imposible disponer libremente de su facultad de amar»[215].

Pero esto suena un poco como un voto piadoso. Amar es, ya, menos una facultad (controlable) que tal vez algo así como una precipitación de existencia; y el amor de la histérica, aunque arrastrado por un señuelo, es tan violento, tan veraz (al menos por un tiempo; ¿el médico habrá especulado sobre el tiempo, sobre la fidelidad de su «transferente»?). ¿Cómo existir frente a un amor voraz y vociferante, implacable, especulando sobre él, irrealizándolo, mientras que, me

---

[210] Cfr. Breuer y Freud, 1893-1895, pág. 245.

[211] Cfr. Freud, 1901-1905, pág. 87.

[212] Freud, 1915a, pág. 128.

[213] *Ídem*, pág. 123.

[214] *Ídem*, pág. 125.

[215] *Ídem*, págs. 124, 128.

diante golpes teatrales y *sobreactuaciones* de todo tipo, no cesa, ese amor, de manifestarse, ¡y de forma tan extrema!?

La transferencia es de una consistencia enloquecida. Es como la distancia (vociferante, en la Salpêtrière) necesaria para que los cuerpos por fin lleguen a tocarse[216]. Y no es tan consistente, tan persistente, más que porque constituye un *beneficio para cada uno.*

Para la histérica: es en efecto el único *«beneficio de su enfermedad»*[217]: prima de seducción que el síntoma ofrece a la mirada del médico. Un deseo se representa, se escenifica, se deja traslucir (si no escuchar) y, aunque desgraciado, existe, ante los ojos de todos. A manera de afirmación.

Para el médico: la histérica se convierte totalmente, en la transferencia, *en la imagen de su deseo de saber.* En la imagen del concepto de «Histeria» que tal médico habrá intentado emitir ante la incoherencia de «mil formas bajo ninguna». Y eso funciona. O parece funcionar, al menos por un tiempo, pero con una intensa esperanza, para el médico, de una perduración. Doble encanto: no solamente Augustine ofrecía su cuerpo a Bourneville y le llamaba, ¿quién sabe?, «psitt-psitt», por su providencial nombre de pila, «¡¡¡Mi deseado Magloire!!!»[218], sino que además Augustine llevaba a cabo las «actitudes pasionales» de su deseo: ¿cómo podría Bourneville no haber adorado a Augustine en tal que el ídolo de toda su ciencia?

Y es así como tal vez llegó a enamoriscarse de su histérica, aunque no fuese más que por lo siguiente: la permanencia de la transferencia aseguraba la perennidad de su propio fantasma, científico, y *la permanencia de la transferencia debía producir la perennidad de su concepto de la Histeria.* Digo bien: debía. En todos los sentidos. La histérica debía «permanecerle», permanecer (su) histérica, gracias a la transferencia.

De esta manera podemos llegar a imaginarnos a Bourneville, a Charcot o a otros, de forma idealizada o no, de manera secreta o no, *adonizándose*[219] (el Adonis, cazador de deseos casi sádico,

---

[216] Cfr. Sibony, 1974, pág. 194.

[217] Cfr. Freud, 1901-1905, pág. 30.

[218] *Magloire*, mi gloria o gloria mía. *(N. del T.)*

[219] Cfr. Baudelaire, *OC*, I, pág. 546 («Choix de maximes consolantes sur l'amour»).

o bien el Adonis agonizando en los brazos de Venus), puede que incluso embriagándose con la propia mentira de las histéricas.

(¡Ah! «¡Dejad, dejad que mi corazón se embriague con una *mentira*, Sumergirme en vuestros bellos ojos como en un hermoso sueño, Y dormitar largo tiempo a la sombra de vuestras pestañas!» «¿Pero no basta con que seas la apariencia, Para alegrar un corazón que huye de la verdad?»)[220].

Tal puede ser el oscuro continente de la «noble sensibilidad» y de la discreción médica: una *adoración*. Ahora bien, la adoración no es justamente más que una demanda idólatra, y pasa por entero por una *operación figurativa*. Emito la hipótesis de un flechazo de Bourneville (o de Régnard, no lo sé) por Augustine, en el sentido de que el flechazo sería la consagración extemporánea de un cuerpo en un cuadro, según la modalidad temporal de un puro «pasado simple», tal y como lo escribe Roland Barthes[221]. ¿Comprenden ahora el porqué de la debilidad de un médico por ese objeto de ciencia tan femenino, y comprenden por qué ese médico correspondía recíprocamente a esa transferencia con prácticas escénicas y fotográficas?

Tengan bien en cuenta la consecuencia de mi hipótesis: el juramento de Hipócrates, «me abstendré de todo acto libidinoso», etc., el juramento de Hipócrates habrá quedado, en la Salpêtrière, algo aturdido. A menos que hubiese encontrado en la transferencia otra hipótesis como la repetición inútil de su propio mito de origen (puesto que la primera paciente de Hipócrates fue la encantadora Eulalia, cuya enfermedad se resistía a los cuidados de su padre, él mismo médico; Hipócrates prescribió amablemente a la joven que fuese a consultar al oráculo de Delfos, que, en esa época, significaba lo siguiente: ama, ama, pues, a ese joven y hermoso doctor y sanarás; se casaron...). Pero dejémoslo.

Toda interpretación se enreda en una historia de transferencia, es decir, en una historia de amor que en el fondo siempre acaba mal. ¿La transferencia sería lo no-teorizable de una relación del saber con la locura?[222]. No lo sé. Lo cierto es

---

[220] *Ídem*, pág. 41 («Semper Eadem»), pág. 99 («L'amour du mensonge»).
[221] Cfr. Barthes, 1977, págs. 227-229.
[222] Cfr. Mannoni, 1980, págs. 13-55; Sibony, 1974, pág. 179.

que en la Salpêtrière, bajo Charcot, esta cuestión fue hasta tal punto impensable (aunque y porque fue utilizada, instrumentalizada), que la transferencia despojó a cada histérica de la intención de renunciar a su enfermedad[223].

Y fue así como la histeria, en la Salpêtrière, no hacía más que *repetirse*.

---

[223] Cfr. Freud, 1901-1905, pág. 30.

□

CAPÍTULO 7

Repeticiones[1], escenificaciones

MIRADAS Y TACTOS

Por lo tanto, un encanto, terrible, no dejaba de repetirse.
¿De qué manera? El encanto es un ardid de visibilidad: tal
histérica habrá fingido constituir *todo el objeto* del saber, de la
escoptofilia psiquiátricos; poses, fotografías. Y se lo habrá
creído. Reciprocidad del encanto: de las «actitudes pasionales» de «su» histérica, el médico habrá hecho una obra de
arte, *la imagen viviente* de un concepto nosológico, y lo habrá
casi glorificado en tanto que imagen; encanto, plancha de fotógrafo. Augustine embrujaba a sus médicos como una aparición ideal y ellos, recíprocamente, fueron como sus genios
buenos. Hay que ver.

En todo caso, será por el medio fotográfico como, de forma ejemplar, la mujer histérica se habrá ofrecido *para ser to-
cada,* y por el más sutil, el más exquisito de los contactos.

No obstante, la *Iconographie photographique de la Salpêtrière* sigue siendo, en un cierto sentido, una *denegación del tacto,* del
contacto. Todo se habrá llevado a cabo para fabricar una semejanza de «vida», es decir, de independencia, de la imagen:
las histéricas, de lámina en lámina, parecen recrearse en lo
más libre de sus fantasías o fantasmagorías, y digo bien: pare-

---

[1] Destacamos que la palabra francesa *répétition* también posee el significado de ensayo en el lenguaje teatral. *(N. del T.)*

cen. «Lámina» me indica que hubo sin embargo protocolos de posado, estrados, discretas sujeciones, cajas para enmarcar la imagen. La *Iconographie photographique de la Salpêtrière* no enseña nada de la manera en la que se tocaba a las histéricas. *Únicamente mostraba,* es decir, intentaba probar que no se tocaba, ese prodigioso cuerpo de la histérica, y que «todo eso» se llevaba a cabo completamente solo (Marey, de la misma manera, ataba con una cuerdecita a sus pájaros para «cronografiar» sus vuelos, en un auténtico trampantojo del emprender el vuelo).

Un señuelo de distancia neutra. De mirada que no conmueve demasiado (ahora bien, esa distancia acortada, casi táctil, de cámara a sujeto, no resulta menos indiferente que el tiempo de posado).

Y cómo olvidar esto: que no solamente la *mirada* clínica y su «noble sensibilidad» estuvieron totalmente dominadas por una incurable metáfora del *tacto*[2], e incluso que *tocar a la histérica* fue, desde siempre, la única manera de obtener de ella una... ¿una respuesta?

Y no hablo únicamente de Galeno o de Ambroise Paré. Briquet, en 1859, seguía polemizando sobre ciertos métodos utilizados para detener el ataque histérico: lo que significa que esos métodos aún se utilizaban. Briquet llega hasta dar ejemplos de su eficacia (aunque, en otras partes de forma leve, de su propósito: de hecho polemizaba sobre un concepto de la histeria que justamente la eficacia de esos métodos había podido fundar).

Compresiones del útero, todo tipo de «confricaciones de las zonas genitales», masturbaciones, digámoslo, hasta no poder más (una histérica extenuada, completamente exudada, se pacifica); e incluso prescripciones de mantener un coito[3]. Briquet lo había intentado, naturalmente, pero, decía, eso no funcionaba; ¿se debería también a que el corazón no se implicaba realmente? Briquet nos confiesa en todo caso su desagrado por prácticas que juzga, además con razón, muy poco «inocentes»[4].

---

[2] Cfr. Foucault, 1963, págs. 121-123.
[3] Cfr. Briquet, 1859, págs. 693-696.
[4] *Ídem,* págs. V, 694.

Ahora bien, Charcot se reconcilió en cierta manera con la tradición. No dudó en sumergir su dedo en la ingle de las histéricas, en instrumentalizar una denominada «compresión ovárica», en prescribir en ciertos casos la cauterización de los cuellos uterinos[5]. Reprobaba la histerectomía en tanto que terapia específica de la histeria, pero con ello estaba realizando un acto vanguardista, puesto que la histerectomía continuó practicándose, pese a Charcot, a lo largo de todo el siglo XIX[6]. El tacto se hacía tormento. *Speculum* —bisturí, cauterio. ¿Cómo es que me atrevo a relacionar todo esto con una dialéctica del encanto?

Y esto es lo que constituye toda la cuestión. La paradoja de atrocidad. Y el movimiento que cuestiono es el siguiente: ¿cómo la relación de un médico con su paciente, dentro de un hospicio de cuatro mil cuerpos «incurables», cómo esta relación que, por principio, fue casi la única, junto con el matrimonio, en autorizar, incluso instituir, el *tocamiento de los cuerpos*[7], cómo esta relación, pues, pudo convertirse en servidumbre, propiedad, tormento? ¿Cómo el cuerpo paciente acabó por *pertenecer* al cuerpo médico, y cómo esta desposesión pudo llevarse a cabo en aquello que la propia histeria nos fuerza a denominar *un encanto?*

Mi hipótesis concierne a la función mediatriz de la imagen, de la fabricación de las imágenes, en ese movimiento paradójico de tacto a tormento, vía encanto. Pero la paradoja se mantiene obsesiva: ¿cómo un cuerpo se habría convertido para otro en objeto *experimental,* experimentable en tal que propicio a un hacer-imagen, y por qué *habrá consentido* hasta ese punto? El término es muy fuerte: consentir es en un sentido amar, amar con un amor loco, y las histéricas, en la Salpêtrière, realmente consintieron, sí, en una monumental semblanza del deseo, a unas extraordinarias escenificaciones.

(Nota. Para mí, esto no constituyó la cuestión principal, sino más bien el surgimiento de una sospecha en el recorrido algo fascinado, desconcertado, de la sumamente extraña za-

---

[5] Cfr. IPS, I, págs. 118-121, 153.
[6] Cfr. Gilles de la Tourette, 1898, pág. 181; Cesbron, 1909, págs. 171-173; Carroy-Thirard, 1979, pág. 315.
[7] Cfr. Clavreul, 1978, pág. 102.

rabanda de imágenes de esa *Iconographie photographique de la Salpêtrière*. Una especie particular del *punctum,* muy tangencial a lo visible, por no existir más que con relación a la serie completa de las imágenes...)

Pero, en la *Iconographie,* este movimiento aparece por supuesto totalmente denegado. Bourneville y Régnard disimulan su actuación. Así, jamás se les percibe en el marco, sobre el cliché. En muchos detalles se deja sentir que se quiere borrar el acto de tocar, las caricias conniventes o las brutalidades. El brazo de un enfermero sujetando fuertemente el de una mujer en fuga y posando para su propio «remordimiento», habrá sido corregido para la publicación —el grabado sacado del cliché habrá omitido ese «tocar» del guardachusma[8]. Otro ejemplo, tenue, significativo: Régnard publicó en 1887 (ya no trabajaba, y desde hacía tiempo, en la Salpêtrière) toda una serie de grabados sacados de láminas de la *Iconographie photographique;* pero, entre ellas, había algunas inéditas; ¿es que no resultaban aptas para su función de prueba? ¿Se trataría aquí de especificidad fotográfica?[9]. ¿Y qué es lo que se ve? ¡El cuerpo, el propio cuerpo! del médico: atravesando por ejemplo, con una larga aguja, el brazo de una joven a la que domina sin problema, negra silueta de su chaqueta; ¡ahora bien!, sonrisa, sonrisa «entendida» de la joven histérica; consentimiento, casi recogimiento en la seriedad de la situación, el del entendimiento de la experimentación de su cuerpo «anestesiado», copiado del protocolo de posado fotográfico **[66]**.

SENSIBILIDADES «ESPECIALES»

Cierto, el cuerpo histérico es todo un misterio de sensaciones.

«Perversiones de la sensibilidad», escribía Briquet[10]. Es decir, en primer lugar, las *anestesias*. Piel, músculos, huesos, órganos de los sentidos, «membranas mucosas»[11], y *tutti quanti.* Después, en segundo lugar, las *hiperestesias,* véase «hiperalge-

---

[8] Cfr. IPS, I, lám. XXXIX.
[9] Cfr. Régnard, 1887, *passim.*
[10] Briquet, 1859, pág. 307.
[11] *Ídem,* págs. 267-306. Cfr. Janet, 1889, págs. 280-288; Pitres, 1891, I, págs. 55-180.

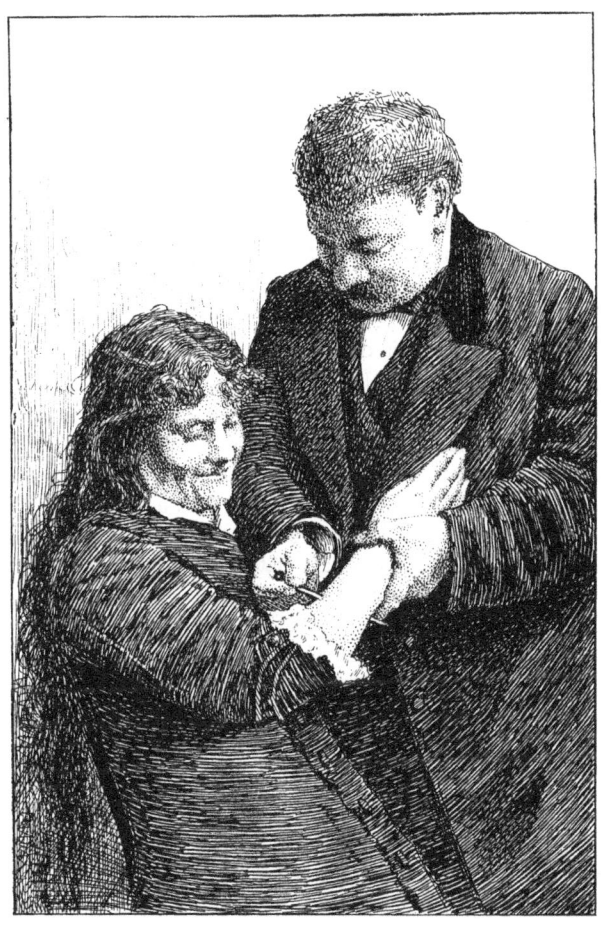

66. Régnard.
«La anestesia
histérica», grabado
«según una
fotografía
del autor».
*Les maladies
épidémiques
de l'esprit* (1887).

sias»: ¡todo lo contrario!, pero, de la misma manera, en todas partes y de todas las especies: «dermalgias», «miosalgias», «cefalalgias», «epigastralgias», «raquialgias», «pleuralgias», «celialgias», «toracalgias», «mielisalgias», «artralgias», «neuralgias», «hiperestesias laringo-bronquiales», «sofocaciones pseudocrupales», «hiperestesias de las vías digestivas», «nefralgias», «cistalgias», «histeralgias»...[12]. Cada órgano del cuerpo histérico contaría, pues, con su propio dolor.

[12] Cfr. Briquet, 1859, págs. 204-266; Pitres, 1891, I, págs. 181-206.

La Escuela de la Salpêtrière llevó la descripción mucho más allá del simple recuento. Se estaba esbozando una teoría general, psicofisiológica; la afirmación, por ejemplo, de que la misma emotividad histérica, la «impresionabilidad» en general de la histérica, «no es más que una debilidad de resistencia congénita o adquirida de los centros vaso-motores»[13]. Ahora bien, lo que hacía falta para el establecimiento de esta teoría era una verificación experimental: antes que nada, *tomar medidas* de todas las sensibilidades histéricas.

Primero hizo falta, siguiendo el protocolo clínico, *ordenar* toda esa fenomenología dispersa en una tabla de dichas «sensibilidades especiales». Una pequeña apreciación:

> *Sensibilidad especial:* el tic-tac de un reloj colocado junto a la oreja izquierda apenas es percibido; se puede escuchar a 10 centímetros de la oreja derecha. Vista: W... no distingue a la izquierda más que el rojo; a la derecha tiene noción de todos los colores salvo el violeta. Olfato: está anulado a la izquierda, algo disminuido a la derecha. Gusto: la sal, el azúcar, la pimienta, la coloquíntida no se perciben ni de un lado ni del otro. Sentido genital: las relaciones sexuales no producen ninguna sensación; se la acusa de frialdad; todo tiene lugar en su cabeza[14].

Y Charcot definió, como un carácter sintomatológico distintivo de la histeria, lo que denominaba, justamente, *«la obnubilación de los sentidos especiales»*[15].

Incluso puesta en orden, esta fenomenología conservaba un punto de improbabilidad en cuanto a su presencia. Hizo falta, pues, «llevarla a la práctica», *instrumentalizarla*.

Localizar las formaciones locales, las morfologías, sobre todo las *simetrías*. No definir. Más bien cartografiar, *cartografiar los cuerpos*, «caras dorsales», «caras ventrales», líneas medianas, zonas, puntos «histerógenos», fronteras bien delimitadas[16]. Después, trazar esquemas estándar, como formularios para rellenar por el clínico modelo [67].

---

[13] Féré, 1892, pág. 499 (según Rosenthal).
[14] IPS, III, pág. 26.
[15] Charcot, *OC,* I, pág. 315.
[16] *Ídem,* págs. 300-319. Cfr. Charcot, 1887-1888, pág. 138, etc.

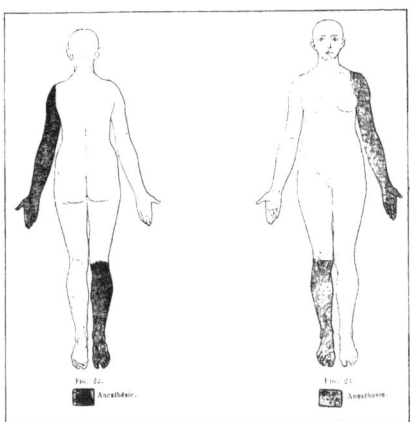

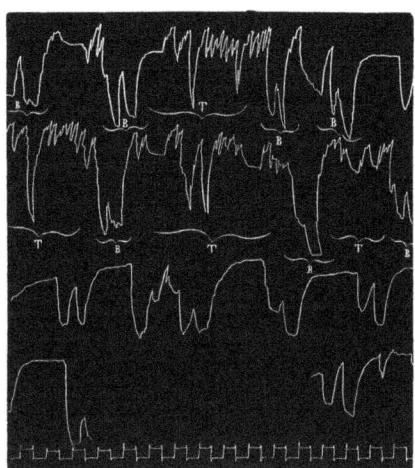

Recuerden, por ejemplo, en el caso de Augustine: todas las anestesias, contracturas, nociones de posición, alteraciones del oído, de la vista, del olfato, del «sentido genital» y no sigo, todo se remachaba y se organizaba según una línea que atravesaba, insidiosa pero precisa, su pobre cuerpo desdoblado: todo síntoma era en su caso hemi-algo[17].

Apunto que el estudio de las simetrías fue, correlativamente, como una metodología de la sospecha: permitía, por ejemplo, oponer la *medida* espacial a la alteración funcional experimentada, demasiado lábil, tal vez incluso «simuladora»; tal síndrome de hipertrofia muscular no resistió a la medición, en centímetros, de los perímetros (piernas, muslos) e incluso, simplemente, a una ojeada ortogonal, demostrativa, que sí hacía posible una fotografía bien tomada (por Albert Londe): «pseudohipertrofia», puesto que, basándose en las medidas, ya resultaba poco digna de crédito[18].

Pasión por las medidas, hasta del propio *movimiento,* la sacudida, la convulsión, el «estertor». Llamamiento a los «métodos gráficos» a lo Marey[19]. Augustine no cesó, pues, de sumergirse en las crisis, completamente rodeada de captores,

67. Esquema de las zonas de la anestesia histérica. *Nouvelle Iconographie...* (1888).

68. Régnard y Richer. Inscripción neumográfica (aparato de Marey) de la respiración «costal superior» de Augustine en estado de crisis. *Revue mensuelle de médecine...* (1878).

---

[17] Cfr. IPS, II, págs. 123-124, etc.
[18] Cfr. Souques, 1891, págs. 427-429 y lám. XLIII.
[19] Cfr. Binet y Féré, 1887a, *passim;* etc.

miografiada, neumografiada, el trazado de su más leve respiración ya como perfil de «gran forma histérica» en sí mismo[20] **[68]**.

Se midieron las fiebres rectales, «T.R.», vaginales, «T.V.». Se midieron las sensibilidades térmicas, hasta los gritos bajo las llamas del alcohol de los «termocauterios»[21].

¡Se cronometraron los delirios! Cuenten, pues, tranquilamente, los de Augustine: 18 segundos de «amenaza», luego 10 segundos de «llamada»; después, 14 de «lubricidad», 24 de «éxtasis», 22 de «ratas» (es decir, de visiones de ratas; Richer no se preocupa de distinguir percepción de la realidad y percepción alucinatoria), y 19 de «música militar»; súbitamente, 13 segundos de «mueca burlona», seguidos de 23 de «lamentaciones», etcétera, etcétera[22].

CUERPOS EXPERIMENTALES

Cronometrar. Tal vez aquí se intentó inventar como una ritualización tecnológica de la *expectación*, método-matriz, en la que Charcot había visto el lugar de origen de toda una «escuela de atentos espectadores»[23], a la espera de un «x algebraico», como lo define un cierto Requin, a la espera de una instancia de decisión en la siguiente alternativa crucial: ¿«respetar» o «provocar»?[24].

Charcot forzó dicha alternativa mediante una clara respuesta, alegando a Pinel: hay que *experimentar*[25]. Se trataba aquí, señalémoslo, de sustituir la metafísica de la esencia y de las causas de la enfermedad por una *metafísica de los hechos,* al estilo Condillac, puede que con todo lo que, en el fondo, eso supone: a saber, *una suplencia,* el añadido, como si nada, de «lo que hace falta» para construir o reconstruir un hecho cuando falta el sentido de su origen. Es decir, una cierta frivolidad[26].

---

[20] Cfr. Richer, 1881-1885, pág. 63, etc.

[21] Cfr. Charcot, 1888-1889, pág. 507; Bourneville, 1872-1873, págs. 241-328.

[22] Richer, 1881-1885, págs. 96-97, 139.

[23] Charcot, 1857, pág. 5.

[24] *Ídem,* págs. 4-5.

[25] *Ídem,* pág. 11.

[26] Cfr. Derrida, 1973, págs. 11, 18, 84.

Todo el estilo de Charcot, su enseñanza, apelaba a la experimentación: no como medio, no más que como objetivo reconocido; sino como ética científica. La histeria hizo de ella una necesidad de repetición, de obsesión; y sus despliegues aleatorios forzaron a la ética a hacerse estética: para no perder, justamente, el «hacer ciencia»...

> ¡Pues bien! Esta enferma va a servirnos para demostrarles lo que les he avanzado. No obstante, les diré que, aunque estemos más o menos seguros del resultado anunciado, las cosas del organismo no son tan precisas como las de la mecánica y no me extrañaría si nuestra operación no saliese bien. Se dice que a veces los experimentos con animales, cuando se hacen en público, no salen tan bien como en el laboratorio; lo que es cierto en ese caso lo es todavía con mayor razón para los experimentos clínicos que hacemos aquí. Si no logramos el éxito deseado, no por ello dejará de constituir una enseñanza para ustedes[27].

¿Cómo negar que habría sospechado esa virtud fundadora de los hechos, de la que la escenificación está dotada? Lo olvida más adelante, cuando escribe, o más bien se dirige a su público, hablando de su paciente, justo delante de ella (y ésta no estaba sorda): «Existen puntos histerógenos, de los que se pueden ustedes *servir,* aunque tan sólo con un fin experimental»[28]...

Se acusó a Charcot: usted no cura, usted experimenta[29]. Sus discípulos hicieron de muro de contención, tomaron la pluma, intentaron dar respuestas. Respuestas muy extrañas. Argumentos simplistas («el buen remedio es aquel que cura») o argumentos ambiguos, denegatorios («él, que en terapéutica jamás retrocedió ante ninguna experimentación»)[30] [cfr. Apéndice 16]. Pero la cuestión va más allá. La cuestión concierne a la idea, o la ideología, de un *«adelanto» de la ciencia médica* en ese campo; concierne también a una noción psiquiátrica de la *verificación;* entre otras: ¿cómo llegan a verificarse todos esos

---

[27] Charcot, 1887-1888, pág. 174.
[28] *Ídem,* pág. 179.
[29] Cfr. Delbœuf, 1886, *passim;* Ellenberger, 1970, págs. 83-85, 617-633.
[30] Gilles de la Tourette, 1893, pág. 246.

temas principales de la psicofisiología, su noción del determinismo, sus esquemas fundadores, estimulación y reacción, y todo lo que sigue?

La cuestión va todavía más allá. Concierne al hecho de que una empiricidad del cuerpo suscita, véase fabrica, una *empiricidad del sujeto*. Augustine, en tal que «histero-epiléptica», habrá sido, pues, un tema empírico; éste se tramaba y se inventaba, al hilo de los *quasi*-rostros y de las *quasi*-poses de Augustine, en el movimiento de la transferencia. Al inventarse, la empiricidad del sujeto pasaba a una modalidad *estética* de existencia, celebrada (en el fondo, de forma muy sexual) por toda la organización institucional y tecnológica de la Salpêtrière...

Era, para el cuerpo de la histérica, en el asilo, la consecuencia de ser abandonada a la transferencia: un consentimiento al experimento. Cuerpo autómata, aquí inerte, allí totalmente agitado, moldeable finalmente, a causa de su requerimiento, ¡su requerimiento de *leyenda!*

En demanda de caricias, hasta toqueteos, electrochoques, penetraciones. Gracias a ello, una moral del juguete habrá hecho sus delicias, obras, estilos, prodigios.

CUERPOS DE ENSUEÑO

Un día, Augustine propuso, saliendo de ella misma, la situación soñada de un cuerpo totalmente abandonado a la moral del juguete, es decir, inerte y al mismo tiempo funcionando al agrado de cada uno.

> Un día cayó en un sueño que duró hasta la mañana siguiente y del que fue imposible hacerla salir fuesen cuales fuesen los excitantes empleados, mecánicos o eléctricos. Estaba en decúbito dorsal, el rostro ruborizado, los miembros en la más completa resolución, los párpados cerrados y parpadeantes y los globos oculares convulsos hacia abajo y con tendencia al estrabismo interno. La respiración era muy débil e irregular: Respiración, 14. Pulsaciones, 100[31].

---

[31] Richer, 1881-1885, pág. 256.

De este modo, con su cuerpo ofrecido por completo, se convertía en bella durmiente. Ahora bien, ese sueño venía como de un desplazamiento de creencia, así lo definió Artaud; como un abrazo que se aflojaba y se aferraba a la vez[32].

Lo que resulta prodigioso, en el llamado «sueño histérico», es que *simula un sueño fisiológico* según unas modalidades de hecho extremadamente lábiles: a menudo, rigidez muscular en lugar de un distendimiento, paradoja de ser a la vez más profundo que cualquier sueño normal («tan profundo que ni el ruido del tam-tam, ni la inspiración de amoniaco, ni la intensa faradización de la piel o de los músculos, de los propios troncos nerviosos, es capaz de provocar su despertar»)[33], y todavía en alerta, quiero decir que el sueño histérico es una *crisis detenida,* o más bien, ralentizada indefinidamente. Charcot la entendía de la siguiente manera: según él, el «ataque de sueño» constituía una *transformación* del ataque «clásico», es decir convulsivo, cuyos fenómenos continuaban no obstante manifestándose, intermitentemente, «como a jirones», decía[34], «recordando así, aunque en pequeño, la historia de la Bella Durmiente, que en suma, dicho sea entre nosotros, no es más que la historia, embellecida por el arte, de una histérica buscada por un joven y algo descerebrado príncipe»[35]. Pero pasemos a otra cosa.

Lo importante es que todo el beneficio de ese suspense revertía en el príncipe: en el observador, en el «espectador». Su predación de imagen, al igual que en el caso del tetanismo, se convertía en una ¡auténtica delicia!, puesto que contaba con «todo su tiempo» para contemplar a su bella, como tallada en mármol (mientras que, para ella, transcurría, transfinita, la espera de un Contacto y de un Encanto diferentes). El espectador se tomaba todo su tiempo (que de hecho era el tiempo de ella) para poner a punto, cautelosamente, la imagen **[69]**.

Aquí, de nuevo, la expectación fue atestada, legalizada como método iconográfico. Cuando la oportunamente llamada «Eudoxie H...», caso célebre de la *Iconographie* de Bourneville

---

[32] Cfr. Artaud, *OC,* tomo I, vol. 1, pág. 85.

[33] Charcot, 1888-1889, pág. 65.

[34] *Ídem,* pág. 67.

[35] *Ídem,* pág. 64.

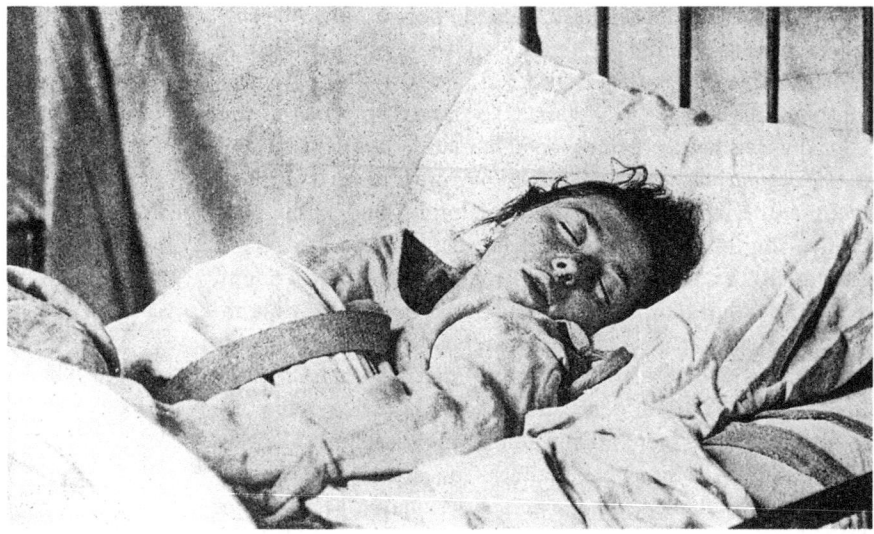

69. Londe, «Sueño histérico», *La photographie médicale* (1893).

y Régnard[36], se sumergía en ese tipo de sueño, nadie pensaba en salvarla de un entorpecimiento puede que de pesadilla; más bien su camilla hacía su entrada en escena en el anfiteatro de las lecciones de los martes; totalmente abandonada, entonces, a las curiosidades de un público y a los comentarios «expectantes» del Dueño de su sueño:

La enferma que acaba de disponerse ante sus ojos es, de acuerdo con el lenguaje al uso de este hospicio, lo que llamamos una *durmiente*. En efecto, esta enferma duerme —si esto puede no obstante llamarse dormir— desde el pasado 1 de noviembre, es decir, desde hace 12 días. En realidad, desde ese momento no ha cesado de dormir, por supuesto a su manera, noche y día, sin despertarse jamás, y tenemos razones para pensar que no se despertará pronto. En ese servicio en el que vive desde hace bastante tiempo, se permite a las cosas avanzar como quieran, sin buscar el provocar el despertar, sabiendo por experiencia que en este caso resultaría inútil fuesen los que fuesen los medios que se llevasen a cabo; y esclarecidos por lo que había ocurrido anteriormente en numerosas crisis parecidas, asistimos sin ansiedad, sin emoción a ese

---

[36] Cfr. IPS, III, págs. 118-139.

espectáculo singular con el que nos hemos familiarizado desde hace tiempo, viviendo en la convicción bien fundada de que un buen día, antes o después, todo volverá a su orden de forma espontánea[37].

Resumiendo, el «ataque de sueño» era un ataque histérico momentáneamente petrificado, presentable —con esa fantástica ganga de que muy a menudo (pese a la opinión, aquí, de Charcot) lo «momentáneo» permanecía, si no dominable, al menos manipulable. Receta: pueden, a su elección, permitir que siga, o bien interrumpir, o bien precipitar el ataque: esto se conseguía bastante bien mediante la «compresión ovárica»[38].

Los fenómenos sintomáticos del sueño de las histéricas fueron de hecho, de una manera más general, vía ancha, ¡ya tan pronto!, para un «conocimiento» de la histeria. Pero conocimiento aquí significaba: tomar nota, exactamente, de un *hacer-acto* del sueño.

Destaquemos aquí dos fenómenos clave: sonambulismo y vigilambulismo. Esos momentos pantomímicos en los que una histérica gesticulará, posará, *representará*, su sueño[39]. *Sobreactuación* inconsciente de las pesadillas y de los sueños. Estados llamados *«segundos»*, en los que la escisión del pobre cuerpo empírico se manifiesta *plásticamente*, una vez más. El «segundo» del sujeto mostrado ahí como una especie de delicioso *autómata*.

COMPARECENCIA DE LA HIPNOSIS
—CUERPOS SUTILES

Pero todo ensueño es equívoco. Y en ciencias, en positividades, el equívoco ¿no es como un *continente oscuro?* Así pues:

> Parece, en efecto, que existan en la ciencia cosas de las que no se deba hablar, en cuya exposición un hombre prudente jamás se aventura, sujetos peligrosos de los que ocuparse ja-

---

[37] Charcot, 1888-1889, págs. 63-64.
[38] *Ídem,* págs. 271-277. Cfr. Gilles de la Tourette, 1891-1895, II, págs. 202-263; Conta, 1897, *passim.*
[39] Cfr. IPS, III, págs. 88-100; Régnard, 1887, pág. 203; Charcot, 1892-1893, II, págs. 56-69, 168-176; Guinon, 1891-1892, págs. 70-167, 177-265.

más ofrece beneficios. El sonambulismo (...) pertenece ciertamente a esta categoría[40].

Así pues, respecto a este punto, Charcot habrá tomado un riesgo, bastante radical a fe mía: presentar en 1882, y ante todas las autoridades académicas, todos los fenómenos de soñación y, más allá, de hipnosis, como *objetos de ciencia*[41].

¿Se tambaleó el positivismo? No, puesto que Charcot presentaba esos fenómenos como si saliesen del puro *soma:* estados fisiológicos suscitados por ciertas excitaciones, punto final. En esto consistía su artimaña y su riesgo, puede que sin saberlo, además de su victoria y su error.

Desde 1878 colocó la hipnosis en su programa «personal» (oficioso) de enseñanza. Alegando entonces, y desde ese momento, toda la prudencia expectante del clínico:

> He realizado, en efecto, algunos estudios nuevos sobre los estados sonambúlicos y catalépticos, cuyo desarrollo tiene lugar de forma progresiva. Actúo con prudencia, no avanzando más que paso tras paso, y me coloco en el punto de vista de la clínica estricta. Deseo, en efecto, que estos estudios se potencien lo más posible, porque, en mi opinión, el avance de la patología nerviosa está interesado en ello[42].

Se consideró que desde ese momento había vuelto a dar carta de nobleza a esa práctica de charlatanes: realizaba una práctica reglamentada, delimitada, un «hipnotismo científico» para resumirlo, totalmente «sometido a la descripción científica»[43].

Más que «sueño nervioso» o fenómeno de «doble conciencia»[44], el hipnotismo se volvió a plantear en primer lugar, según las virtudes de la anatomoclínica, como una *forma aumentada,* denominada por ello «gran hipnotismo», y se planteó menos como fenómeno sintomático que como un *protocolo experimental*[45].

---

[40] Régnard, 1887, pág. 203.
[41] Cfr. Chertok y Saussure, 1973, pág. 71; Veith, 1965, pág. 235.
[42] Charcot, Prefacio a Azam, 1893, *passim.*
[43] Freud, 1886a, pág. 13.
[44] Cfr. Azam, 1887, págs. 9-60; Azam, 1893, *passim.*
[45] Cfr. Richer, 1881-1885, págs. 505-798.

Toda la artimaña de Charcot descansa aquí. Cierto, la relación de la hipnosis con los estados paradójicos del sueño histérico «espontáneo» no se le escapaba a nadie; pero esta relación de *analogía*[46] fue subrepticiamente desviada en los siguientes términos: en primer lugar, el sonambulismo es un estado enfermizo, es una neurosis en recesión[47]; en segundo lugar, el hipnotismo es una técnica susceptible de provocar experimentalmente todos los fenómenos del sonambulismo[48]; en tercer lugar, el hipnotismo debe por tanto considerarse como un estado neurótico por excelencia, una *histeria experimental,* una histeria de síntesis.

¡Prodigio clínico! Dense cuenta de que la mayor parte del tomo III de la *Iconographie* está consagrada, con láminas de apoyo, a todos esos fenómenos provocados de «Hipnotismo, magnetismo, sonambulismo»[49].

Prodigio teórico: en cuarto lugar, el hipnotismo, en tanto que protocolo experimental reglamentado, vino a ofrecer el ¡propio paradigma conceptual! de toda comprensión de la histeria; se convirtió en *un modelo de la Histeria.* Y es así como seguidamente la Histeria de Charcot dejó definitivamente (o casi, casi) de ser ese Proteo de la ciencia que, en mil formas bajo ninguna, etcétera, etcétera.

Y esto no es más que otra paradoja más.

«PER VIA DI PORRE»
—MÁQUINAS SUBLIMES

Una histeria experimental: la hipnosis se habrá convertido, pues, en una especie de marco, un patrón de la histeria, pero preciso, menos epistemológico que técnico, práctico. La hipnosis fue, en realidad y sobre todo, *receta de histeria.*

Charcot la consideraba como un estado totalmente excepcional porque constituía una alteración total de los funcionamientos del organismo y *una alteración desencadenable* a voluntad, por ello excepcional *para la observación:*

---

[46] Cfr. Gilles de la Tourette, 1887, págs. 215-244.
[47] Cfr. Régnard, 1887, pág. 205; Richer, 1881-1885, pág. 505.
[48] Cfr. Pitres, 1891, II, págs. 68-533, etc.
[49] Cfr. IPS, III, págs. 147-228, láms. XIII-XL.

Entre el funcionamiento regular del organismo y las alteraciones espontáneas que acarrea la enfermedad, la hipnosis se
convierte como en una vía abierta a la experimentación. El
estado hipnótico no es nada más que un estado nervioso artificial o experimental, cuyas manifestaciones múltiples aparecen o se desvanecen, según las necesidades del estudio, a capricho del observador[50].

El estado hipnótico fue así providencia para lo que se viene a denominar *«patología experimental»*. Charcot no obstante
permaneció algo ambiguo entre lo que delimitaba metodológicamente, pudorosos principios, y aquello que conseguía llevar a cabo, cotidianamente, de hecho: es decir, prodigios.

Admitía, por una parte, que la «patología experimental» no
puede más que «imitar los síntomas» y solamente «hacerlos
aparecer de forma aislada, uno a uno»[51]: simulacro, nada
más...

(¿Pero acaso esto no se parecería a una definición, al estilo
Charcot, del propio síndrome histérico, como mimetismo
parcial de las afecciones orgánicas? Guardemos esto en un
rincón de la memoria.)

... Y, por otra parte, presumía de sus fantásticos logros experimentales (una cataléptica que, sobre el escenario, ante el
público, se libra de multitud de síntomas bajo su batuta y mirada) para afirmar una especie de capacidad todopoderosa de
la hipnosis: «Lo que tenemos ante nuestros ojos se trata realmente, en toda su simplicidad, del *hombre-máquina* soñado
por de La Mettrie»[52]. Apunto que en cuanto a La Mettrie, éste
no escondía lo siguiente, que si el hombre es una máquina,
entonces los médicos serán los patrones: puesto que la medicina será la única en poder «cambiar los espíritus y las cos-
tumbres junto con el cuerpo»[53].

Y es un hecho que Charcot modificaba intensamente a sus
«sujetos». Los metamorfoseaba en cuerpo y alma. Bien es
cierto que fallaba al querer extraer una teoría de un tejemaneje neurofisiológico de hermosas «comisuras que enlazan las

---

[50] Charcot, *OC,* IX, pág. 310.
[51] Charcot, 1867, pág. 20.
[52] Charcot, *OC,* III, pág. 337.
[53] La Mettrie, cit. por Leduc-Fayette, 1980, pág. 349.

llamadas regiones motrices de la corteza cerebral con la médula», de las «fibras del haz piramidal» y demás «excitablilidades espinales»: un tejemaneje del que él mismo no conseguía desembarazarse[54]. Pero, sin embargo, destacaba a la hora de describir y extraer las consecuencias prácticas del instrumento, sí, del instrumento hipnótico.

Esto es concretamente lo que entendió muy pronto, de cuya prueba supo sacar provecho cada vez y que nos parece en primer lugar, al igual que a él, absolutamente primordial: la sugestión hipnótica le permitía *hacer, rehacer o deshacer,* a voluntad, y de forma totalmente equivalente, es decir, retroversible. Provocar un síntoma, luego suprimirlo, después volver a provocarlo; esto era posible y exigía una operación perfectamente idéntica. En tal manera esto era un instrumento que se podía modular, *fugato, crescendo, stringendo, a piacere, ¡ad libitum!* «A esta parálisis que habremos *hecho* por vía de sugestión, la podremos, a nuestro gusto, modificar en grado, incluso hasta cierto punto en sus características, y finalmente *deshacerla* de igual manera mediante sugestión»[55].

Charcot *interpretaba la histeria,* ciertamente. Pero más bien como un director de orquesta. *A piacere. Morendo:* a muerte, quién sabe.

Otra analogía, debida a Freud, y que insiste sobre ese punto fundamental: que la técnica de la hipnosis ofrecía a Charcot la libertad de intervención de un *artista,* ¡de un pintor!, sobre un «material» totalmente entregado a él. La sugestión hipnótica, escribe Freud, es comparable al arte de pintar, en el sentido en que Leonardo lo oponía a la escultura; trabaja *per via di porre*[56]: deposita (al igual que el pintor *deposita* su pigmento), suple, proyecta, congela, enmarca.

La hipnosis tuvo por añadidura, en Charcot, valor *figurativo:* constituía, según sus propias palabras, una técnica «ideal» susceptible de *redibujar* (es decir, redisponer, discriminar) el cuadro sintomático, demasiado confuso en su calidad de «espontáneo», de la histeria. Gracias a esta técnica, los estados

---

[54] Charcot, *OC,* IX, págs. 468-469. Cfr. págs. 297-308, etc.

[55] Charcot, *OC,* III, pág. 340. Cfr. Charcot, 1887-1888, págs. 376-377.

[56] Cfr. Freud, 1905b, pág. 13.

del cuerpo histérico pudieron por fin ser «perfectamente dibujados y separados»[57].

¡Perfectamente! Charcot alcanzaba ahí lo *sublime* de un género, tal y como él mismo decía. De esta manera expresaba su confianza, tras culminar el experimento de una parálisis histérica:

> En ciertas circunstancias, podríamos reproducirla artificialmente, lo que constituye lo sublime del género y de hecho el ideal de la fisiología patológica. Poder reproducir un estado patológico es la perfección, porque parece que la teoría se cumple cuando se tiene entre las manos el medio de reproducir los fenómenos mórbidos[58].

Poder reproducir todos los estados, todas las posturas de un cuerpo-máquina; poder finalmente «sostener», «producir» toda la teoría; poder inventar y verse siempre confirmado por los hechos. Descubrimiento sublime. La hipnosis fue, en esto, el gran *estilo* de Charcot. Vistazos, tactos sutiles. Poderes.

MANIPULACIONES
—PRODIGIOS DE LOS CUERPOS

La hipnosis fue todo un arte del contacto. *Per via di porre.*

Cien métodos. Pases, caricias, miradas fijas, cuerpos que brillan: los ojos de la sujeto se vuelven «vagos», «se inyectan», «se bañan en lágrimas», luego se cierran, ya está. De aquí en adelante ya es totalmente suya[59]. Método ordinario, llamado de Deleuze; «magnetizaciones en la cabeza»; método llamado de Faria[60]. Manos entre las manos, rozar de párpados, confianza. Hacer que se fijen en un objeto, por lo general oblongo o luminoso, alguna varita mágica. Véase, pura gestualidad de la maestría, signos sencillos, sin tocar nada, y funciona: «Cuentan ustedes con una enferma muy

---

[57] Charcot, 1887-1888, pág. 373.

[58] *Ídem,* pág. 136.

[59] Régnard, 1887, pág. 243. Cfr. IPS, III, pág. 463.

[60] Cfr. IPS, III, págs. 458-462.

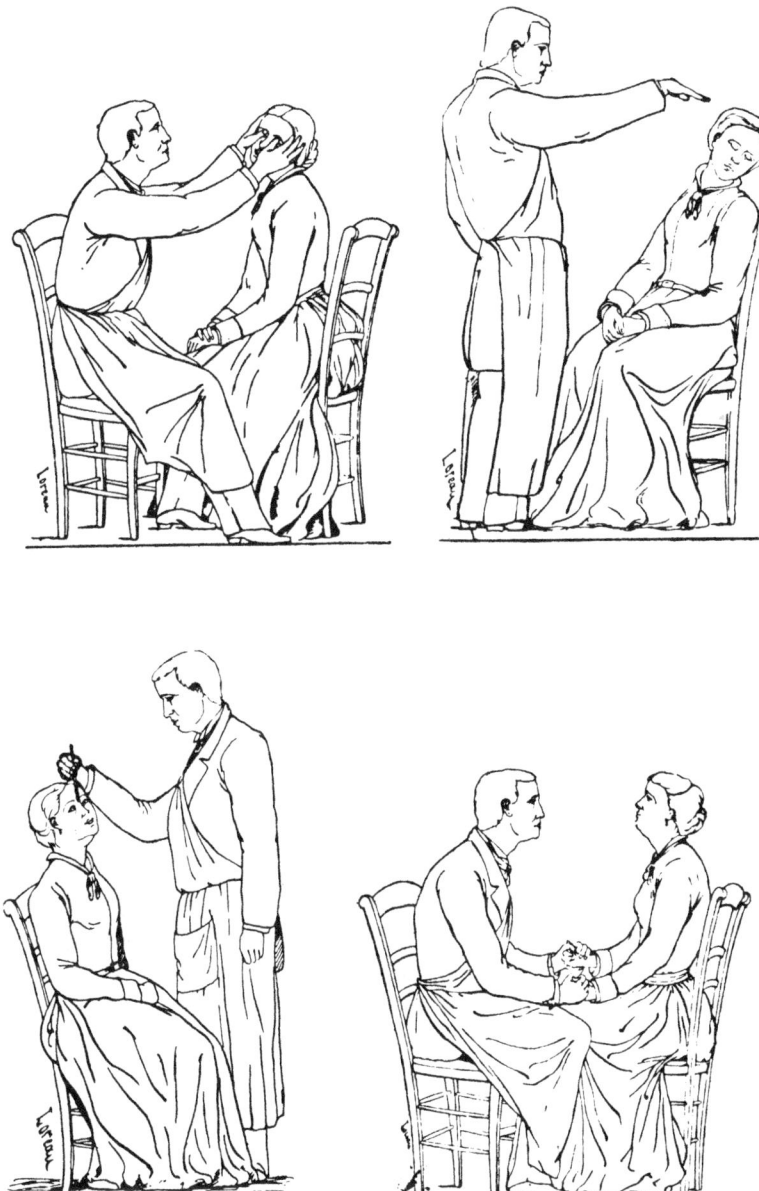

70. Bourneville. Esquemas de trances hipnóticos. *Iconographie...*, tomo III.

ejercitada que se hipnotiza rápidamente: les bastará con extender súbitamente la mano sobre la cabeza, caerá como fulminada»[61] **[70]**.

Resumiendo, una mujer histérica se dirige sin dudarlo hacia su entera desposesión, la *sumisión* hipnótica; tan complaciente en dejarse fascinar como un pajarillo ante la serpiente que lo rodeará para comérselo: la predación ideal **[71-73]**.

(Freud, en 1895, confesaba «no poder prescindir ya de ello» a causa de lo «cómodo» y «evocador» que le resultaba este procedimiento: «Cada vez descubro lo que busco mediante esta presión de la mano»...)[62].

La predación ideal: una provocación de *ternura*. Qué prodigiosa resultó esa ternura. Se volvieron a provocar todos los sueños y todos los sonambulismos, bellas-durmientes, a voluntad. Augustine volvió a hacer maravillas. E incluso cada uno de ellos ganó el más preciado de los tesoros: el amor. «X... dice que, en el sueño provocado, no tiene sueños; pero que experimenta sentimientos afectuosos hacia el experimentador sea quien sea, incluso aunque antes hubiese sentido por él sentimientos de odio»[63].

¿No resultaba alentador? Más bien. Se hizo por tanto «reproducir», mediante otras «malaxaciones, fricciones o simples presiones» hipnóticas, véase «percusiones», las contracturas histéricas de todas las especies, dolorosas o no, qué importa, se las hacía turnarse constantemente entre ellas, cesar y volver a comenzar en otro momento:

> Mediante una suave fricción, con las puntas de los dedos, los músculos flexores de los dedos y antebrazos, se determina una contractura artificial de los dos miembros superiores [lámina XIII] **[74]**. Para hacer parar la contractura, basta con malaxar los músculos contraídos o friccionar suavemente los músculos antagónicos, teniendo cuidado de no excitarlos más allá de una cierta medida, con el fin de no sustituir una contractura en la flexión por una contractura en la extensión[64].

---

[61] *Ídem,* pág. 469.

[62] Breuer y Freud, 1893-1895, pág. 218.

[63] IPS, III, pág. 192. Cfr. págs. 19-20, etc.

[64] *Ídem,* pág. 191. Cfr. Charcot, *OC,* IX, págs. 314-335, 463.

UN COQ HYPNOTISÉ.

D'après une photographie de l'auteur.

71. [Un gallo hipnotizado. Según una fotografía del autor]. Régnard, *Les maladies épidémiques de l'esprit* (1887).

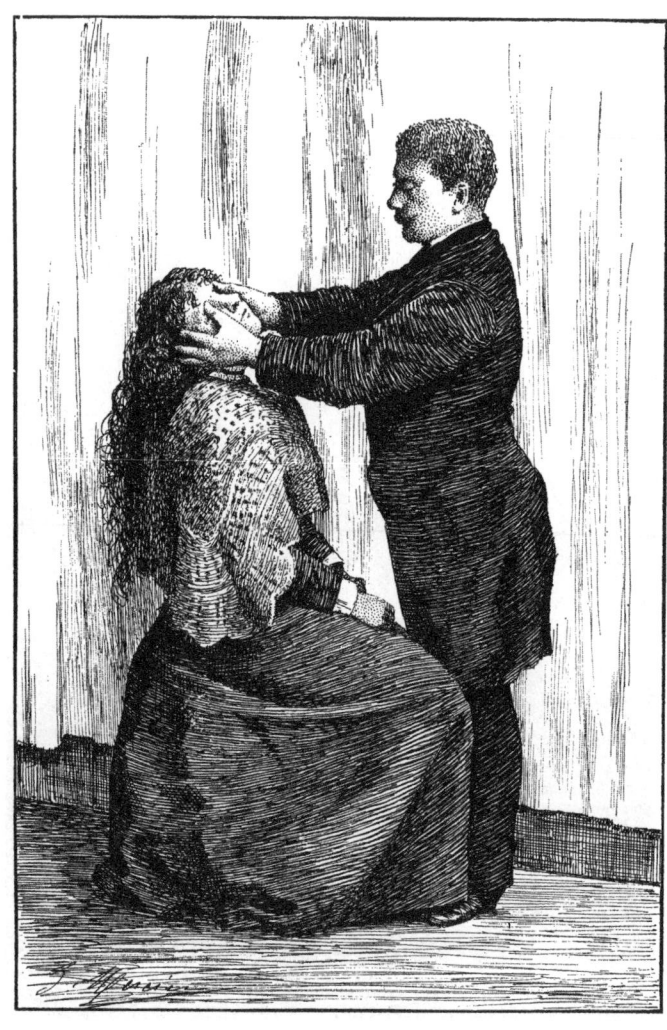

PROCÉDÉ POUR FAIRE CESSER L'ÉTAT CATALEPTIQUE
ET POUR RAMENER LA SOMNIATION.

D'après une photographie de l'auteur.

72. [Procedimiento para detener el estado cataléptico y para devolver el estado de sopor. Según una fotografía del autor]. Régnard, *Les maladies épidémiques de l'esprit* (1887).

PROCÉDÉ POUR LA PRODUCTION DE LA CATALEPSIE.
D'après une photographie de l'auteur.

73. [Procedimiento para producir la catalepsia. Según una fotografía del autor]. Régnard, *Les maladies épidémiques de l'esprit* (1887).

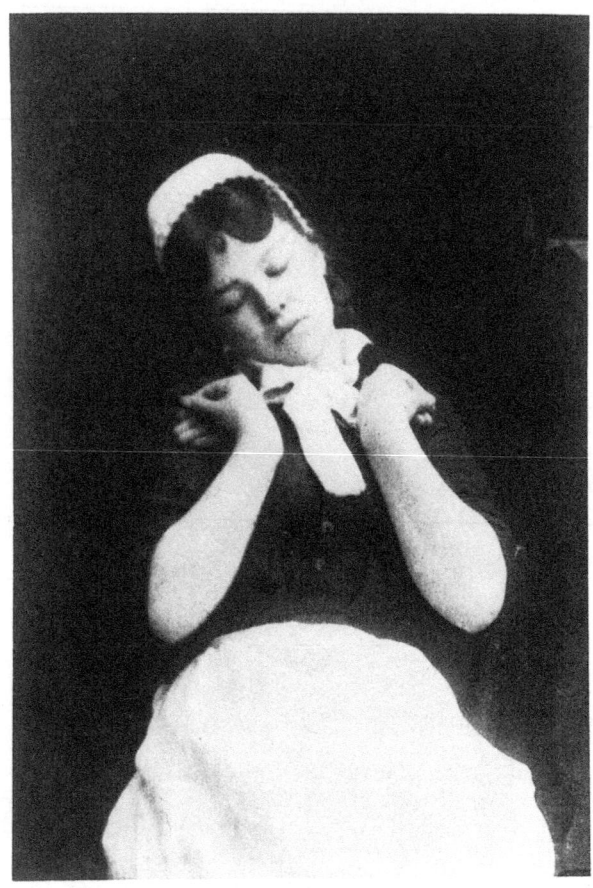

Planche XIII.

LÉTHARGIE
CONTRACTURE ARTIFICIELLE

74. [Lámina XIII. Letargo. Contractura artificial]. Régnard. Fotografía de Augustine. *Iconographie...*, tomo III.

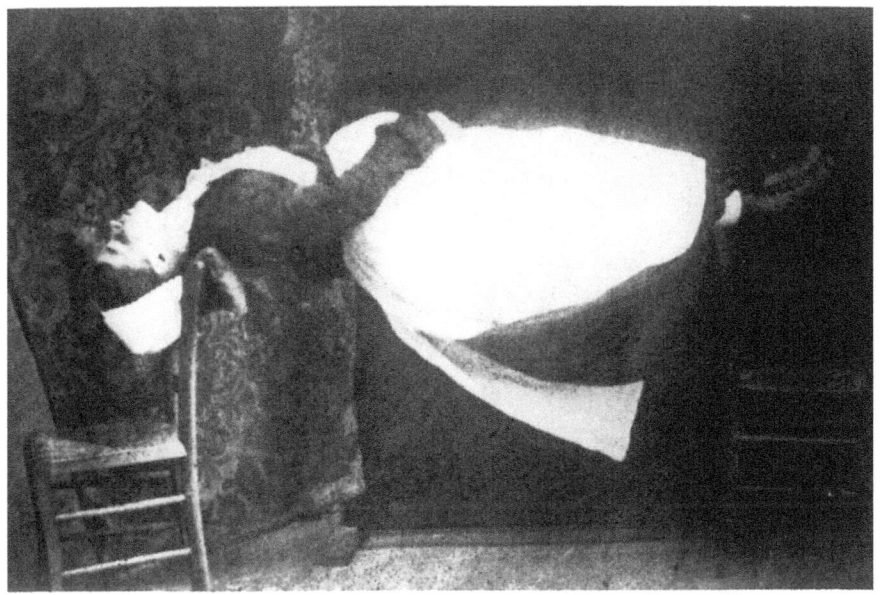

Planche XIV.

LÉTHARGIE
HYPEREXCITABILITÉ MUSCULAIRE

75. [Lámina XIV. Letargo. Hiperexcitabilidad muscular]. Régnard. Fotografía de Augustine. *Iconographie...*, tomo III.

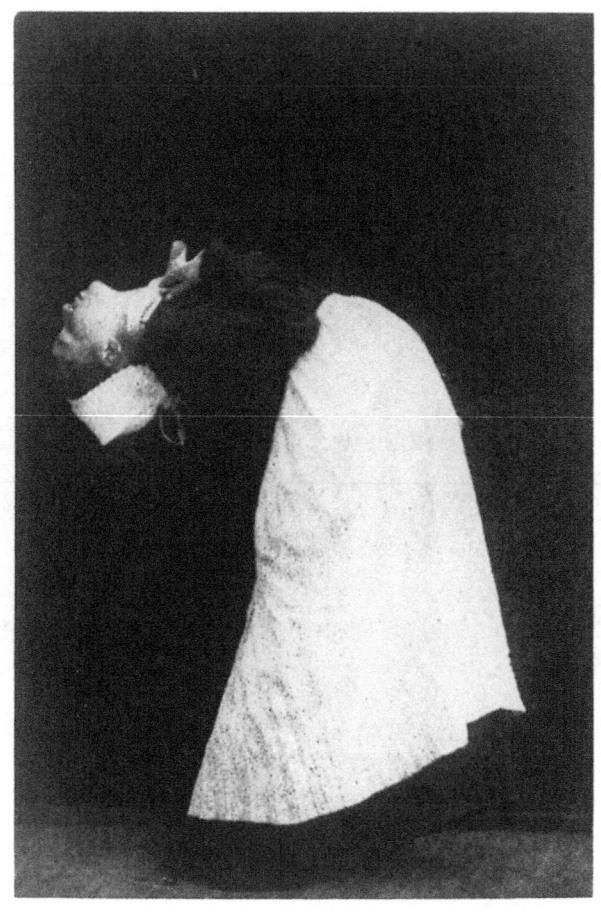

Planche XV.

CATALEPSIE.

76. [Lámina XV. Catalepsia]. Régnard. Fotografía de Augustine. *Iconographie...*, tomo III.

Delicada Augustine: manejar su cuerpo exigía casi el virtuosismo...

(Pero ¿se han dado cuenta de que de esta manera, cuando no tenían lugar de forma espontánea, se volvían a provocar las mismas contracturas por las que ya cinco años antes Augustine había acudido a la Salpêtrière para «someterse a tratamiento»?)

... Así pues, un virtuosismo y una moral del juguete. Todo fue apto para su *reproducción* —los acromatismos, los estigmas, las crisis, los delirios, las auras[65]. Todos ellos *artificiales,* tal y como se decía. Puesto que el cuerpo histérico estaba dotado al menos de dos cualidades prodigiosas.

Era, en primer lugar, un *cuerpo-desencadenante.* Se presiona, se ordena y el efecto llega (... no siempre: a veces ocurría que una misma fricción de piel hipnotizada podía tener efectos opuestos, contracciones o resoluciones, pero fenómenos al fin y al cabo...)[66].

Era también *articulable* a voluntad, dotado de una increíble *sumisión plástica* (y esta sumisión fue también lo que permitía a Régnard puntualizar con precisión sus objetivos, sus diagramas, sus distancias y sus tiempos de pose):

—O bien totalmente rígida: «X... se ha vuelto a dormir. Apoyamos su cabeza sobre el respaldo de una silla, seguidamente friccionamos los músculos de la espalda, de los muslos y las piernas, y colocamos los pies sobre una segunda silla: el cuerpo, rígido, permanece en esta situación [lámina XIV] **[75]** durante un periodo de tiempo bastante largo (nunca hemos prolongado el experimento más de 4 o 5 minutos); se puede colocar una carga de 40 kilogramos sobre el vientre sin hacer que el cuerpo se doble»[67].

—O bien totalmente flexible: «Dormimos a X... por sorpresa. (...) El cuerpo se puede colocar en *arco* [lámina XV] **[76]**, etc.»[68].

Pues sí, y etcétera, etcétera, como diría *Monsieur* Loyal.

---

[65] Cfr. Charcot, *OC,* IX, págs. 278-288; Laufenauer, 1889, *passim;* Guinon y Woltke, 1891a y 1891b, *passim.*

[66] Cfr. Shaffer, 1893-1894, pág. 305.

[67] IPS, III, pág. 192.

[68] *Ídem,* pág. 193.

PINCELADAS —CUERPOS GALVANIZADOS

Esta *sumisión plástica* permitió también una auténtica *pintura* del fenómeno hipnótico mismo, a imagen exacta del modelo ya construido en otro momento para dar cuenta del ataque histérico.

Representación en un cuadro y en periodos, en fases. Una ley de los «tres estados», tal como decía Charcot, gran lector de Comte. Toda una narración icónica de la *catalepsia* que alterna la *letargia* y luego el *sonambulismo*. Resulta destacable que ese modelo de progresión tripartita sea al mismo tiempo como la narración exacta de un traspaso de poderes de la *mirada* al *movimiento* (la especie de «lenguaje motor» hipnótico), es decir, en un sentido, la narración (supuestamente) exacta del propio misterio de la conversión histérica. En el sujeto inmerso en la catalepsia, los ojos permanecen abiertos, la fisonomía y gestos se encuentran ya dentro de unas relaciones de influencia muy constantes y retroversibles; en la letargia, los ojos se cierran; en el sonambulismo, escribe Charcot, evocando a Azam, «el sentido muscular (...) parece (...) reemplazar a la vista»[69].

Pero hacer un cuadro *per via di porre* no es solamente disponer unas series. También es jugar con el motivo, experimentar las morfogénesis, las singularidades, hasta en sus más mínimos detalles.

Se intentó, pues, en la Salpêtrière, abordar la hipnosis según una auténtica *sintaxis de elementos discretos*. Esto, especialmente, sobre la base del extraordinario fenómeno de la hiperexcitabilidad neuromuscular durante la fase letárgica. Encontramos aquí como el colmo del cuerpo-desencadenante: ustedes tocan y el músculo, él solo, por más pequeño que sea, independientemente de todo el resto del cuerpo, ¡responde, se contrae! Lo mismo ocurre con los tendones y los nervios[70].

Insisto sobre el aspecto verificador y sintáctico de esta problemática instrumental. Se trataba de poner al día, de «poner

---

[69] Charcot, *OC,* IX, pág. 257. Cfr. Richer, 1881-1885, págs. 253-323.
[70] Cfr. Charcot, *OC,* IX, págs. 309-421.

FIG. 1. FIG. 2.

FIG. 3. FIG. 4.

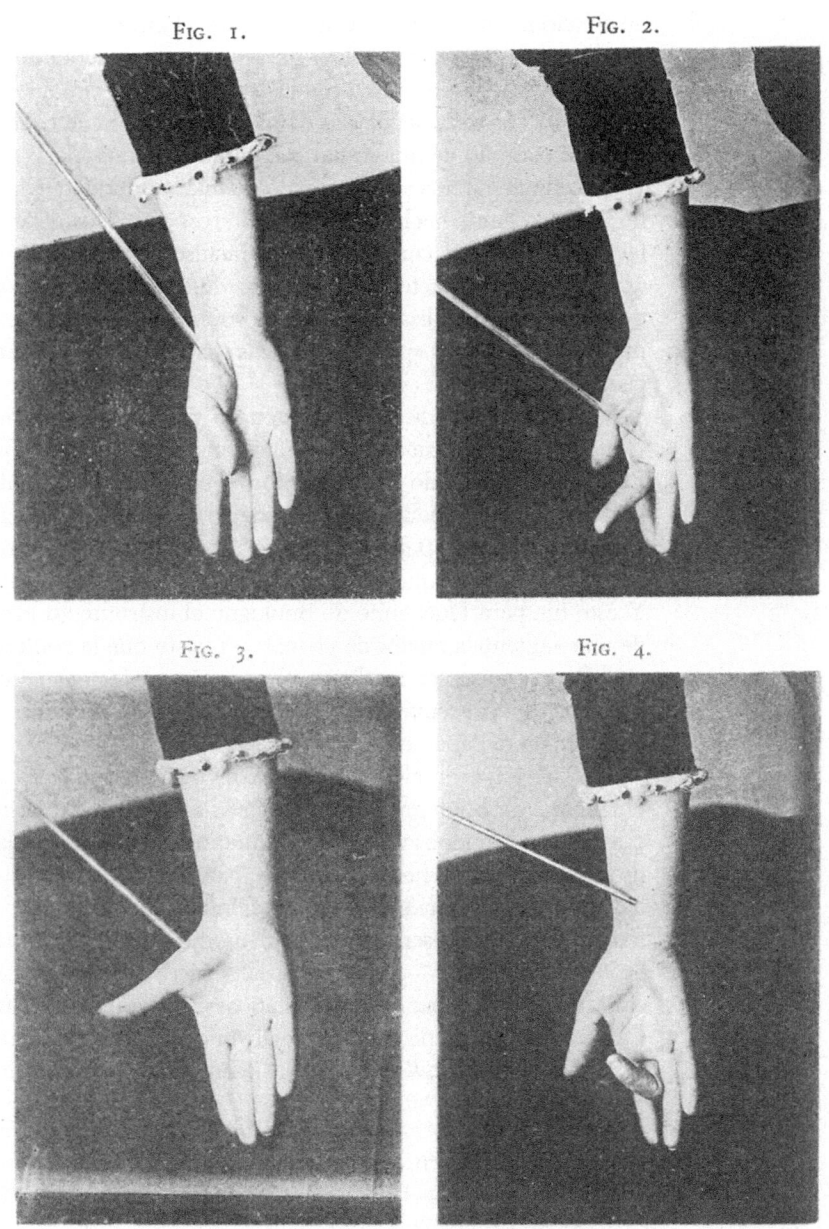

77. Pitres, «Efectos de la excitación mecánica de algunos músculos de la mano de Marie-Louise F... en estado cataleptoide», *Leçons cliniques...* (1891).

en funcionamiento» habría dicho Claude Bernard, y de dominar, las leyes «elementales» de la relación *causal* entre el *simple contacto* de un músculo y la *contractura específica* que se infería [77]. Se trataba además de medir todo esto con exactitud, por ejemplo de miografiar cada inflexión muscular.

Procedimiento típicamente «experimental», ortodoxo: Claude Bernard había hecho lo mismo con respecto a los nervios faciales de algunos conejos[71]. Había incluso, para la ocasión, apelado a un contacto más exquisito que la simple fricción mecánica, había utilizado, para sus propias «contracturas experimentales», unas «pinzas eléctricas» extremadamente precisas y lancinantes[72].

Pero el maestro de todo este género sintáctico, el propio Charcot se complacía en decirlo, fue Duchenne de Boulogne. Éste se había armado de un «reóforo», un ingenio muy sutil que, unido a un «aparato volta-faradaico», permitía electrizar *localmente* la piel, y permitía así «ver dibujarse bajo el instrumento las más pequeñas radiaciones de los músculos»[73]. Y esto fue para Duchenne de Boulogne el instrumento ideal de una «auténtica anatomía viviente», puesto que la contracción de los músculos mediante el pequeño reóforo eléctrico revelaba «su dirección y su situación mejor que podría hacer el escalpelo del anatomista»[74] [22].

Por otra parte, la electricidad se convirtió en *una panacea.* Duchenne de Boulogne pretendía curar a las mismas histéricas con sus pequeños reóforos, o al menos pretendía curarlas de todas las «afecciones musculares», parálisis, contracturas, y hasta de las «alteraciones de la fonación»[75]. Fue así como el mismo Charcot prescribió «el empleo de la electricidad estática en medicina»[76] —contando la Salpêtrière desde entonces con numerosos «baños electrostáticos», «máquinas Holtz-Carré» y todo tipo de métodos «galvánicos»; pero, dejémoslo. La especie de *taller,* suerte de pequeña industria de los

---

[71] Cfr. Bernard, 1858, II, págs. 32-35, 40-41.
[72] *Ídem,* I, pág. 144, figs. 14-16.
[73] Duchenne de Boulogne, 1862a, pág. 15.
[74] *Ídem,* págs. 38, 15.
[75] Cfr. Duchenne de Boulogne, 1862b, págs. 316, 574, 711-728, etc.
[76] Cfr. Charcot, *OC,* IX, págs. 483-501.

cuerpos, donde se dispensaban en serie los precursores del electroshock, estuvo, pues, en esta época siempre lleno, bajo el impulso del doctor Vigouroux [78]...

Toda una técnica se elaboraba, profusamente, en todos los sentidos. Una edad dorada (al igual que para la fotografía). Se combinó la electricidad con cien magnetismos posibles e imaginables. Se elaboraban una industria, ¡un comercio!; véase por ejemplo el *quasi* reclamo de esa «máquina de inducción» propuesta en la *Revue photographique des Hôpitaux de Paris* en 1874:

78. Vierge. El laboratorio de electroterapia de la Salpêtrière. *Le Monde illustré,* 14 de agosto de 1887.

> Este aparato se compone de un imán de hierro a caballo ante los polos del cual gira un electroimán movido por dos poleas y una correa de transmisión. La intensidad de las sacudidas se gradúa fácilmente acercando o alejando de los polos del imán un contacto de hierro blando; al separar ese contacto, se obtiene el efecto máximo que se traduce en sacudidas insostenibles. Esta máquina de inducción tiene un aspecto

gracioso y lo módico de su precio la coloca al alcance de todos los prácticos: la administración de nuestra revista puede
proporcionarla al precio de 30 francos[77].

Bravo por la inocentísima crueldad de dos palabras en co-
lusión: «insostenible» y «gracia». Constatemos finalmente
que Charcot, al igual que Duchenne de Boulogne, denominaba *«pincel eléctrico»* a esa pequeña herramienta-milagro a
la que anteriormente me refería como reóforo[78]. Evidentemente.

«ESTATUAS EXPRESIVAS»

Lo que cuestiono es la extensión de una evidencia. Más
allá de la evidencia experimental, que es ella misma una extensión reglamentada de evidencias clínicas.

Ahora bien, más allá de las problemáticas de la anatomía
«en vivo» y de la terapéutica de algunos síndromes neuro-
musculares, la gran preocupación, el deseo debería decir, de
Duchenne, concernía exactamente a una cuestión clásica
de la pintura, véase de la antropología, anteriormente evocada: la del *alfabeto de las pasiones*. Duchenne buscaba en el estudio hiperdetallado de las reacciones musculares de superficie
«las leyes que rigen la expresión de la fisonomía humana»;
buscaba, pues, una ley de la relación entre el «alma» y su «expresión» a través de las más ínfimas variaciones de «la acción
muscular»; buscaba, simplemente, definir la *«ortografía de la
fisonomía en movimiento»*[79].

Cierto que estimó haber aportado algo grande a la ciencia,
con su análisis de las «expresiones primordiales» o bien
«complejas», y a su cuadro sinóptico definitivo de los «músculos que las producen»[80]. Pero estimó tal vez con mayor orgullo,

---

[77] Montméja, 1874, pág. 250, lám. XXXVI. Cfr. Legros y Onimus, 1872,
passim; Onimus, 1872, *passim;* Arthuis, 1887, *passim.*

[78] Cfr. Duchenne de Boulogne, 1862a, pág. 15, etc.; Charcot, *OC,* IX,
pág. 410, etc.

[79] Duchenne de Boulogne, 1862a, págs. V-VI (prefacio).

[80] *Ídem,* págs. 45-47.

en la *«parte estética»*, que concluye, como un *telos,* su obra, con sus láminas fotográficas, la especie de catálogo sintáctico del rostro que éstas intentan constituir; estimó, pues, y siempre con absoluta sencillez, «responder a los *desiderata* del arte»[81]. En resumen (por el momento).

Retengamos aquí que Charcot estuvo muy lejos de ser insensible a esa virtud que tienen los músculos de «pintar de forma absoluta, mediante su acción aislada, una expresión que les es propia»[82]. Charcot enseñó, pues, a sus estudiantes de neurología toda esa «ortografía de la expresión de las pasiones» según Duchenne.

Lenguaje de la piel y los músculos. Todo dispuesto ante las inminentes tecnologías del *test,* del electroshock, de la antropología criminal, de la ciencia del comportamiento, y no sigo. Porque la electricidad también es «un cuerpo, un peso, el cincelado de una cara, el imán pegado a una superficie que ha sido lanzada del exterior de un golpe, al borde de ese golpe»[83]...

Por esto es por lo que hablaba de pinceladas eléctricas.

Las prácticas de faradización, en la Salpêtrière, permanecieron no obstante en una especie de entredós metodológico. Por una parte, se vieron, si puede decirse, muy «mejoradas» («Hemos sustituido en algunos experimentos el excitador olivario por una pequeña aguja implantada directamente en el músculo»)[84]. Por otra parte, complicaban a pesar de todo el estricto protocolo iconográfico, suponiendo que éste estuviese orientado hacia una demostración de los prodigios intrínsecos del cuerpo histérico. Todo esto, por supuesto, sigue siendo ambiguo. Como testigo, el siguiente protocolo: «Con ayuda de los excitadores olivarios ordinarios de Dubois-Raymond, hacíamos contraer un músculo del rostro; la fisonomía se impresionaba, el gesto la seguía. Una vez obtenido dicho resultado, *retirábamos* los excitadores y ya se podía tomar la fotografía»[85].

---

[81] *Ídem,* pág. 133.
[82] Charcot, *OC,* IX, pág. 362.
[83] Artaud, *OC,* tomo XVI, vol. 2, pág. 62.
[84] Richer, 1881-1885, pág. 671.
[85] *Ibídem* (la cursiva es mía).

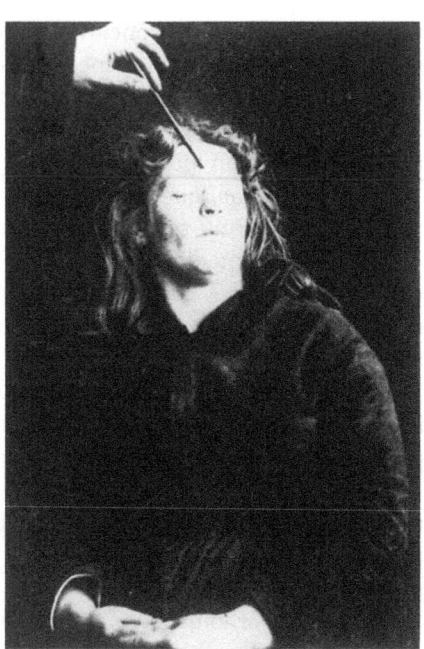

79-80. Régnard, «Letargo. Contracción del esternomastoideo y contracción del frontal», *Iconographie...,* tomo III.

Ahora bien, la esencial generosidad histérica permitía no abusar de tales trucos. En efecto, un cuerpo sumido en estado letárgico, por ejemplo, reacciona ante el más mínimo contacto mecánico de forma exactamente análoga a como lo haría un sujeto «normal» inducido a una intensa faradización. Bourneville y Charcot no se privaron ciertamente de demostrarlo repetidamente, en unas prodigiosas series de clichés[86] [79-81].

Tiene incluso el don, ese cuerpo hipnotizado, de una propiedad suplementaria y sorprendente, que va mucho más allá de la simple «plasticidad cataléptica» (con todos los miembros guardando de forma fija la postura que se les «imprime»)[87]. Se trata de lo siguiente: un *gesto* «impreso» al sujeto hipnotizado induce de forma espontánea una *¡expresión concomitante del rostro!* «Epifenomenismo», se denomina a esto, o

---

[86] Cfr. Charcot, *OC,* IX, págs. 355-377, láms. V-IX; IPS, III, láms. XIII-XL.
[87] Cfr. Binet y Féré, 1887a, págs. 323-332.

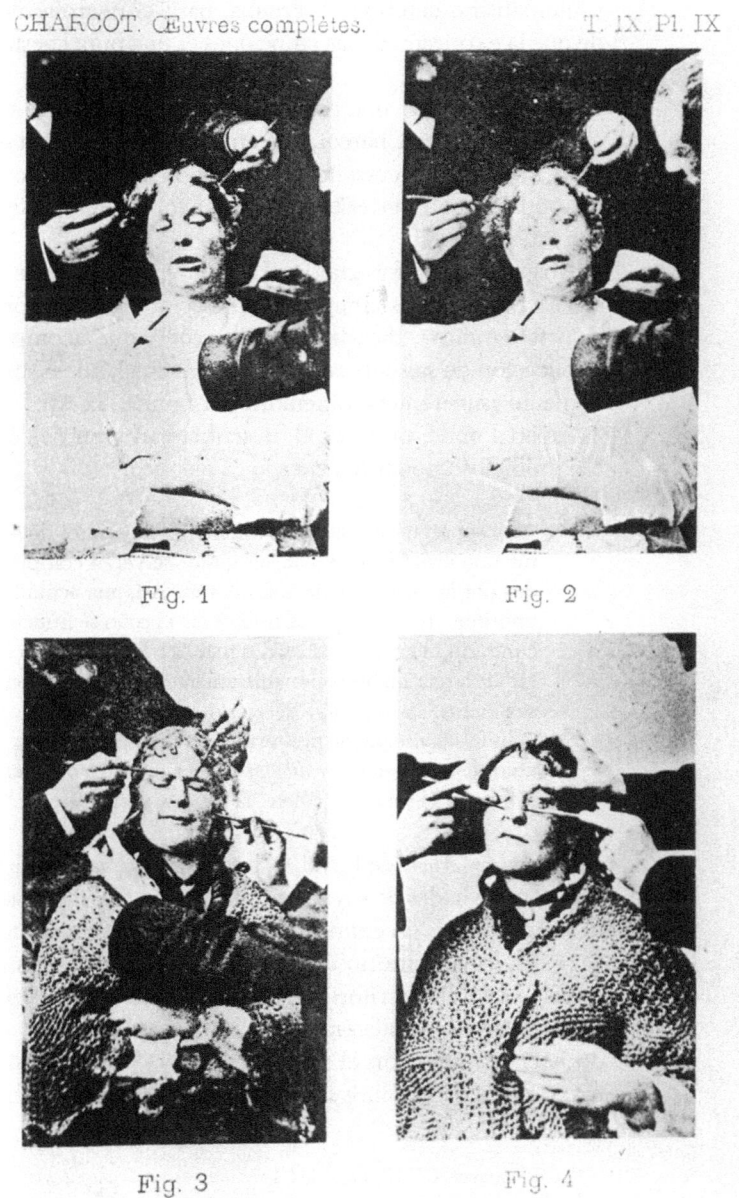

81. Londe, «Excitación de los músculos de la cara durante el letargo hipnótico», en Charcot, *Œuvres*, tomo IX.

«automatismo cerebral»[88]. Prueba, para el neurofisiologista, de que la expresión de las emociones es una pura cuestión somática.

Pero es más que una prueba; es un beneficio, una suplencia: el sujeto, dice Charcot, está ahí como una «estatua expresiva», ni más ni menos, forma canónica «de la que los artistas podrían con certeza sacar el mayor de los partidos»[89] [cfr. Apéndice 17].

Al igual que los fotógrafos: «La inmovilidad de estas actitudes así obtenidas es eminentemente favorable a la reproducción fotográfica», dice incluso Charcot[90], que acompaña la publicación de sus cursos de unas hermosas láminas, tremendamente «sugerentes», obtenidas por Londe [82-83].

Albert Londe, otra vez él, describía con gran delectación ese prodigioso poder del cuerpo cataléptico:

> Si conseguimos dar a los miembros superiores de la enferma una actitud expresiva, sus gestos se verán complementados por la expresión de la fisonomía. Así, una actitud trágica imprime un aire duro a la fisonomía, el ceño se frunce. Por el contrario, si acercamos las dos manos a la boca como en actitud de largar un beso, inmediatamente aparece una sonrisa en sus labios. La reacción del gesto sobre la fisonomía resulta manifiesto y se puede por turnos, con tan sólo modificar la actitud de las manos, *ver dibujarse* sobre el rostro de la enferma el éxtasis, el ruego, la cólera, la tristeza, el desafío, etc.[91].

«Etcétera», *Monsieur* Loyal, sí, usted irá cada vez más lejos en el cuento de hadas de sus cuerpos-fenómenos. Y ofrézcanos ya la reciprocidad: ¡la expresión inducirá gestos y actitudes![92]. Y redistribuya para nosotros todo esto según sus simetrías de selección, sus territorios de elección: puesto que «el fenómeno puede ser unilateral y, si uno de los brazos es colocado hacia delante con el puño cerrado y el otro llevando la mano cerca de la comisura de los labios, una de las mitades

---

[88] Cfr. Charcot, *OC,* IX, págs. 434-447.

[89] Charcot, *OC,* IX, pág. 443.

[90] *Ibídem.*

[91] Londe, 1893a, pág. 91 (la cursiva es mía).

[92] *Ibídem.*

CHARCOT. Œuvres complètes.   T. IX. Pl. XI

82. Londe, «Estado cataléptico. Sugestión por medio del gesto: sorpresa», en Charcot, *Œuvres*, tomo IX.

CHARCOT. Œuvres complètes.   T. IX. Pl. XIII

83. Londe, «Estado cataléptico. Sugestión por medio del gesto: cólera», en Charcot, *Œuvres,* tomo IX.

Planche XVI.

HÉMI-LÉTHARGIE ᴇᴛ HÉMI-CATALEPSIE

84. [Lámina XVI. Hemiletargo y hemicatalepsia]. Régnard. Fotografía de Augustine. *Iconographie...*, tomo III.

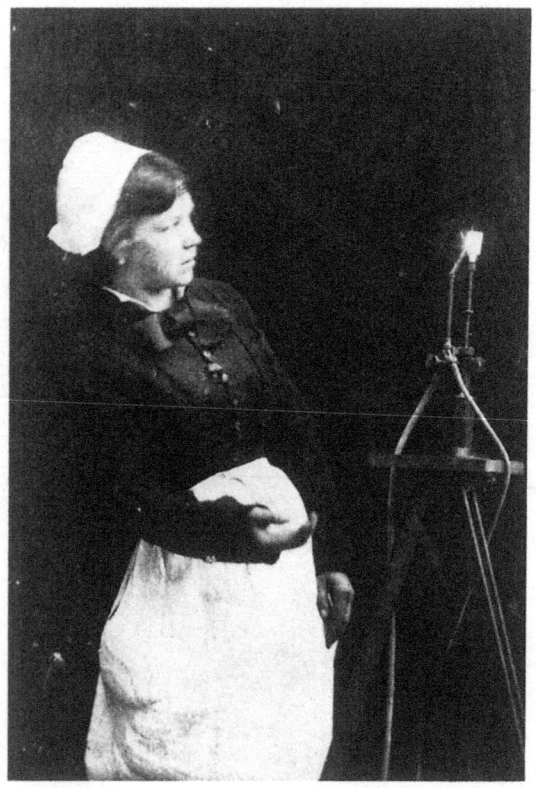

Planche XVII.

CATALEPSIE
PROVOQUÉE PAR UNE LUMIÈRE VIVE

85. [Lámina XVII. Catalepsia provocada por una luz intensa]. Régnard. Fotografía de Augustine. *Iconographie...*, tomo III.

de la cara presentará una expresión de cólera y la otra la de una sonrisa»[93].

Es decir, que el cuerpo histérico se deja imponer toda la configuración de los repartos en los que su deseo queda aplazado. Por eso es mágico y prodigioso. Su preocupación es la «simultaneidad contradictoria figurada plásticamente». Vean aquí a Augustine que posaba para Régnard hemiletárgica a la derecha, hemicataléptica a la izquierda, reparto del que nos hace cómplices con una señal, con un obligado guiño [84].

Y, ciertamente, se podría haber hecho lo contrario, variar hasta el infinito los tropos de esta acrobacia de la transferencia y de la conversión[94].

DESLUMBRAR Y DESACREDITAR
—CUADROS VIVIENTES

Figuras impuestas, eso era esta acrobacia. He aquí el tipo de sorpresa que Bourneville reservaba a «su» Augustine: «Tras haber despertado a la enferma, se la conduce a un gabinete negro y se enciende una lámpara Bourbouze de gran potencia. Inmediatamente entra en estado cataléptico [lámina XVII]» y clac, foto[95] [85]. Fenómeno destacable: la histérica hipnotizada *realiza hasta el extremo* todo lo que se le sugiere, susurra o insinúa. Deslumbrada, se precipita en el abismo de los vértigos, se ciega totalmente, se extasía en *«doble»* conciencia.

Efectos de una «hiperestesia» del sentido visual. La más mínima alteración de lo visible constituía para Augustine una catástrofe de todo su cuerpo.

Y son numerosas las láminas, en la *Iconographie,* en las que se tematiza, casi cinematográficamente, esa especie de catástrofe, el *pasaje* crucial, espectacular, de un cuerpo abandonado a un daño importante de la vista, del espacio. Pero este pasaje no se nos ofrece más que en el acto de pasar la página; su valor temporal de inmediato *paso a lo ficticio:* pues de esta inmediatez no nos queda más que una estructura dúplice, un antes-después [86-87].

---

[93] *Ibídem.*
[94] Cfr. Schaffer, 1893-1894, *passim*; etc.
[95] IPS, III, pág. 194.

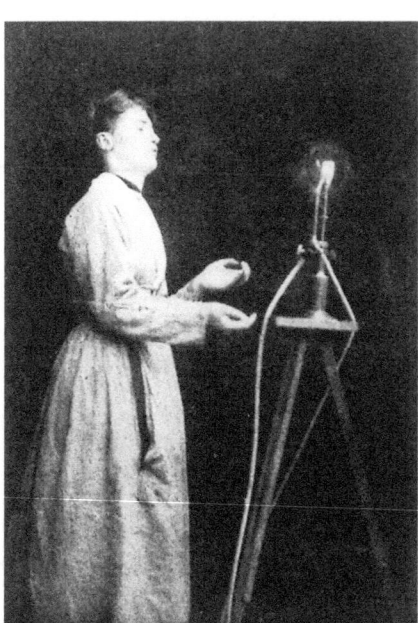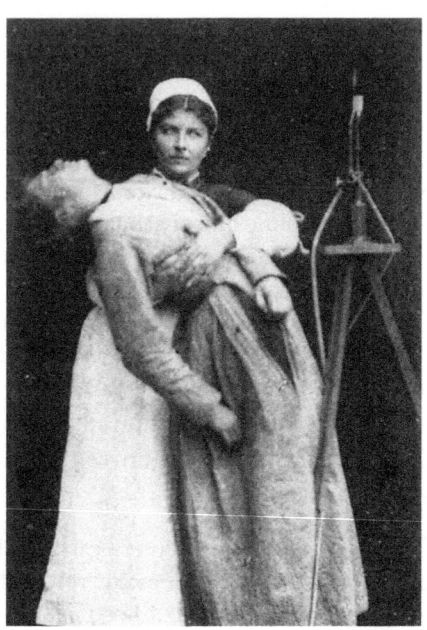

86-87. Régnard. «Catalepsia provocada por una luz intensa» y «letargo resultante de la supresión brusca de la luz». *Iconographie...,* tomo III.

Quiero decir que no sabremos nada de este pasaje como tal. Por supuesto. Las fotografías, en tanto que sistema representativo de estados en donde *se recorta* una temporalidad, permanecerán para nosotros únicamente como *probación* del acontecimiento: lapsus de la prueba (antes: esto; después: aquello), no del ensayo.

Esta barrera no supuso un obstáculo para la experimentación, muy al contrario. Se probó, pues, y con gran profusión, el valor turbador que suponían para una histérica estímulos visuales muy variados, debería decir atrayentes como espejuelos: como esas bolas de cristal que, según su color, atraían o espantaban a una paciente sumida en estado letárgico[96].

¿Qué se intentaba finalmente llevar a cabo? Se trataba de inventar un instante, de refabricar esa potencia fulminante del tiempo que experimenta, que un día experimentó, una histérica. Se trataba, por tanto, de *reinventar el tiempo del trauma* por medio de una ficción abrupta. De volver a hacer re-

---

[96] Luys, 1890, pág. 285, lám. III.

CATALEPSIE PRODUITE PAR LE. SON BRUSQUE D'UN TAM-TAM.

D'après une photographie de l'auteur.

88. [Catalepsia producida por el sonido brusco de un tam-tam. Según una fotografía del autor]. Régnard, *Les maladies épidémiques de l'esprit* (1887).

89. *Izquierda:* Régnard, «Catalepsia provocada por un ruido intenso e inesperado» (según una fotografía), *Les maladies épidémiques de l'esprit* (1887). *Derecha:* repetición experimental del mismo fenómeno por parte de Richer. *Études cliniques...* (1881-1885).

presentar, es decir, *volver a escenificar,* una supuesta «primera escena». De donde la eficacia «experimental» de todo lo que pudo relacionarse con algo así como explosión, *shock,* sorpresa. La *dustuchia,* sorpresa desagradable, siempre. Que se vuelve a provocar.

De esta manera, se hacían explotar paquetes de fulmicotón bajo la nariz de Augustine, ¡y cómo se impresionaba! Caía en estado cataléptico, se volvía afásica, etc.[97]. Se utilizaban llamas de magnesio, «luces de Dumont» y muchos otros ingenios extraordinarios[98]: los médicos de la bien llamada Salpêtrière[99] se convirtieron con ello, de golpe, en *artificieros.*

Ensordecer a las histéricas resultó igualmente eficaz. Golpes de gong y *hop,* catalepsias [88]. Ruidos-milagros, puesto que construían retablos, unos auténticos *retablos vivientes:*

> Basta con sorprender al sujeto mediante un ruido súbito, el de un gong chino por ejemplo, y ya saben lo desagradable

---

[97] Cfr. IPS, III, pág. 178, fig. 11, 194.

[98] Cfr. Charcot, *OC,* IX, págs. 304-305.

[99] Recordemos que *salpêtrière* significa salitrería o fábrica de sal. *(N. del T.)*

que es esto: la enferma muestra un gesto de miedo y se queda clavada en el sitio. Me ha sido posible provocar los mismos efectos bajo una forma lo bastante interesante como para comentarlo ante ustedes con algunos detalles. Seis histéricas se encontraban colocadas ante una cámara fotográfica, y yo les había dicho que les iban a hacer un retrato en un solo grupo, cuando súbitamente se produjo un ruido violento en la habitación vecina. Las seis enfermas mostraron un gesto de miedo y permanecieron en estado cataléptico en la misma postura en las que las había colocado el *shock*. Seguidamente se abrió la cámara fotográfica y sacamos un cliché cuya reproducción les presento hoy[100] **[89]**.

Y nadie se privó de provocar una y otra vez todos los accidentes de este tipo[101] [cfr. Apéndice 18]. Hábiles escenificaciones, a espaldas de las actrices. Engaños, maquinaciones. Que el «golpe» experimental crease la *actitud,* y la actitud el *cuadro,* eso era lo esencial.

---

[100] Régnard, 1887, pág. 262.
[101] Cfr. Londe, 1893a, págs. 90-91; Richer, 1881-1885, págs. 525-529.

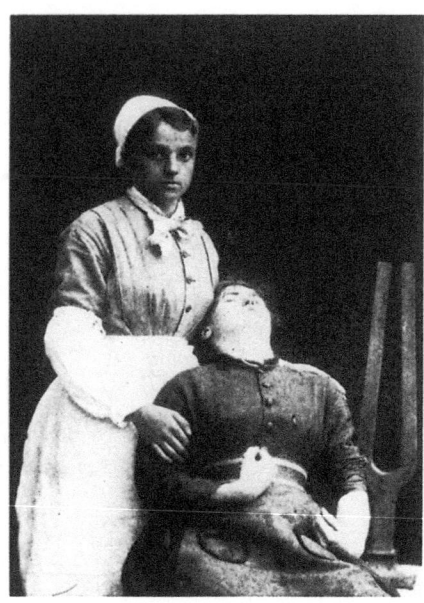

90-91. Régnard. «Catalepsia provocada por el ruido de un diapasón» y «sopor con contractura artificial». *Iconographie...*, tomo III.

El mismo Londe lo confesó en cierta manera: «Aún no hemos encontrado el valor clínico de esta actitud particular en cada uno de los sujetos, pero puede que exista, y con seguridad, reuniendo un gran número de pruebas de este tipo seguramente llegaremos a resultados interesantes»[102]. Como un permiso de gratuidad experimental, pero relevado por la sabia metodología expectante, es decir, una llamada a experimentar siempre, cada vez más.

ESCALADAS, INDUCCIONES, «TRANSFERENCIAS»

Movimiento vertiginoso del afán de escalada experimental. *Inducir* fue la gran palabra de esa práctica de la repetición: inducir, es conducir a la histérica, siempre, siempre de forma más visible, hacia una quintaesencia plástica del síntoma. Así

---

[102] Londe, 1893a, pág. 90.

NOUVELLE ICONOGRAPHIE.   T. II, PL. XXXIII.

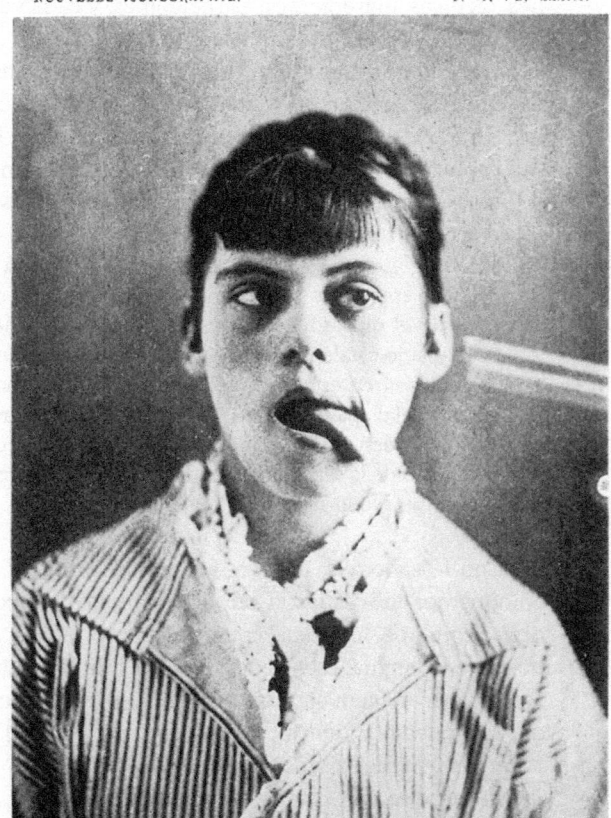

Phototypie Berthaud

CONTRACTURE DE LA LANGUE PROVOQUEE A L'ETAT DE VEILLE
CHEZ UNE HYSTERIQUE PAR REFLEXE AURICULAIRE

LECROSNIER ET BABÉ, EDITEURS

92. [T. II, lámina XXXIII. Contractura de la lengua provocada en una histérica en estado de vigila mediante reflejo auricular]. Laufenauer. Contractura de la lengua provocada por la frecuencia de un diapasón. *Nouvelle Iconographie...* (1889).

pues, para ello se llevó a cabo una escalada de las mediaciones, técnicas, ingredientes, estratagemas, y cada vez de forma más sutil. Todo un arte del hacer visible.

Sorprender (deslumbrar, timpanizar) se hizo enseguida innecesario: bastaba con excitar, *impresionar,* todo lo imponderable que resultase la impresión. Y, en cuanto a la histérica, *se convocaron todos los sentidos.* Tan sólo haré un resumen.

Primo, simples *diapasones:* resonancias exquisitas:

> Hago sentar a estas dos histéricas sobre la caja de resonancia de ese grueso diapasón. Desde el momento en que hago vibrar el diapasón, pueden ver cómo caen inmediatamente en estado cataléptico. Detengamos las vibraciones del diapasón: caen en estado de sonambulismo. Hagamos vibrar de nuevo el diapasón, la catalepsia vuelve a aparecer. Este hecho curioso, descubierto por el señor Vigouroux, ¿se debe a la excitación de la sensibilidad auditiva o a la de la sensibilidad en general? No lo sabemos[103] **[90-91]**.

Si no lo sabemos, excavemos, induzcamos un poco más: coloquemos un diapasón de vibración sol-3 próximo a una oreja izquierda histérica; ¿qué obtenemos? Que, si la joven nos saca la lengua, ésta se desviará irresistiblemente *del mismo lado* y permanecerá así, contracturada, «dura al tacto, hinchada, amoratada (...) entre 55 y 80 segundos»[104] **[92]**.

Secundo. Se desplegó también todo un arsenal de *contactos magnéticos,* que los experimentos de Burq, en 1850, habían colocado a la orden del día de la ciencia oficial[105]. Charcot formaba parte de esa comisión científica, nombrada en 1876 por Claude Bernard y encargada de verificar los hechos de magnetismo alegados por Burq. Estos hechos fueron, pues, verificados, confirmados. Posen un imán sobre un brazo histérico totalmente anestesiado: extraños pinchazos, luego... ¡recupera todos sus sentidos! Pronto bastará con un pedazo de metal neutro; pronto bastará con el «contacto a distancia». A esto se le denomina *«metaloterapia».* Ahora no queda más que encon-

---

[103] Charcot, *OC,* IX, pág. 294.
[104] Laufenauer, 1889, pág. 205, láms. XXXIII-XXXIV.
[105] Cfr. Charcot, *OC,* IX, págs. 213-252, 265-271.

trar la singularidad del «poder metálico» adaptado a cada caso, puesto que cada histérica, como ocurre con los colores, tiene su metal preferido. Augustine: ¡el oro!; vocación por el adorno, evidentemente[106]. Se colocaban, pues, muchos napoleones de oro sobre los cuerpos histéricos, la puja iba de los 20 a los 1.000 francos de oro exactamente... Y la histérica, cubierta de fino metal, como un ídolo Crisóstomo, volvía a encontrar, con grandes gritos, todas sus sensibilidades, es decir, el puro dolor al más leve contacto...[107].

Siguieron variantes: placas portátiles para una «metaloterapia permanente», pedacitos para encajar entre los hombros, en los puños, en el corazón, etc.[108]; «metaloterapia interna», bajo forma soluble, «y se aumentan las dosis progresivamente. No damos ningún otro medicamento»[109].

No obstante, de prodigio en prodigio, la utilización de los metales y de sus diversos magnetismos reservaba algunas, no decepciones, todo lo contrario, pero digamos que contraprodigios:

> una barra imantada se acerca a medio centímetro de la parte anestesiada de un brazo, por ejemplo, y a fin de evitar con total seguridad todo contacto entre la piel y el imán, se interpone entre los dos una hoja de papel. El primer efecto que siente la enferma es una impresión de frío en la parte de la piel vecina al imán; pero entonces, ya hay rojez en la piel; un instante después, *renace la sensibilidad* en esos puntos en los que se ha producido la impresión de frío y donde se ha manifestado la rojez. Si entonces se examina *la parte simétrica* de la piel del lado opuesto, se ve que dicha parte *se ha quedado anestésica,* en lugar de sana, como estaba anteriormente[110].

Prodigio territorial, prodigio morfogenético, prodigio de las simetrizaciones. Charcot admitió que la aplicación de metales *no cura el síntoma, pero lo desplaza*[111]. Lo admitió, es cierto.

---

[106] Cfr. IPS, III, págs. 132-133, 137, 141, 143; Charcot, *OC,* IX, páginas 234, 396, etc.

[107] Cfr. Charcot, *OC,* IX, págs. 220-221.

[108] Cfr. Bourneville, 1880-1906, III, págs. 89-91 y figs. 1-13.

[109] Charcot, *OC,* IX, pág. 245.

[110] *Ídem,* págs. 230-231 (la cursiva es mía).

[111] Cfr. Charcot, 1887-1888, pág. 117.

Pero, habiéndolo admitido, inmediatamente se fascinó ante el misterio de los desplazamientos. Menos ante la naturaleza del fenómeno que ante una cartografía de los trayectos. Bautizó este misterio como *«transferencia»*, qué coincidencia —luego volvió a empezar, y a mayor escala, con convocatorias, llamamientos imperiosos, con «inducciones» de otras «transferencias» cada vez más admirables, puesto que lo gratificaban de mil extrañas formas[112].

Pero mil formas inducidas, admitidas, mil formas *bajo sólo una,* ¡por fin!, la gran forma por excelencia, manipulable, medida, «escenificada»; la estructura representativa de las escenificaciones, en adelante canónicas, de la *experiencia.*

Tertio. Se intentó rematar la reproducción y la maestría experimental de las singularidades histéricas *induciendo formas,* e incluso contenidos, *de los delirios.* ¿Cómo es esto posible? El contenido de un delirio, ¿no es acaso lo indeducible por excelencia y, a fortiori, lo ininducible por excelencia? Pues bien, no, dice Charcot.

¿Cómo fue esto posible? Ahí se encuentra todo el secreto de su *magisterio,* término providencial de la transferencia, en el sentido freudiano, puesto que designa no solamente lo absoluto de una autoridad moral, doctrinal, véase más allá, sino también esos preparados farmacéuticos de antaño a los que justamente se atribuían unas virtudes «soberanas».

Ya Magnan se había divertido en producir en los perros «alucinaciones y ataques epilépticos» inyectándoles esencia de ajenjo[113]. Claude Bernard había emborrachado a sus pequeños conejos con éter, para probar ciertas hipótesis sobre la «patología del sistema nervioso»[114]. Se terminó, pues, por reinventar sobre este modelo, en la Salpêtrière, ebriedades y vértigos histéricos.

Primero se probaron ciertas inhalaciones, con el objetivo de interrumpir los ataques convulsivos; respecto a esas inhalaciones, decía Charcot, al principio, «nos parece racional proponer el ensayo en las actuales circunstancias. Primero

---

[112] Cfr. Charcot, *OC,* IX, págs. 228-229, etc.

[113] Cfr. Richer, 1881-1885, págs. 328-329.

[114] Cfr. Bernard, 1858, I, págs. 75-97.

tendremos recurso al éter, luego al nitrito de amilo si el primero llega a fallar, y no dejaremos de mantenerles al corriente de los resultados que hayamos obtenido»[115]. Ahora bien, veamos lo que tenemos aquí: éter y nitrito de amilo detienen realmente coreas y espasmos, pero, otra vez de nuevo, *el síntoma se desplaza*, se «transfiere», se transfiere en este caso en el tiempo, pasa a una fase ulterior del ataque «clásico»: *se induce un delirio*, «un delirio parecido a aquel que observamos durante las series de ataques: locuacidad, confidencias involuntarias, alucinaciones, modificaciones diversas de la fisonomía, etc.»[116].

Como por azar —por el azar de la «transferencia»— en este caso casi siempre se trata de locuacidades y de delirios de contenido sexual: el éter provocaba que Augustine «moviese suavemente las piernas y la pelvis» contando con todo lujo de detalles sus violaciones y sus amoríos, mostrándoselo todo a Bourneville: «Es así», le «confiaba», «como se hacen los niños»[117]... ¿Y qué respondía Bourneville? Prometía más que nadie a todas las demandas (las de Augustine y la suya propia) sugiriendo a la chica sentar todo eso por escrito; «tras reiteradas instancias» confesaba[118], Augustine parecía resignarse, coqueta, y refrendaba largas confidencias en las que confesaba, ella, soñar con otros hombres, con revoluciones, con fugas lejos de la Salpêtrière; se confiaba «por entero», eso parecía, pero: «P.S. He terminado de decirle todo lo que usted me ha preguntado e incluso más; le hablaría más abiertamente si me atreviese; pero temo que sea a la vista de todo el mundo»[119].

Augustine sentía que estrados, anfiteatros y cámaras fotográficas también comportaban, pese a las «primas de seducción», una cierta crueldad de *show-business*. Época sin embargo, dice Bourneville, «en la que era bastante fácil de manejar»[120] [cfr. Apéndice 19].

De esta manera se convirtieron, esas inhalaciones de éter, de cloroformo, en lo cotidiano, digo bien, de Augustine;

---

[115] Charcot, *OC,* I, pág. 402. Cfr. IPS, II, pág. 130.
[116] IPS, II, pág. 158.
[117] *Ídem,* pág. 161.
[118] IPS, III, pág. 188.
[119] *Ídem,* pág. 189.
[120] *Ibídem.*

siempre, cada vez más, la joven novicia toxicómana lo reclamaba, a voz en grito, volaba, escapaba por los pelos a las sobredosis.

El 3 de marzo, respiró 125 gramos de *éter*. Desde ese día hasta el 8 de marzo, malestar, extrañas ideas en su cabeza, etc. Ayer noche, de siete a nueve, 17 *ataques epileptiformes* seguidos de 8 ataques histero-epilépticos. Al despertarse esta mañana se encontraba, decía, como borracha[121].

Le invadieron neuralgias faciales. Entonces, le inyectaron morfina[122]. También se hacía un gran uso, en la Salpêtrière, de todos los bromuros (alcanfor, etilo, potasio, sodio)[123]. E incluso del humo de tabaco[124], del que puede que recordemos, dicho sea de paso, el papel que desempeñó en el embrollo transferencial de Dora[125]. Pero dejemos eso ahora.

Recordemos mejor nuestras propias ebriedades, no nos olvidemos aquí que la ebriedad se provoca para que no cese. Numerosas histéricas murieron eterómanas, alcohólicas, morfinómanas.

LA RETIRADA DE LOS DELIRIOS

Pero la ocasión brindada era demasiado buena. Quiero decir la ocasión iconográfica, teatral. Combinando la hipnosis con inducciones de todo tipo (inhalaciones, inyecciones, y me olvido de algunas) se consiguió llegar a una auténtica *dirección* del delirio y de su forma de actuar. Dirigir a la actriz, ¡sin que ella se dé cuenta!, ésta es, pues, la finalidad de la finalidad para un director de escena que se sueña a sí mismo como *deus ex machina*...

Fue sobre todo el doctor Jules Luys, en el hospital de la Charité, quien se convirtió en el hábil artesano, debería decir

---

[121] IPS, II, pág. 160.

[122] *Ibídem.*

[123] Cfr. IPS, I, pág. 10; IPS, II, págs. 46, 55, 78, 81; IPS, III, págs. 35, 67, 83.

[124] Cfr. Éloire, 1874, págs. 102-105.

[125] Cfr. Freud, 1901-1905, págs. 68-69, 82-91.

en el *jefe de cocina,* de los delirios de «Esther», su caso predilecto; aderezó mil tres recetas a base de esencia de tomillo, de polvo de picea, de coñac, de «agua corriente», de «pimienta ordinaria», de hinojo, de valeriana, de anís, ajo y cebolla, más algunas hojas de rosas; pero también de tabaco, hachís, agua de colonia, sulfatos de espartano y de atropina, clorhidratos de morfina... Así, vemos a Esther (ya que cada uno de sus delirios fue capturado en cliché), según la sazón, reír o llorar, bizquear, dilatarse totalmente, vomitar, contracturarse, entrar en éxtasis, buscarse pulgas imaginarias, aterrorizarse, dormirse pacíficamente, dejar de respirar, con terribles migrañas, emborracharse, caer en un estado totalmente estupefacto (tal es la acción, sí, del «agua corriente»), risueño (la pimienta), lascivo (el hinojo) —y me detengo aquí, de forma totalmente arbitraria[126] **[93]**.

Algunos intentaron en esta ocasión negar todo factor de sugestibilidad psíquica, quisieron revelarlo como una pura dialéctica de la sensorialidad[127]. Pero esto era de alguna manera enriquecer doctrinalmente, si se me permite decirlo, ser más «charcotista» que Charcot. Porque Charcot no se mantuvo totalmente firme en su esfuerzo por despsicologizar la hipnosis. Charcot, suprimiendo hipnóticamente una parálisis, terminaba por admitir que «es actuando "sobre el espíritu" como se curan esas parálisis»[128]. Reparen en la prudencia, en la inseguridad de esas comillas.

¿Por qué? Porque ya estaba claro que la eficacia terapéutica de la hipnosis, el problema radica en esto, quedaba como algo para poner entre comillas. «Queda mucho por hacer», decía Charcot, «por reglamentar clínicamente las aplicaciones terapéuticas de este medio, por precisar las indicaciones y las contraindicaciones»[129].

Y, a la espera de un «reglamento» siempre diferido, la terapéutica consistió en experimentar, y la experimentación en *reforzar la visibilidad:* así pues, volver a provocar un ataque (su espectáculo, ante todos, en el anfiteatro) podrá constituir, nos

---

[126] Cfr. Luys, 1887, *passim.*
[127] Cfr. Guinon y Woltke, 1891b, págs. 46-51.
[128] Charcot, 1887-1888, pág. 374.
[129] Charcot, *OC,* IX, pág. 475.

L'Encéphale   Tome VII, Pl. II.

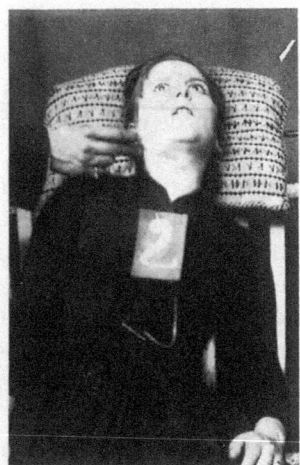

Fig. 5   Fig. 6

Fig. 7   Fig. 8

Georges Luys i.ª   Photogl. A. Lemercier

Librairie J.B. Baillière et Fils.

93. Luys. «Emociones» inducidas mediante estimulación del olfato. *Les émotions chez les sujets en état d'hypnotisme* (1887).

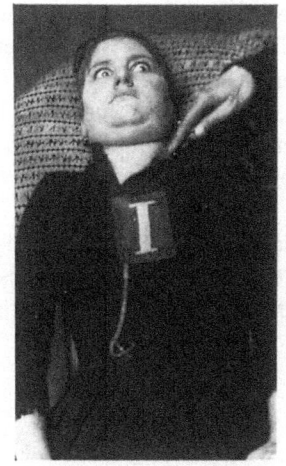

Fig. 21.

Fig. 22

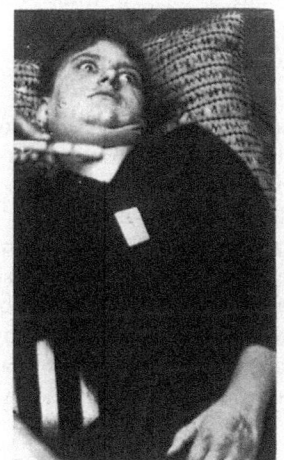

Fig. 23

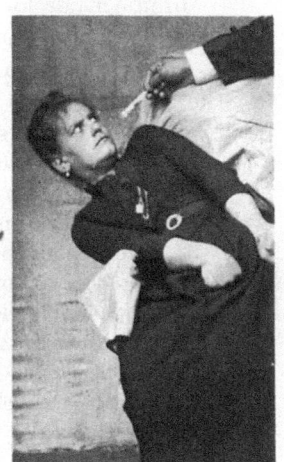

Fig. 24

Georges Luys f.\   Photogl A Lemercier

Libranie J B Bailliere et Fils

dice Charcot sin demasiadas explicaciones, «de alguna manera un medio terapéutico»[130]...

Así pues, una simple técnica de reproductibilidad, una catarsis instrumental, el artificio de la Repetición. Lo esencial tal vez no era tratar, sino *volver a tratar la histeria*. Como una materia que, separada cien veces en lascas, sale de su roca estéril, toma forma, con sus caras bien calibradas. Así pues, volver a hacer, para un destello sin sorpresas.

Si no dirigir totalmente ataques y delirios, «al menos modificar su marcha mediante procedimientos diversos»[131]. Imponer una «marcha», un tempo, una forma, al delirante pensamiento histérico.

EL ESPEJUELO
(EL ARTE DE FASCINAR)

Imponer una forma requiere técnica, *téchnè:* todo un arte. Método clásico, una vez más.

Hay que empezar por *elegir a su sujeto:*

> Ha llegado el momento de dar a conocer a nuestros lectores los procedimientos de los que nos servimos en la Salpêtrière. Primero conviene elegir a su sujeto: hay pocas mujeres a las que se pueda hipnotizar; incluso existen algunos hombres con los que esto resulta de lo más fácil. Pero iremos más rápido y con más seguridad si tomamos una histérica. Entre ellas serán preferibles las jóvenes, son más sensibles, más impresionables. Algunas son grandes lectoras de novelas, tienen un carácter al que no le falta un cierto sentimentalismo: se las prefiere a aquellas que son brutales, francamente lascivas y licenciosas[132].

Después, dice Bourneville, hay que someter a su sujeto, *apropiárselo, hacerse con su mirada:*

---

[130] Charcot, 1887-1888, pág. 173. Cfr. Carroy-Thirard, 1981, pág. 41.

[131] Guinon y Woltke, 1891b, pág. 37. Cfr. Gilles de la Tourette, 1891-1895, II, págs. 264-376.

[132] IPS, III, págs. 162-163.

Se mira fijamente a la enferma, o se la hace mirar la punta de sus dedos. Desde ese momento, el sujeto le sigue a todas partes, pero sin apartarse de sus ojos; se agacha si usted se agacha, y gira bruscamente para volver a encontrar su mirada si usted mismo se gira. Si usted avanza bruscamente, el sujeto cae de espaldas, totalmente recto, de una sola pieza. Este experimento debe realizarse con la mayor precaución; la enferma no hace nada para parar los choques y se caería directamente sobre su cráneo si no la retuviese una ayuda. En este estado de *fascinación,* el sujeto hipnotizado pertenece por completo al *fascinador* y rechaza violentamente a toda persona que venga a interponerse, al menos que esa persona venga ella misma a llevar a cabo las maniobras necesarias y, como dicen los especialistas, *hacerse con la mirada* del sujeto por medio de sus ojos, volviendo a iniciar la fascinación por su propia cuenta[133] **[94]**.

94. Bourneville. Esquemas de trances hipnóticos. *Iconographie...,* tomo III.

Y fue así como Augustine enviaba sus besos, sugeridos, a alguien a quien al «fascinador» le resultaría difícil concebir que no se tratase de él mismo[134] **[96]**, puesto que, tal y como ya he destacado, Augustine «experimenta sentimientos afectuosos hacia el experimentador, sea quien sea»[135], e incluso,

---

[133] *Ídem,* pág. 180.
[134] *Ídem,* pág. 194, lám. XVIII.
[135] *Ídem,* pág. 192.

95. Luys. Catalepsia de grupo por medio de un espejuelo. *Leçons cliniques...* (1890).

confiesa Régnard, «persuadida de que yo tenía sobre ella un poder particular, [ella] caía hipnotizada, fuese el que fuese el lugar en el que me encontrase»[136].

Dialéctica, agravada, de la transferencia. Gravísima seducción. El fotógrafo, pese a su gran velo negro, pese o gracias a su retiro, se convertía en pareja principal. Que cree manejar los hilos (la mayor parte de las veces, no se equivocaba; sin embargo, en ocasiones...).

> Ella no sabe que tengo esa imagen suya, y en eso consiste exactamente mi superchería. Me he hecho con esta imagen en absoluto misterio y de este modo le he robado su corazón...[137].

Luys, puede que menos donjuanesco que Régnard, fascinaba a sus histéricas con un auténtico espejuelo, colocado sobre el velador de su tocador fotográfico; habiéndolas sumido en estado cataléptico, se consagró a «pellizcarles la piel, a excitarlas con ayuda de distintos procedimientos», etc.[138] **[95]**. Resumiendo, los cuerpos fascinados le pertenecían por completo.

---

[136] Régnard, 1887, pág. 247.
[137] Kierkegaard, 1843, pág. 362.
[138] Luys, 1890, pág. 287, lám. XI.

Planche XVIII.

CATALEPSIE
SUGGESTION

96. [Lámina XVIII. Catalepsia. Sugestión]. Régnard. Fotografía de Augustine. *Iconographie...*, tomo III.

PAVANA OCULTA

Pero hay algo que queda sin decir.

Vuelvo a esa lámina XVIII —la «sugestión» de Augustine, el beso de Augustine [96]. El comentario que ofrece Bourneville está repleto de «tomas» y de «modificaciones» de la mirada de Augustine, repleto también de ese «automatismo» prodigioso del cuerpo cataléptico gracias al cual, «según la actitud que se imponga a la enferma, los gestos que le hagan ejecutar, la fisonomía cambia y se coloca en armonía con la actitud». Así: «Posamos el índice y el corazón sobre los labios, como en el acto de un beso, y el deleite amoroso se dibuja sobre el rostro [lámina XVIII]»[139].

Magnífico, puede ser, pero algo habrá quedado denegado, algo se habrá olvidado aquí. Quiero decir en la imagen. Algo, repito, ha sido expulsado fuera del marco, que sin embargo se cuenta. Es *la especie de danza* que el experimentador habrá estado obligado a ejecutar también él para conducir a su *pareja,* ¿cómo llamarla de otra manera?, a tal o cual figura.

Imaginen, pues, según esta minuta de sesión:

c) El experimentador se adelanta bruscamente hacia ella, con un aire amenazador: X... tiene la mirada extraviada; sus párpados están muy abiertos; cae hacia atrás como una masa (un ayudante la recoge e impide que se haga daño).

d) El experimentador capta su mirada y se aleja. La enferma camina hacia él, empujando violentamente las sillas colocadas a su paso, apartando con un sorprendente vigor, para pasar entre ellos, a dos asistentes que se adosaron uno contra el otro. Si alguien intenta captar su mirada, le empuja, lucha, y busca al experimentador original.

e) El experimentador simula el gesto de un animal que corre: X... busca mientras ríe, empuja todo, se tira sobre la cama; parece intentar atrapar al animal imaginario.

f) Se le enseña el cielo mientras se le unen las manos. Se pone de rodillas y se la interroga. «¿Qué ves?» «A Dios.» «¿Qué más ves?» «A la Virgen.» «¿Qué aspecto tiene?» «Tiene las manos juntas... hay una serpiente bajo sus pies... un arco iris sobre

---

[139] IPS, III, pág. 194.

su cabeza... Hay un hermoso resplandor tras ella... rojo, blanco... Yo creía que no había más que un Jesús... hay un montón.»

g) El experimentador cierra sus párpados, vuelve a extender sus brazos, luego abre los ojos, toma la mirada y, señalando el parqué, dibuja el simulacro de una serpiente y muestra un aire asustado: al momento la fisonomía de X... expresa el terror, quiere aplastar al animal que la asusta, toma una silla para aplastarlo. Sus movimientos son tan violentos que estamos obligados a volver a colocarla en estado letárgico (para eso basta, lo sabemos, con volver a cerrarle los párpados), a fin de que se calme[140].

97. Bourneville. Esquemas de trances hipnóticos. *Iconographie...,* tomo III.

Etcétera.

Los cuerpos se atraían, se alejaban, en una especie de *representación teatral,* y cada uno jugaba, cada uno simulaba, cada uno se olvidaba simulando, cada uno mostraba al otro cien objetos extraordinarios, pájaros, serpientes [97]. Como una danza muy simbólica, un ritual de trance, casi. Me imagino una *pavana,* danza lenta y solemne, o bien un vals, en el que nuestra pareja gira sin fin alrededor del punto sutil, irrealizado, que enlaza los cuerpos, o bien incluso lo que se denomina un *bamboleo,* ese baile que debe saber dirigir un animador, un maestro del juego. ¿Y cómo atraía a su peón al paso de su voluntad? Cautivándola, mediante el destello de un cuchillo, por ejemplo... [98].

---

[140] *Ídem,* pág. 195.

HALLUCINATION PROVOQUÉE.

D'après une photographie de l'auteur.

98. [Alucinación provocada. Según una fotografía del autor]. Régnard, *Les maladies épidémiques de l'esprit* (1887).

Todo esto es lo que no muestra el encuadre fotográfico de la *Iconographie.*

Por supuesto. Porque hubiese sido escenificar el riesgo tomado por el director de escena cuando está obligado a subir al escenario para precisar, dirigiéndose a la actriz, lo que exige de ella. Hubiese sido hacer imagen del riesgo seguro tomado por un médico en el acercamiento transferencial del cuerpo histérico. Ahora bien, aquí la imagen detesta ese acercamiento en el que, sin embargo, se fundamenta y se constituye.

Así pues, Charcot trató de no existir, en la transferencia, más que de forma absoluta, es decir, como un imperativo categórico del deseo histérico. Trató de no existir más que por el *magisterio,* es decir, en primer lugar, por el nombre propio, aquel que otorgaba a los síndromes de su cosecha.

> Mientras ella se encontraba en estado de sonambulismo, pude, *solicitándola,* hacerle hacer algunas cosillas. No tengo la pretensión de hacerle ver y leer por el epigastrio, pero pude hacerla levantar de su asiento pidiéndoselo en varias ocasiones, le dije que se sentase a esa mesa y escribiese «mi apellido, mis nombres» (que conoce), y ustedes ven que

99. Duchenne de Boulogne. Dos mímicas-tipo de «lady Macbeth» (crueldad). Expresiones inducidas eléctricamente. *Mécanisme de la physionomie humaine...* (1862).

los ha escrito sobre esta hoja de papel: «Charcot (Jean-Martin)»...[141].

Ahí está, el nombre del director de escena en letras grandes sobre el cartel, aunque su cuerpo trataba de no comparecer, de permanecer al margen del escenario.

COLMO DEL TEATRO

Pero ¿y el texto? ¿El texto de los papeles? ¿El autor de los delirios inducidos? ¿Qué sentido se les insuflaba a las histéricas?

Duchenne de Boulogne, el director de escena eléctrica, había constituido su repertorio apelando al fénix de los dramaturgos, el mismo William Shakespeare. Sus «experiencias electrofisiológicas representadas mediante la fotografía» nos ofrecen como ejemplo a una «lady Macbeth, con una *expresión de crueldad,* en tres grados distintos»[142], tres intensidades eléctricas que determinan tres estilos del mimo, su odioso proyecto descomponiendo un poco, mucho, apasionadamente, su músculo «piramidal de la nariz», mientras que agarra cada vez más fuerte su seno criminal, vean [99], y recuerden, acto primero, quinta escena:

> ¡Llegad, espíritus que agitáis pensamientos homicidas! ¡Mudad mi sexo! ¡Y de un extremo a otro llenadme de implacable crueldad! ¡Que se espese mi sangre; que se obstruya todo paso y acceso a la piedad; que no se alce un natural escrúpulo compasivo que venga a detenerme, a que flaquee en mi feroz propósito, ni a interponerse entre el afecto y él! ¡Acudid a mis pechos de mujer, tomad mi leche y convertidla en hiel, oh vosotros ministros sanguinarios, de dondequiera que, invisible esencia, sirváis al mal de la naturaleza! Ven aquí, noche espesa, ven y cúbrete con el más negro humo del infierno, que el agudo cuchillo así no vea las heridas que abra, a través del manto de la noche, asomarse a gritarme: «¡Tente! ¡Tente!»[143].

---

[141] Charcot, *OC,* IX, pág. 293.
[142] Duchenne de Boulogne, 1862a, pág. 194. Cfr. págs. 169-183, figs. 81-83.
[143] Shakespeare, *OC,* II, pág. 965.

(Y Duchenne ni siquiera temía la complejidad del papel, proponiéndose «mostrarnos que el furor homicida de lady Macbeth estaba atenuado por el sentimiento de piedad filial que había llegado a recorrer su espíritu, en el momento en que había encontrado un parecido entre Duncan y su padre dormido»)[144].

En cuanto a la pasión dramatúrgica de Charcot (también gran lector, infatigable citador de Shakespeare) y de sus discípulos, se mantuvo en la misma longitud de onda. Hoy nos quedan, junto con las series fotográficas, algunos pequeños *thesauri* de una auténtica gestualidad teatral, por lo demás muy convencional (convención que ha de volverse a cuestionar), y que sacan partido del famoso «automatismo cerebral» de los sujetos en estado de hipnosis: cifras figurativas, pues, y queriéndose como tales, asombros, mohínes, desprecios y lloros, amenazas, éxtasis, etcétera, etcétera[145].

Paul Richer confesó su tentación de «llevar el experimento aún más lejos»[146], mostrando una suave contención a no resistirse:

> Se puede igualmente transformar a la enferma en pájaro, en perro, etc., y se la ve entonces ejercitarse en reproducir las conductas de dichos animales. No obstante, habla y responde a las preguntas que se le hacen, sin parecer darse cuenta de lo que hay de contradictorio en el hecho de un animal que se sirve del lenguaje humano. Y, sin embargo, la enferma afirma ver y sentir perfectamente su pico y sus plumas, o su hocico y su pelaje, etc.[147].

Richer hizo interpretar a sus afanosas actrices *todos los papeles,* bajo una sencilla «sugestión verbal»: campesina (ordeña su vaca y rehúsa las insinuaciones de Gros-Jean, aunque «iah!, isí!, isí!, más tarde»), general del ejército («pásenme mi catalejo... iAvancemos! iAh!, estoy herido...»), cura (y «su voz es de una suavidad melosa y lánguida»), religiosa («se pone enseguida de rodillas»), e incluso actriz («Yo, creo que cuanto

144 Duchenne de Boulogne, 1862a, pág. 174.
145 Cfr. Pitres, 1891, II, págs. 144-194, láms. II-VIII.
146 Richer, 1881-1885, pág. 728.
147 *Ibídem.*

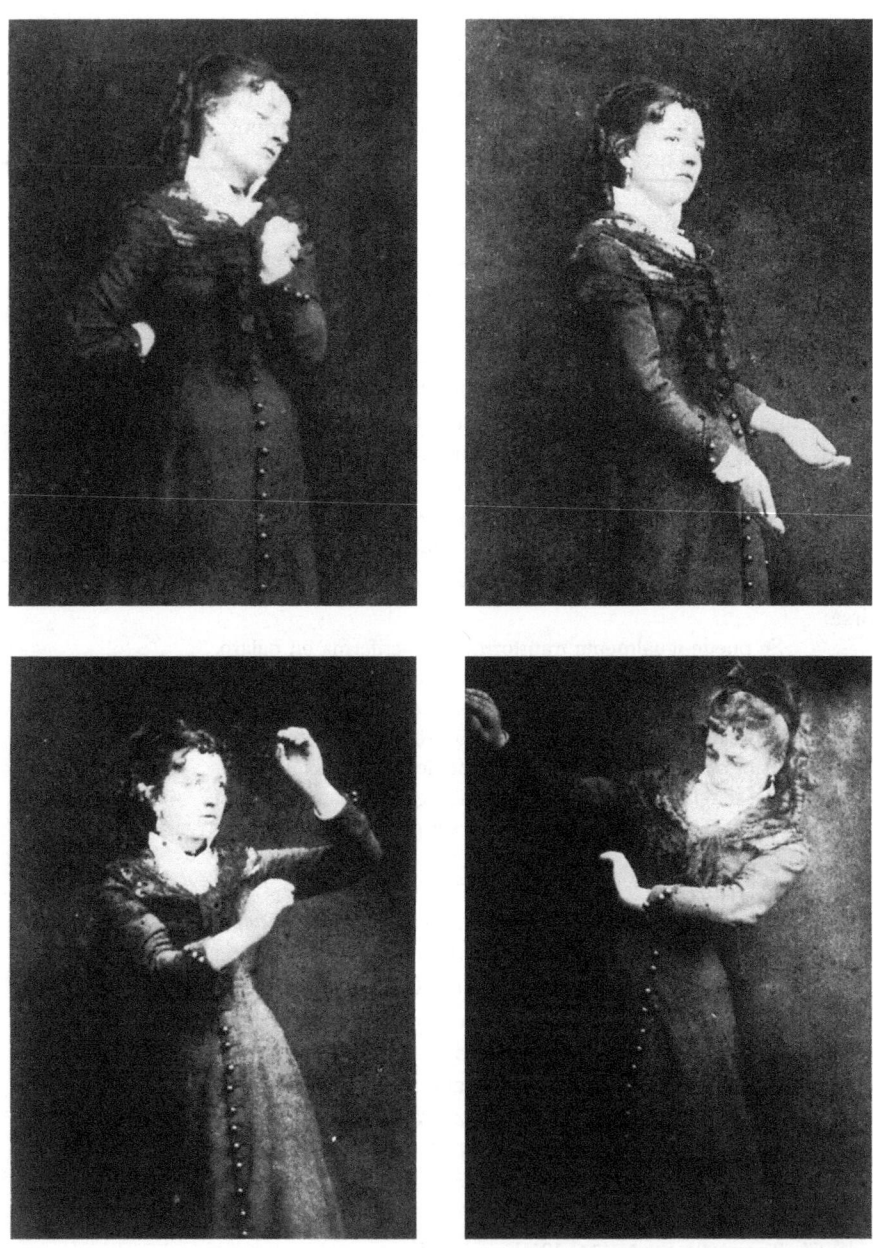

100. Régnard. Sugestiones «teatrales» (de la contractura, de la «declamación», del «temor», del «terror»). *Iconographie...*, tomo III.

más corta es la falda mejor queda. Siempre es demasiada. Una simple hoja de parra. Dios mío, es suficiente»)[148] [cfr. Apéndice 20].

Confesémoslo: fue con esto con lo que la *Iconographie photographique de la Salpêtrière* consiguió dejarnos mudos ante la belleza de ciertas imágenes. En las que la luz también parecía tomar parte en el papel, como materia intrínseca al drama. Un poco como la parte imposible de calcular del tacto de Régnard. Consagrada a los afectos **[100]**. Albert Londe, más tarde, tal vez comprendió esta connivencia de la actriz abandonada a su papel y de una cierta emoción en la visualización, aunque no fuese más que en la escenografía, a menudo improvisada, de las fuentes luminosas; él, aplastó sistemáticamente a sus histéricas, entre el escenario (más bien un zócalo) y una luz ostensiblemente neutra, rencorosa del misterio, del gran misterio teatral de la catalepsia **[101]**...

Un momento, vuelvo a esa pasión dramatúrgica, devoradora, de los médicos de la Salpêtrière, a ese *querer hacer interpretar todos los papeles.* Esto me parece crucial. Esto tiende ya a *satisfacer,* en todos los sentidos, las paradojas de comediante y sobre todo de lo que Artaud llamaba «un atletismo afectivo»[149], mucho tiempo después de que Diderot quedase boquiabierto ante el actor Garrick que pasaba a toda prisa, como en escala, de cualquier tipo de afecto a otro[150].

Pero sabemos a qué conclusión escabrosa quería llevarnos el «primer interlocutor» de Diderot: «Acomodados a demasiadas cosas», «demasiado ocupados en mirar, en reconocer y en imitar», *los cuerpos actores son los menos sensibles,* los menos «afectados en su propio interior»[151], tienen tan poco de alma, que no... Ahora bien, en un cierto sentido es a esa conclusión a la que los neurofisiólogos de la Salpêtrière habrían deseado conducirnos.

La histérica *declama* tan bien.

Pero, entonces, de las dos cosas hay que elegir una: o se «compadecía» realmente bajo su papel —¿y acaso no es cier-

---

[148] *Ídem,* págs. 729-730.
[149] Artaud, *OC,* IV, pág. 125.
[150] Cfr. Diderot, 1773, pág. 1022.
[151] *Ídem,* págs. 1008-1009.

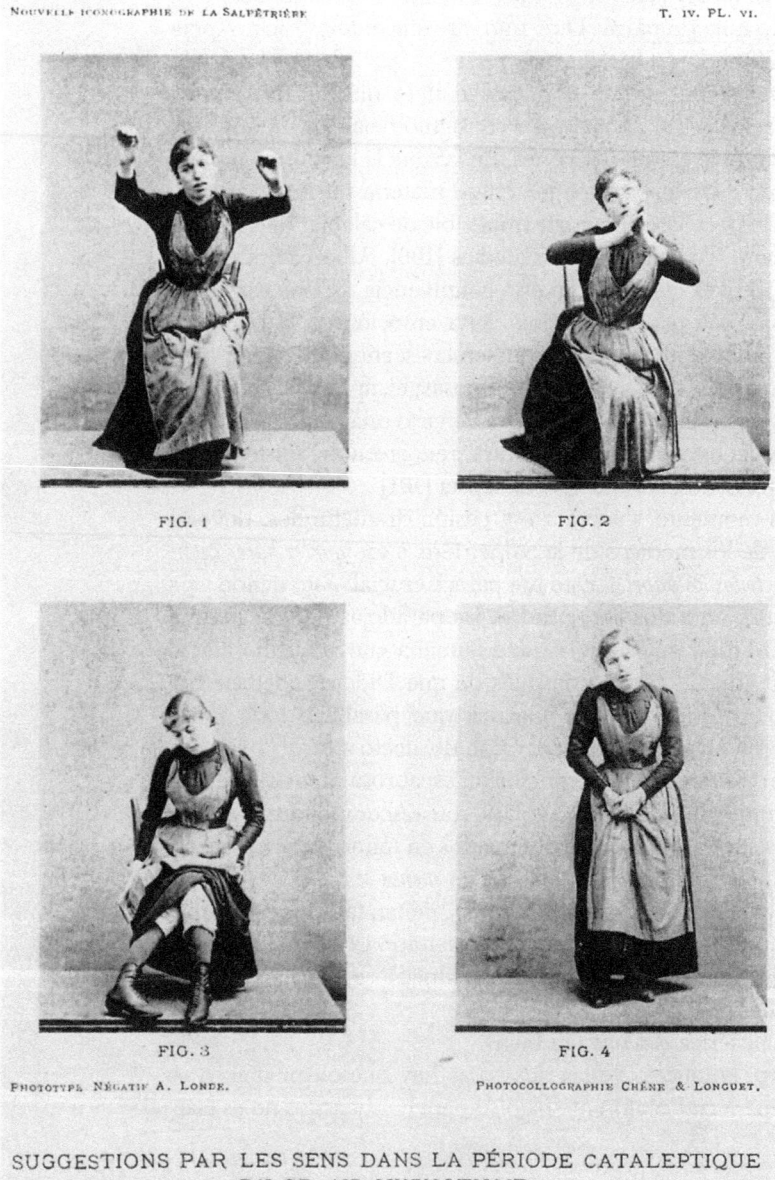

101. [Sugestiones por medio de los sentidos durante el periodo cataléptico del gran hipnotismo]. Londe. Lámina fotográfica del artículo de Guinon y Woltke para la *Nouvelle Iconographie...* (1891).

NOUVELLE ICONOGRAPHIE DE LA SALPÊTRIÈRE · · · · · · · · · · · · · · T. IV. PL. VII.

FIG. 1

FIG. 2

FIG. 3

PHOTOTYPE NÉGATIF A. LONDE.

FIG. 4

PHOTOCOLLOGRAPHIE CHÈNE & LONGUET.

SUGGESTIONS PAR LES SENS DANS LA PÉRIODE CATALEPTIQUE
DU GRAND HYPNOTISME

to que su propio padecimiento parece poco consistente? O bien representa como un mimo, totalmente desprovista de afecto (aunque de gran virtuosismo); entonces, el dolor que *clama* en otras ocasiones, ¿no podría ser también nada más que un mimo?

Resumiendo, la experimentación hipnótica no habrá hecho más que ahondar aún más, en la tentativa de comprender a un sujeto histérico, la cuestión del *sujeto de la simulación*. Sobre todo porque las histéricas de la Salpêtrière habrán «tenido tanto éxito» al interpretar los papeles que se les sugirió, que habrán perdido, para la ocasión, algo así como una credibilidad elemental de su sufrimiento. Habrán «tenido tanto éxito» como *sujetos de la mimesis,* que habrán perdido todo a ojos de sus médicos, convertidos en directores de escena de sus fantasmas, en tal que *sujetos de la aflicción.* He aquí otra paradoja, menos clásica y tremendamente simple, de la actriz.

Una paradoja que creó una buena conciencia, e incluso una conciencia estética, también un alma noble, para las tragedias experimentales de algunos cuerpos-autómatas. La tragedia, como encuentro de las convenciones (en sus actitudes), y como esquema neuromuscular (en su producción).

Se dice de las heroínas trágicas que están *desgarradas:* el odio o el amor, el amor o el padre, etc. Pura metáfora. Yo digo que Charcot llegó al colmo de lo teatral en el sentido de que buscaba que la metáfora *tomase cuerpo.* No sólo inventó terribles *tensiones* entre varias histéricas, colocadas por ejemplo sobre un mismo escenario, escudriñando un síntoma a su gusto (al de él, Charcot), «transferencia», de cuerpo a cuerpo[152], sino que también les inventaba esa especie de *desgarro, mediante atracciones hipnóticas contradictorias:*

> Mientras la enferma está sumida en sonambulismo por la fricción del vértex por medio de cualquier objeto, se presentan dos observadores que, sin ninguna resistencia, se hacen cada uno de ellos con una de sus manos. ¿Qué va a pasar? Enseguida la enferma, con cada una de sus manos, oprime la de cada uno de los observadores y no quiere soltarles. El especial estado de atracción existe a la vez para los dos; pero la

---

[152] Cfr. Charcot, 1887-1888, págs. 137, 375.

enferma se encuentra de alguna manera dividida por la mitad. Cada observador no obtiene más que la simpatía de una mitad de la enferma y ésta opone la misma resistencia al observador de la izquierda cuando quiere tomar su mano derecha, que al observador de la derecha cuando quiere tomar su mano izquierda[153].

La repetición ideal

¿Por qué la hipnosis fue realmente para Charcot «lo sublime del género y el ideal de la fisiología patológica»?[154]. Porque hacía coincidir el elemento, virtual, de una *representación* con el elemento actual de un avenimiento del síntoma. ¿Un avenimiento significante por lo tanto? Sí y no. En todo caso: «el ideal convertido en hecho».

O, en otros términos: la exacta, quiero decir también fuera-de-acto, *repetición de una «primera vez»;* Charcot defendía «una fiel reproducción» del «choque local»[155], mediante el cual nombraba al traumatismo en la histeria, al acto.

Casi, casi la irrupción de ese acto pasado «en persona». Su alucinación en toda su crudeza, gesticulada, en una sencilla sugestión para recordar. Un *teatro del retorno de la memoria,* es decir, igual que se dice de las llamas, tal como se lee en Shakespeare, *«Yet here's a spot...»,* «Siempre hay una mancha... ¡Fuera, mancha maldita! ¡Fuera he dicho!... ¡Dang! Una, ¡dang!, dos: ¡Vaya, ya es hora de hacerlo!... El infierno está en sombra...»[156], y lo que sigue. Ahora bien, mientras la misma lady Macbeth reiteraba notoriamente su crimen y su culpabilidad de esta manera, un pequeño médico colocado a su lado, en la sombra, decía: «¡Escuchad! Está hablando. Voy a anotar cuanto sus labios dicen, para que así yo pueda tener confirmación de mis recuerdos»[157]...

Y ciertamente el médico se encuentra ahí para compartir totalmente ese abrupto regreso de la memoria en «su sujeto».

---

[153] Richer, 1881-1885, pág. 663.
[154] Charcot, 1887-1888, pág. 136.
[155] *Ídem,* págs. 113-114.
[156] Shakespeare, *OC,* II, pág. 1000 (la cursiva es mía).
[157] *Ibídem.*

Como compañero, como actor de la transferencia. Y como figura del Maestro. Es también por esto por lo que necesita más que la significante *deposición* del avenimiento (su toque hipnótico, *per via di porre);* le hace falta además la *maestría de reproductibilidad* de esa deposición (es decir, su teatro, él mismo reproducido, repetido, en los protocolos fotográficos).

En la Salpêtrière, esa maestría de las repeticiones ya se vio muy instrumentalizada, y obtenida desde entonces de manera casi ideal, sobre esos cuerpos histéricos convertidos en una especie de instancias representativas casi transparentes, en tanto que estaban, dichos cuerpos, privados de resistencia. Consentimiento. Véase el prodigio ejemplar de la denominada «escritura sonambúlica»: para el paciente, «todo tiene lugar en el cerebro», dice Charcot, nada más; el paciente actúa sin extraer acta, si se me permite la expresión, de la efectividad de esa actuación; toda la efectividad revierte en el dueño del sueño: puesto que posee, él, todo el poder sobre la materialidad, sobre la configuración final del acto; en resumen, sobre lo escrito. Se plantea un problema: si la escritura tiene un sujeto, ¿de quién se trata en ese caso?[158] [cfr. Apéndice 21].

Sí: cuerpos privados de resistencia. Por otra parte es exactamente así como Freud definía el *«ideal»* en cuestión de esa técnica de repetición que es la hipnosis: «La forma ideal en la que los recuerdos resurgen por medio de la hipnosis se debe al hecho de que la resistencia se ha suprimido totalmente»[159].

Como una coacción a colaborar, en cuerpo y alma, a las «sugestiones», desiderata, véase a los deseos, del práctico. Más allá de Breuer, que daba cuenta de la alienación histérica con los sencillos términos de «estados hipnoides»[160], Freud cuestionó la relación de *realidad* y *representación* en la hipnosis. ¿Cómo? Indicando en primer lugar esta cosa tan sencilla, que la supresión de las resistencias, la sumisión, el abandono total del sujeto hipnotizado, son signo de una dialéctica amorosa. De un *encanto.*

---

[158] Cfr. Charcot, 1892-1893, II, págs. 126-129.
[159] Freud, 1914b, pág. 109.
[160] Cfr. Breuer y Freud, 1893-1895, págs. 8-12, 201, etc.

Freud describía el proceso hipnótico como el «abandono amoroso total»[161] de un sujeto frente a un «maestro» tan investido de poder, de magisterio, que llegaba a tomar lugar y posición del *Ichideal,* ¡del ideal del yo en persona!, y es sobre todo por eso que falla la propia prueba de realidad (no, yo no soy realmente ni pájaro, ni serpiente, ni cura, *ni siquiera actriz...)* frente a las exhortaciones del hipnotizador[162].

En esta ocasión, Freud trazó una línea, de puntos pero inamovible: que iba de estado amoroso a hipnosis, luego a estructura grupal y finalmente a neurosis[163]. Partía de la hipnosis, aquí como *amor,* allá como *taumaturgia,* casi siempre como *violencia*[164]. Una cierta noción del arte, entre encanto y crueldad.

ROZANDO EL CRIMEN PERFECTO

Una *gestualización del fantasma,* o más bien de la connivencia entre el fantasma histérico (convocado hipnóticamente) y un fantasma de escenificación (convocado como tema experimental), una gestualización de los fantasmas se encuentra fatalmente con los fantasmas de la muerte, de la agresión, del hacer pedazos.

¿Qué es la gestualización, bajo hipnosis, de un fantasma de agresión mortal? ¿Es un simulacro de crimen o es un crimen (puesto que el sujeto hipnotizado se obnubila totalmente bajo esa «prueba de la realidad»)?

Tan sólo indicaré que esta cuestión, la cuestión del *crimen hipnótico,* se quedó anclada en todos los espíritus después de que la conferencia de Charcot en la Académie des Sciences, el 13 de febrero de 1882, actualizase, y a partir de ahí pusiese en boga, las prácticas de hipnosis. También es a partir de ese momento cuando empieza toda la historia de las rivalidades entre la Escuela de la Salpêtrière y la Escuela de Nancy, de Charcot contra Bernheim[165].

---

[161] Freud, 1921, págs. 138-139.
[162] *Ibídem.* Cfr. págs. 140-141; Freud, 1925, págs. 35-36.
[163] Cfr. Freud, 1921, págs. 174-175.
[164] *Ídem,* pág. 108. Cfr. Freud, 1925, págs. 23-24.
[165] Cfr. Veith, 1965, págs. 236-237; Ellenberger, 1970, págs. 617-634; Chertok y Saussure, 1973, págs. 61-84; Miller, 1975, *passim.*

Ahora, una rivalidad tal, relativa a esta cuestión, se enconaba, lo apunto como de pasada, sobre dos temas, siempre: sexo (seducciones, violaciones) y sangre (crímenes); y siempre se enconaba en dos circunstancias: concurrencia de los protocolos experimentales y dictámenes divergentes en los grandes procesos criminales (el caso Chambige en 1888, el caso Bompard en 1890: sexo y sangre). Estas medianerías se nos muestran ya como un indicio. Pero ¿de qué? De un pasaje muy sutil y muy eficaz que la hipnosis saca a la luz: y en el que, como si nada, el encanto se vuelve violación, y el «experimento» (... para ver) crimen.

La hipnosis *altera* al sujeto, su «personalidad», nunca lo hemos querido negar[166]; estrictamente hablando, atenta contra la integridad: no está, pues, decían los médicos con razón, «desprovista de peligro»[167]. Pero entonces tiene lugar un pasaje muy, muy sutil y eficaz en el corazón de la propia metodología experimental; como si de alguna manera se alucinase a sí misma; y este pasaje consiste en apasionarse por una hipotética *medición de esta alteración*.

Ahora bien, medir no podía tratarse aquí más que de *forzar al límite. ¡Ver hasta dónde!* Y es así como las rivalidades teóricas de Bernheim y Charcot adoptaron el ritmo infernal de una carrera de obstáculos, una carrera experimental en donde la escalada de las relaciones, protocolos, procesos verbales siempre increíblemente puntillosos, no dejan de evocar la misma lógica del Marqués de Sade. En Nancy, los sujetos de Bernheim firmaron reconocimientos de deudas totalmente exorbitantes, se deleitaron con los peores detritus, se consagraron sin saberlo al *strip-tease* y, por último, cometieron lo que se denominó, en ese momento, «crímenes de laboratorio»: pistolas sin cargar, arsénico ficticio, etc.

En París, Richet intentaba hacer aclamar «¡Viva Gambetta!»[168] a una bonapartista hipnotizada[169] y Ballet también

---

[166] Cfr. Azam, 1887, págs. 231-280.

[167] Cfr. Gilles de la Tourette, 1887, págs. 279-528.

[168] Léon Gambetta (1838-1882) fue un abogado nacionalizado francés, activista en la lucha contra el golpe de Estado de Luis Napoleón Bonaparte. *(N. del T.)*

[169] Cfr. Carroy-Thirard, 1981, págs. 45, 49.

practicaba la escalada experimental de la repugnancia y del horror, pero para certificar con Charcot que la total sumisión hipnótica era imposible. Hace falta buena disposición. ¿Violada bajo hipnosis? Un poco consentidora al menos («Según mi opinión, una mujer que se hubiese ofrecido a un hombre durante o después de una hipnotización, se hubiera abandonado igualmente fuera de los experimentos de la hipnosis»)[170] [cfr. Apéndice 22]. Este debate duró años enteros.

No obstante, en Clermont-Ferrand un jovencísimo profesor de filosofía, de veintisiete años, alzaba un hilo de voz, una discreta llamada a una autocrítica del experimentador: «También de forma inconsciente, nosotros mismos le habremos sugerido ese recurso a medios ilícitos al darle una orden que es incapaz de ejecutar de otra manera»[171].

Bergson reavivaba aquí la cuestión de los límites de la actuación hipnótica, fundamentaba la cuestión del *sujeto simulador* al esbozar, pertinente simetría, *la hipótesis de un deseo del Maestro...*

Alma noble, monopolio del espectáculo

El deseo de los médicos de la Salpêtrière habrá sido, principalmente, un deseo que no se atrevía a decir su nombre. Ahí se encuentra ya toda su perversidad, si no toda su perversión. Ahí está, en cierto sentido, toda su desgracia, la angustia, puede ser, de todo un «cuerpo médico», o más bien el movimiento de rechazo y de desviación de un aumento de la angustia. Un movimiento del alma noble también.

Fue *un deseo indeciso*. Entre escalada (moral infantil del juguete) y prudencia (una deontología; sin edad).

Escalada en todas direcciones: la «imagen» de la histeria, en el siglo XIX —y seguramente todavía nos quede algo hoy en día—, la imagen vulgarizada de la histeria fue la que produjo, la que ofreció Charcot. *Idem* para el hipnotismo: Charcot entraba, desde 1890, en el pequeño panteón de una

---

[170] Babinski, 1934, pág. 513. Cfr. Ballet, 1891, págs. 6-13, etc.
[171] Bergson, 1886, pág. 531.

«Biblioteca de las Maravillas»[172], y esto ya es decir mucho. Se sabe que Charcot entusiasmaba a su «público», que en gran parte no era médico, con sus lecciones de los martes; llegaba incluso a investir a cada espectador con poderes de la especialidad sobre los sujetos hipnotizados[173]: «Mire, caballero, ahí, por ejemplo, sí, usted, ahí, venga, ordénele algo, sí, cualquier cosa»... Charcot prestaba de esta manera, momentáneamente, su «suposición de saber», motor de la transferencia, para demostrar claramente que no había trampa. Como en el circo. Recíprocamente, se constata que los magos o magnetizadores de la época se pusieron a hacer alarde de la seriedad de la prestación, con argumentos publicitarios del tipo: «Según los experimentos del prof. Charcot en la Salpêtrière»[174].

Y es aquí donde aprieta el zapato, por supuesto. Para Charcot. El zapato aprieta cuando una modalidad estructural, desconocida para él pero absolutamente legítima, se revela, aunque desplazada, a plena luz de una atracción de feria: es decir, cuando un auténtico saltimbanqui viene a tomarse por el propio profesor Charcot, porque presiente, simplemente, que la Salpêtrière puede enseñarle cosas nuevas sobre su propio oficio; porque entrevé la Salpêtrière como la alta esfera de la magia, de los escamoteos y de la feria de monstruos. Mucho más que museo (así lo percibían todas las gentes de letras), una capital de las falsas apariencias, la capital de los vendedores de arena[175].

En contrapartida, una palabra, una depreciación: *ivulgarización!* En contrapartida, una mímica sincera de la *prudencia* deontológica. Adelantándose aquí a las críticas murmuraciones[176]: como la propia alegación de «prudencia» por parte de Charcot, ya citada[177]. Y ahí, a continuación: el repudio masivo, ¡ingrato!, que los discípulos infligieron al Maestro tras su muerte. Se burlaron del interés de Charcot en relación con la

---

[172] Cfr. Foveau de Courmelles, 1890, pág. 33, etc.; Hahn, 1894, *passim.*

[173] Cfr. Delboeuf, 1886, pág. 147.

[174] Cfr. Guillain, 1955, pág. 62.

[175] El «vendedor de arena» es una figura del folclore francés, comparable a nuestro «hombre del saco», con la que se amenazaba a los niños para que se durmiesen. *(N. del T.)*

[176] Cfr. Bergson, 1886, *passim;* Delboeuf, 1886, *passim;* Freud, 1892-1894, pág. 141, etc.

[177] Cfr. Charcot, Prefacio a Azam, 1893, pág. 10.

histeria y la hipnosis, como de una fatal «tercera carrera»; se habló de «imprudencias de su vejez», de «fallo ligero», véase de los «peores atrevimientos»[178]. El factor de *culpabilidad* se conjugaba en femenino: se acusó a la *filosofía,* al pensamiento puro de los cuerpos, o incluso al pensamiento del pensamiento —aquí, en todo caso, fuera de la medicina.

> Parece que en un cierto periodo de su vida, Charcot (...) se vio atraído por la filosofía y la psicología, por el estudio del mecanismo íntimo de las funciones cerebrales. Entonces eligió, fuera de sus internos en Medicina, a unos colaboradores pertenecientes a disciplinas filosóficas...[179].

En otras partes se habla de circunstancias atenuantes, se entra en la guerra de las responsabilidades: Charcot se habrá visto «superado», véase abusado, menos por sus ideas que por el celo de sus propios colaboradores, ardientes en ofrecerle sobre un escenario lo que sabían que él deseaba ver... Y además, «las histéricas se prestaban voluntarias a los experimentos para hacerse interesantes»[180] y él, ingenuo, ¡las había creído!... Además, corre el rumor de que Charcot sigue sin mancharse las manos, al no haber hipnotizado jamás «personalmente» a ninguna enferma, al haber siempre delegado esta función en los asistentes, etc.[181]... No entro en este embrollo.

Aquí no me importa más que constatar ese soplo de culpabilidad que pasaba *a pesar de todo* a través de las escaladas experimentales de ese lugar señero de la medicina.

La ética psiquiátrica se habrá rehecho y se habrá incluso reforzado un poco: se enjuiciaron, en voz alta y clara, los «accidentes histéricos graves sobrevenidos tras una hipnotización practicada por un magnetizador en una barraca de feria pública»[182], y otros casos parecidos[183]. Se hizo de todo para negar el papel histórico, sin embargo evidente, de los magne-

---

[178] Gilles de la Tourette, 1893, pág. 246; Guillain, 1955, págs. 165-176; Ellenberger, 1970, pág. 85.

[179] Guillain, 1955, pág. 165.

[180] *Ídem,* pág. 175.

[181] *Ídem,* pág. 174. Cfr. Ellenberger, 1970, pág. 86.

[182] Charcot, 1888-1889, págs. 247-256.

[183] Cfr. Gilles de la Tourette, 1887, págs. 298-320.

tizadores de feria, como el famoso Donato, en la urgencia del interés científico por dicha cuestión en el siglo xix[184]. En otras partes se denigró a todos los precursores, de Mesmer a Braid (excluyendo en todo caso a Braid), asimilándoles a «auténticos enfermos» que no contaban con más que «el amor por lo extraordinario»: por las histéricas, para resumir[185].

Y fue así como la ética de la precaución terapéutica habrá llegado a reafirmar su rigor. ¿Cómo? *Se habrá arrogado un monopolio:*

> Ustedes me piden que exprese mi opinión respecto a las medidas restrictivas tomadas recientemente en Italia, con relación a las representaciones públicas de los magnetizadores. He de confesar que no me desagrada aprovechar la ocasión que me ofrecen para declarar en voz alta que, en mi opinión, la supresión de los espectáculos de ese tipo es algo excelente y perfectamente oportuno. Y es que, en efecto, las prácticas de hipnotización no son, para el sujeto puesto en juego, ni mucho menos, siempre inocentes, tal y como se cree tal vez demasiado habitualmente (...) En nombre de la ciencia y del arte, en estos últimos años la medicina ha finalmente tomado definitivamente posesión del hipnotismo; y era algo totalmente justo, puesto que sólo ella es capaz de aplicarlo conveniente y legítimamente, ya sea en los tratamientos de los enfermos, ya sea en las investigaciones fisiológicas y psicológicas: en este campo recientemente conquistado, quiere reinar de aquí en adelante como Señora absoluta y celosa de sus derechos, rechazar formalmente toda intrusión. Con mis mejores deseos. Charcot[186].

Derechos, celos, mejores sentimientos: una manera de denegación. Y no dejó, en justa respuesta, de reasegurarse por medio de un lo-sé-pero-sin-embargo:

> Los hechos recientemente observados, principalmente en Italia, parecen indicar que las prácticas hipnóticas son susceptibles de determinar alteraciones nerviosas permanentes. ¿Hay que deducir de ello que la experimentación debe prohibirse? Esto sería admitir que existen verdades que no es bue-

---

[184] Cfr. Ellenberger, 1970, pág. 621, etc.
[185] IPS, III, pág. 150.
[186] Charcot, *OC,* IX, págs. 479-480.

no que se conozcan. (...) Se puede admitir la experimentación en los hombres, que, dicho sea de paso, no tiene nada que deba chocarnos. Es una práctica de alguna manera cotidiana: en los laboratorios y en los hospitales, numerosos enfermos o estudiantes se someten a ello voluntariamente[187].

102. Brouillet, *Una lección clínica de Charcot.*

Prudencia, sí, pero, no obstante, la obligación de la ciencia de hacer-espectáculo: «Esto» —la hipnosis como «fiel reproducción» del traumatismo—, «esto está totalmente implantado y les ofreceré el espectáculo uno de estos días»[188], prometía Charcot a unos oyentes sin duda totalmente expectantes.

EL EXHIBIDOR DE COSAS PASADAS

¿Cómo dirigía, pues, Charcot su *barraca,* para esta demostración, cómo ofrecía espectáculos y prestaba la palabra? ¿Cómo dominaba su feria de hipnosis? Escuchen ya como muestra un íntimo camelo:

---

[187] Binet y Féré, 1887b, pág. 283.
[188] Charcot, 1887-1888, pág. 113.

Ningún cartel les ofrecerá el espectáculo que van a ver en el interior, puesto que no existe actualmente ningún pintor capaz de darle esa sombra triste. Yo traigo, viva (y preservada a través de los años por la ciencia soberana), a una Mujer del pasado. Cierta locura, original e ingenua, un éxtasis de oro, ¡un no sé qué! que ella denomina su cabellera, se despliega con la gracia de los paños alrededor de un rostro que ilumina la sangrienta desnudez de sus labios. En lugar de un vano vestido, tiene un cuerpo; y los ojos, semejantes a unas extrañas piedras, no son dignos de esa mirada que sale de la carne feliz; unos senos alzados como si estuviesen repletos de una leche eterna, la punta mirando al cielo, de piernas bruñidas que guardan la sal de la mar primigenia.

Al acordarse de sus pobres esposas calvas, mórbidas y marchitas, los maridos se apiñan ante él[189]. Es el espectáculo del exhibidor de cosas Pasadas.

Vean cómo ya en el cuadro de Brouillet aparecen todas esas representaciones de antaño, más o menos hagiográficas, de las *lecciones de los martes*[190] [102]: una «reina de las histéricas» desfalleciendo, no, contorsionándose, ofreciendo su garganta a los espectadores asistentes, de los que diecisiete, fácilmente reconocibles, son importantes de alguna manera.

Imaginen que, cuando Charcot daba una lección sobre los temblores, por ejemplo, se traía al anfiteatro tres o cuatro mujeres con corea o histéricas, disfrazadas pese a ellas con sombreros de plumas, desplazándose entonces las discusiones y medidas hacia el temblor coloreado, mucho más controlable que la enloquecida trepidación de todo un cuerpo. Una crítica de arte, casi. Y los cuerpos, justamente, estaban ahí, sobre el estrado, como los pobres restos de un concepto, de un nombre propio, Parkinson o cualquier otro, de un diagnóstico, de una sentencia que revoloteaba por encima de sus cabezas, sin que supiesen nada de ello[191].

Dense cuenta por otro lado de que una pedagogía que utiliza las proyecciones fotográficas tenía con qué constituir, en esa época, algo así como una auténtica «sensación», tal como se

---

[189] Mallarmé, *OC*, pág. 269 («Le phénomène futur»).
[190] Cfr. Foveau de Courmelles, 1890, pág. 33, etc.
[191] Cfr. Ellenberger, 1970, pág. 84.

dice de los grandes acontecimientos de nuestras temporadas de teatro.

Las lecciones de los martes estaban estrictamente «organizadas de manera que incidiesen especialmente en ofrecer la imagen de la clínica cotidiana, de la policlínica *imaginem belli* con todas sus sorpresas, toda su complejidad», escribe Babinski en el prefacio a su primera publicación[192]. Citando en él «al mismo Profesor», su mismo pensamiento clínico: *imaginem belli*...

Charcot habrá utilizado, pues, el carácter de *colección* del campo hospitalario (el «museo patológico viviente») para reunir un *estilo* de la transmisión del saber, propio para «ejercer una agradable influencia sobre el espíritu de sus oyentes, sobre todo de aquellos que tienen la ambición de hacer nuevas exploraciones en el tan atractivo campo de la neuropatología»[193]. Charcot habrá abierto por tanto la vía a una *atracción, Reize,* una atracción de las enfermedades nerviosas, para una conciencia en lo sucesivo estética de la patología.

Y todos estaban interesados en esta atracción, no lo olvidemos, no olvidemos ni el encanto ni el consentimiento: «He visto», declara Daudet, «a clientes de Charcot muy molestos con la desaparición de un signo o de un reflejo, que sabían eran particularmente apreciados por el sabio: "¿Qué va a pensar con esto? ¡Ya no se interesará por mi caso! ¿Qué cara pondré de aquí en adelante en su consulta?"...»[194]. ¿Hacía falta entonces *poner buena cara* ante su propio mal? En cierto sentido, sí. Dialéctica de incitación a la forma apropiada.

Y Charcot no sólo incitaba los síntomas como a un mimo perpetuo de sí mismos, sino que además los inspiraba, como un modelo, convocaba todas las «transferencias» consagrándose él mismo a la pantomima de los síntomas ante su público[195].

En lo cual hacía muestra de las virtudes del *actor,* además de todas las del *auctor:* autor (maestro y garante de las formas), augur (maestro del tiempo), instigador de los actos (el

---

[192] Babinski, Prefacio a Charcot, 1887-1888, pág. II.
[193] *Ídem,* pág. III.
[194] Daudet, 1922, pág. 201.
[195] Guillain, 1955, pág. 54; [cfr. Apéndice 2]; Debove, 1900, pág. 1391.

auctor es aquel que, literalmente, empuja a actuar), director de escena de las actrices de la Histeria, su concepto. Es lo que yo también denominaba, sin moralismos, ante la imposibilidad de encontrar otra palabra, un saber-hacer de la *hipocresía*. Ese saber-hacer glorificó, pues, la histeria como *«gran forma»*. Y, al mismo tiempo, hacía creer en un cuerpo real de la histeria.

EL HACEDOR DE MILAGROS

Un cuerpo sobre el cual el saber, el supuesto saber de Charcot, hizo milagros, digo bien milagros. Llamado a acudir a un convento junto a una joven religiosa aquejada de parálisis funcional, Charcot llegó y dijo: «¡Levántese y ande!» La enferma obedeció, milagro, la Iglesia se sintió embargada, en todos los sentidos de la palabra[196]. Y las llamadas curaciones milagrosas de la Salpêtrière llegaron a constituir algo igual a las de la *Semana religiosa* de Lourdes[197]. Los testigos, en ocasiones, se descubrían y se persignaban ante Charcot[198].

Puesto que las amnésicas histéricas de Charcot, por ejemplo, no recordaban realmente nada («P.—¿En qué lugar se encuentra ahora? R.—No lo sé; no reconozco esta sala. P.—¿Conoce usted la Salpêtrière? R.—Nunca la he visto, pero he oído hablar de ella. P.—¿Conoce usted a estas dos señoras (sus dos compañeras de habitación)? R.—No, señor, jamás las había visto. P.—¿Y a este señor (Sr. S..., interno del servicio)? R.—En absoluto»), no se acordaban de nada, *salvo de Charcot* («P.—Y a mí, ¿me conoce usted? R.—(tras un corto periodo de reflexión)... *¡Sí, usted es el Sr. Charcot!»*)[199].

Esto es, a pesar de todo, una dialéctica de seducción en la que la histérica *sentía y creía* que él lo sabía todo sobre sus sentidos, ella que no sabía nada; y en la que él *no creía y creía* (por un lado positivista y sin embargo fascinado por su propia eficacia) en su encanto milagroso. Me lo imagino:

---

[196] Cfr. Daudet, 1922, pág. 226.
[197] Cfr. Carroy-Thirard, 1980, pág. 507.
[198] Cfr. Lyubimov, cit. por Ellenberger, 1970, pág. 83.
[199] Charcot, 1892-1893, II, pág. 280.

Hoy, por primera vez, he posado mi mirada sobre ella. Se dice que el sueño vuelve pesados los párpados hasta el punto de cerrarlos: ¿tendría mi mirada sobre ella un efecto análogo? Sus párpados se cierran. Ella no ve que la estoy viendo, pero tiene sensación de ello, y por todo su cuerpo[200].

Así pues, dialéctica de maestría. Charcot decidió, por ejemplo, internar a cierta joven anoréxica, a su entender el único medio terapéutico; difícil «consentimiento» de sus padres, «pese a todas mis reconvenciones»; finalmente, se le aplicó «el aislamiento»:

> Sus resultados fueron rápidos y maravillosos; ¿por qué? La muchachita lo analizó por sí misma: «Mientras que mamá y papá estuvieron a mi lado, en otras palabras, mientras que usted no triunfó —puesto que sabía que quería usted encerrarme—, creí que mi enfermedad no era importante, y, como me horrorizaba comer, no comía. *Cuando me di cuenta de que usted era el jefe, tuve miedo,* y pese a mi repugnancia, intenté comer y lo conseguí poco a poco.»

Es el propio Charcot quien lo destaca; después codificó su pequeño comentario: «Agradecí a la niña su confidencia, que, como pueden ustedes comprender, contenía toda una enseñanza»[201].

¿La enseñanza? Puede que fuese ésta: *el encanto y la maestría del encanto.* Convertirse en enfermas totalmente «encantadas», elevando a Charcot «a las alturas del Olimpo»[202]. Ahora bien, todo esto tiende también a crear un *personaje.* La tremendamente simbólica identidad de un Padre Juez, Sanador que, como si dijésemos, reunía todas las figuras de la omnipotencia.

Esta omnipotencia habrá especulado y actuado sobre el desconocimiento, el señuelo neurótico en el que se enlaza la transferencia. Falsas apariencias ante las pacientes. Negada (por supuesto, pero, sin embargo, ciegamente utilizada). Y hasta en la enseñanza teórica, de donde: reconducción en

---

200 Kierkegaard, 1843, págs. 341-342.
201 Charcot, *OC,* III, págs. 245-246.
202 Charcot, 1887-1888, pág. 385.

todas direcciones de la transferencia, fantasma de omnipotencia científica. Falsas apariencias ante el público. Asentamiento definitivo del personaje. Magisterio. Freud, en esa época, comenzaba sus cartas a Charcot de la siguiente manera: «Fascinado desde hace dos meses con vuestras palabras»[203]... y luego en otro lugar se confiaba con respecto a él en los siguientes términos: «Pese a mi amor por la independencia, me he sentido muy orgulloso de esta muestra de interés, porque, pese a ser el subordinado de este hombre, estoy satisfecho de serlo»[204]. Y fueron auténticos exvotos, efigies, bordados, lo que Freud se trajo de París a Viena[205].

Magisterio. El tema, lo supuesto y el saber de toda una época. Hagiografía, incluso. Tal y como ya he destacado, Charcot fue considerado como un auténtico «apóstol»[206], como «el consolador de su siglo»[207], un gran filántropo. Florecían las anécdotas del tipo:

> Todos los desechos del terror, de la herencia, del desenfreno, del alcoholismo llegaban a él como los detritus de París a la boca de un colector; ¡él hacía o rehacía hombres, mujeres, madres! Es un milagro. Yo he visto, un día, a unos magistrados a los que demostraba, mediante un experimento en directo, que una pobre chica histérica puede, dominada, modelada por una voluntad superior, volverse irresponsable. Era en verano, bajo una techumbre de vidrio recalentada por el sol. Un viejo juez, gordo y colorado, por lo demás muy conmovido, se desmayó y, para curarlo, Charcot despertó rápidamente a la pobre hipnotizada que, en un minuto, apresurándose, cuidó al magistrado y preparándole agua con azúcar, se convirtió de enferma en enfermera. Gracias, gracias, repetía el sexagenario amenazado de apoplejía. Había en esta aventura todo un símbolo en acción. Charcot acababa de demostrar al magistrado una verdad; y, al mismo tiempo, de una pobre muchacha sacudida por la histeria, hacía una devota que salva, una colaboradora de su inmensa obra: el Mal combatido, la Vida consolada[208].

---

[203] Freud, cit. por Jones, 1953, I, pág. 230.
[204] *Ídem*, pág. 204.
[205] *Ídem*, págs. 231-232.
[206] Leygues, 1898, pág. 683.
[207] Clarétie, 1903, pág. 179.
[208] *Ídem*, pág. 180.

«CONFÍE USTED EN MÍ:
LA FE ALIVIA, GUÍA, CURA...»

Pudo haber dicho: «Voy a desvelar todos los misterios religiosos o naturales, muerte, nacimiento, porvenir, pasado, cosmogonía, nada. Soy maestro en fantasmagorías. ¡Escuchen!... ¡Poseo todas las aptitudes!» O bien: «Confíe usted, pues, en mí, la fe alivia, guía, cura. Vengan todos, incluso los niños pequeños, para que les consuele...» O bien: «Debería tener mi infierno para la cólera, mi infierno para el orgullo, y el infierno de la caricia; un concierto de infiernos.» O bien: «¡Ah!, ¡volver a la vida! Lanzar la mirada sobre nuestras deformidades. Y ese veneno, ¡ese beso mil veces maldito! ¡Mi debilidad, la crueldad del mundo! Estoy escondido y no lo estoy»[209].

La fe alivia, guía, cura. Las curaciones de histéricas, en la Salpêtrière, habrán sido, pues, lo que fueron desde siempre: *milagros,* operaciones mágicas fundamentadas en una indescifrable *complicidad* de la histérica y de su médico. Reinvención perpetua.

También podríamos denominar a esto simplemente *confianza,* es decir, el total abandono de los cuerpos a una creencia, un poder, un magisterio. «La *curación,* es una *demanda* que sale de la boca de un doliente, alguien que sufre en su cuerpo o en su mente. Lo sorprendente es que haya una *respuesta,* y que desde siempre la medicina haya dado en el blanco mediante palabras»[210].

¿En qué creía Charcot, él, frente a la eficacia de su propia práctica? Uno de sus últimos trabajos se titula, precisamente, *La fe que cura.* En él se evocan los santuarios, estatuas, exvotos, todo aquello que, desde el Asclepieion de Atenas, concedió a los dolientes de innombrables males aquello que Charcot denomina «faith-healing», la curación-por-creencia, yo diría confianza más creencia.

---

[209] Rimbaud, *OC,* págs. 101-102 («Une saison en enfer»).
[210] Lacan, 1973a, pág. 17 (la cursiva es mía).

Estos fenómenos, dice al inicio, «no escapan al orden natural de las cosas. El milagro terapéutico tiene su determinismo»[211]. En otras ocasiones había buscado en las localizaciones cerebrales algo así como un esquema teórico de ese determinismo[212]. Pero, aquí, es únicamente el factor de la *sugestibilidad* lo que se anticipa, en tanto que define «el estado mental histérico» por excelencia. Y donde el espíritu «no tarda en dominar el estado físico»[213]. He aquí, pues, una parte totalmente psíquica, *motu proprio,* de las enfermedades (tengan bien en cuenta que en otras partes es a menudo rechazada, puesto que a pesar de todo pone un poco en peligro ciertos esquemas de base de la neurofisiología). Una parte, por lo tanto, totalmente *imaginaria* de la histeria. «A la enfermedad física, le hace falta un tratamiento de la misma naturaleza», admite Gilles de la Tourette, «la *medicina* llamada *de imaginación»:* pastillas fulminantes compuestas de miga de pan o de azul de metileno «que, al colorear la orina, impresionan vivamente a los enfermos»[214]. La medicina psicológica, como estrategia, juega con *la ignorancia del paciente.*

En todo caso, Charcot admitía lo siguiente: el milagro terapéutico responde a un prodigio del que están dotados *los cuerpos en tanto que histerizados.* La curación milagrosa no es una curación, es un síntoma, *un síntoma histérico.* Cierto. Y Charcot parece casi admitir que ese prodigio, por ser sintomático, no por ello es menos *dialéctico,* inventándose a sí mismo cada vez en las escenificaciones de la transferencia (en todos los sentidos, Charcot y Freud, de la palabra), es decir, de una *reciprocidad* que puede llegar muy lejos:

> Resulta incluso curioso constatar que algunos de esos taumaturgos estaban afectados por la misma enfermedad cuyas manifestaciones van a dedicarse a curar en lo sucesivo: San Francisco de Asís, Santa Teresa, cuyos santuarios se sitúan en primer rango entre aquellos en los que se produjeron milagros, eran ellos mismos unos histéricos innegables[215].

[211] Cfr. Charcot, 1892, pág. 3.
[212] Cfr. Charcot, 1887-1888, pág. 139.
[213] Charcot, 1892, págs. 4-5, 16.
[214] Gilles de la Tourette, 1898, pág. 181.
[215] Charcot, 1892, pág. 10.

Pero su pensamiento se detiene ahí. Se detiene en lo que yo denominaría una *coartada,* un «en otra parte» de la historia. ¿Conserva la palabra inglesa *faith* para preservarse de lo que «confianza» y «creencia» suponen de una dialéctica intersubjetiva a la que, positivista o no, todo médico de la histeria parece estar precipitado? Finalmente, su pensamiento se detiene. Negación. A veces incluso bajo la forma de la molestia, una molestia estética. Puesto que Charcot no se identificaba con un *santo;* llegaba mucho más lejos, se identificaba con un *artista:* es decir, alguien que también puede ofrecerse el lujo de ser satánico.

A un enfermo que le suplicó un día que curase sus manos torturadas, que fuese para él «el mismo Dios», Charcot le contestó: «Si fuera Dios, sería eterno, no tendría ni comienzo ni fin y eso acabaría por aburrirme. Y yo, si fuese el Todopoderoso, cuando todo estuviese hecho, ¿qué haría después? Tal vez me divertiría en deshacer»[216].

TEATRO CONTRA TEATRO

Hacer y deshacer, eso es lo que constituye la exacta libertad que puede ofrecerse un director de escena en sus ensayos. Las *Lecciones de los martes* están por lo demás escritas, más bien reescritas, exactamente como obras de teatro, con réplicas, soliloquios, didascalias, apartes del héroe, etc.[217].

El «estado mental histérico», lo que denominaba vagamente *parte imaginaria,* a menudo no se comprende más allá del sentido sarcástico que Molière dio un día a esa palabra. Vean a Charcot frente al problema de la simulación histérica y no encontrando otra solución más que pedir que le socorriese *el Médico a palos:*

> En general, señores, tal vez podríamos decir que, ineludiblemente, el simulador es un cuentista. Imagina a voluntad, borda y ejecuta florituras. Recuerden ustedes la consulta ofrecida por Sganarelle a Lucinde, a la que se puede considerar una perfecta simuladora.

---

[216] Cit. por Jones, 1953, I, págs. 204-205.
[217] Cfr. Charcot, 1887-1888 y 1888-1889, *passim.*

SGANARELLE.—¿De qué se trata? ¿Qué tenéis? ¿Cuál es el dolor que sentís?

LUCINDE *(responde por signos llevándose la mano a la boca, a la cabeza y bajo la barbilla).*—Han, hi, hon, han.

SGANARELLE.—¿Eh? ¿Qué decís?

LUCINDE *(repitiendo los mismos gestos).*—Han, hi, hon, han, hi, hon.

SGANARELLE.—¿Qué?

LUCINDE.—Han, hi, hon.

Pues bien, señores, esos han, hi, hon, han son evidentemente demasiados y revelan la simulación. El auténtico mudo permanece silencioso[218].

(No obstante, destaquemos que, en esta cita, Charcot omite justamente el detalle que sigue de forma inmediata: Sganarelle no podía, él, más que *imitar* a su vez a Lucinde, «han, hi, hom, han, ha», para precisar su interrogatorio: «No os oigo. ¿Qué demonio de lengua es ésa?», etc. Pero tal vez no era una palabra, ni un sentido de la imposibilidad de la palabra, lo que Charcot cuestionaba exactamente en esas mudas.)

Las lecciones de los martes, ¿no habrán sido también como sesiones catárticas (para las actrices aún más que para los espectadores), en el sentido en que nos habla la tradición de una catarsis de los *humores pecantes,* lo que nos llega del verbo *peccare:* pecar, caer, cometer el mal y engañar a otro...? ¿Esto quiere decir que Charcot inventaba un teatro contra la «teatralidad» histérica, para denunciar a ésta como simulación, *exceso y pecado de mimesis?* Podría ser.

Yo pasaría aquí a considerar esta teatralidad psiquiátrica de la Salpêtrière como una tentativa específica de *reconversión,* una palabra muy fuerte. Reconvertir la espectacular «conversión» histérica, sustituir una temporalidad fulgurante de la repetición (en el sentido de la *Wiederholungszwang* freudiana, y puede que hasta el punto en el que ésta toca lo que Artaud formula sobre el teatro), la temporalidad fulgurante de los símbolos histéricos, por otra temporalidad diferente, reglamentada, la de su repetición (en el sentido de las representaciones teatrales) hipnótica.

---

[218] Charcot, *OC,* III, pág. 433.

Pues el teatro hipnótico, en tanto que está «dominado» por el «fascinador», *delimita e intensifica el síntoma:* le fuerza a la perfección de un dibujo, que ofrece, en el mismo *artificio,* como una realidad del acontecer sintomático en sí mismo. Este acontecer es, pues, por su espontaneidad, susceptible de ser atajado; en cuanto atajado, susceptible de ser vuelto a provocar, metódicamente. Hay en ello una teatralidad que busca algo así como la cristalización del aspecto en *teoría* y, por medio de su reposición en escena, como una refabricación de su *evidencia.* Ese teatro es también el teatro del poder de *fabricar las taxonomías de cuerpos en sufrimiento.* Tiende, de hecho, a exorcizar el síntoma con la repetición experimental, hipnótica, del síntoma.

Ahora bien, este teatro no comporta menos que otros su beneficio de seducción, puesto que sabe enlazar muy bien encanto y saber. Pero también es como una mistificación de amor, siendo la propia *vedette* del espectáculo la mistificada en primer lugar: puesto que se cree unánimemente adulada. Y sin embargo «lo que está en juego es satisfacer un *contrato imaginario* (te pido que me pidas la imagen que se manifiesta de nuestras comunes peticiones...)»[219]. O la puesta en escena se convierte de hecho en *puesta a distancia y puesta en espera* del «objeto» —la misma histeria, me refiero únicamente a tal sencilla y estridente reivindicación de tal cuerpo abandonado a tales síntomas...

Este contrato imaginario alcanza también a toda la sala. Ahora bien, por esta misma expansión, produce un *desprecio,* fundamental: el «malentendido, que siempre puede asentarse entre la necia curiosidad y el maestro» —un malentendido que es por lo tanto el mismo del saber supuesto[220].

Y los asistentes de la sesión son sin embargo algo más que unos necios: ellos realmente *asisten,* es decir, ayudan de alguna manera al síntoma a que se demuestre, a que se exponga por entero; y esto, mediante una exhortación muy íntima pero muy, muy eficaz.

Es por lo que tal teatro, aunque innoble, está próximo a todo teatro, incluso a su cualidad de ficción; es tan auténtico

---

[219] Sibony, 1980, pág. 167. Cfr. Legendre, 1978, pág. 24, etc.

[220] Mallarmé, *OC,* pág. 316 («Crayonné au théâtre»); Lacan, 1968, *passim.*

que «la puesta en escena es el crisol evidente de placeres disfrutados en común, también y pensándolo bien, la misteriosa apertura del misterio de que estamos en el mundo para poder ver su grandeza»[221]... Pues en el movimiento mismo, escabroso, de su pedagogía, ese teatro-Salpêtrière ofrecía aquello con lo que casi siempre gusta que gratifique el teatro: *la araña de cristal*, «un hermoso objeto luminoso, cristalino, complicado, circular y simétrico»[222]. Araña de cristal de los cuerpos histéricos haciendo piruetas sobre las láminas de las lecciones de los martes.

En ese momento, pues, en que la histeria, puesta en escena, tendía a representarse como una *imagen concebida*, se agitaron todas las efervescencias de la diversión, de lo mundano, del he-oído-decir, del «comprender todo», digamos: de las *habladurías*[223]. Como el efecto, socializado, de una *curiosidad* fundamental con respecto a la histeria, es decir, el equívoco de un «ver para ver», bajo la coartada del «ver para saber»: una *concupiscentia* bajo coartada, en mal sentido, de *scientia*.

Belleza

De esta *concupiscencia*, ese deseo «de exhibir las cosas en un imperturbable primer plano, como ladronzuelos, activados por la presión del momento»[224], los médicos de la Salpêtrière hicieron, pues, producción y reproducción, colección, *corpus*.

La *Iconographie photographique de la Salpêtrière* es algo así como el corpus de una atención, de una *espera* incluso, fascinadas. ¿Fascinadas por qué? Helo aquí: el extremo narcisismo, gracias al cual la histérica consiente a toda escenificación de su cuerpo, el extremo narcisismo histérico es fundamentalmente *fascinante*[225], incluso porta en él algo que bien podría denominarse *belleza*.

---

[221] Mallarmé, *OC,* pág. 314 («Crayonné au théâtre»).

[222] Baudelaire, *OC,* I, pág. 682 («Mon cœur mis à nu»).

[223] Cfr. Heidegger, 1927, págs. 206-215 (habladurías, curiosidad, equívoco).

[224] Mallarmé, *OC,* pág. 384.

[225] Cfr. Lacan, 1953-1954, pág. 152.

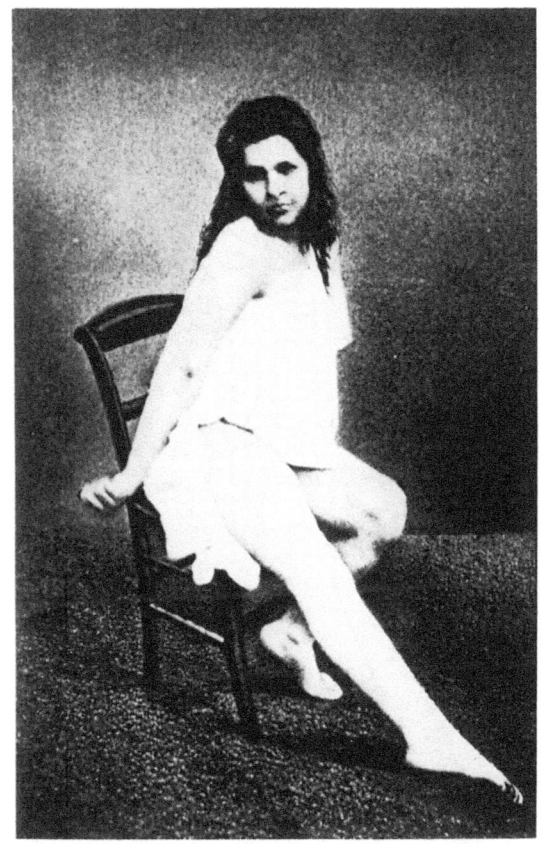

Planche XXIX.

HYSTÉRO-ÉPILEPSIE

CONTRACTURE

103. [Lámina XXIX. Histero-epilepsia. Contractura]. Régnard. Fotografía de Augustine. *Iconographie...*, tomo II.

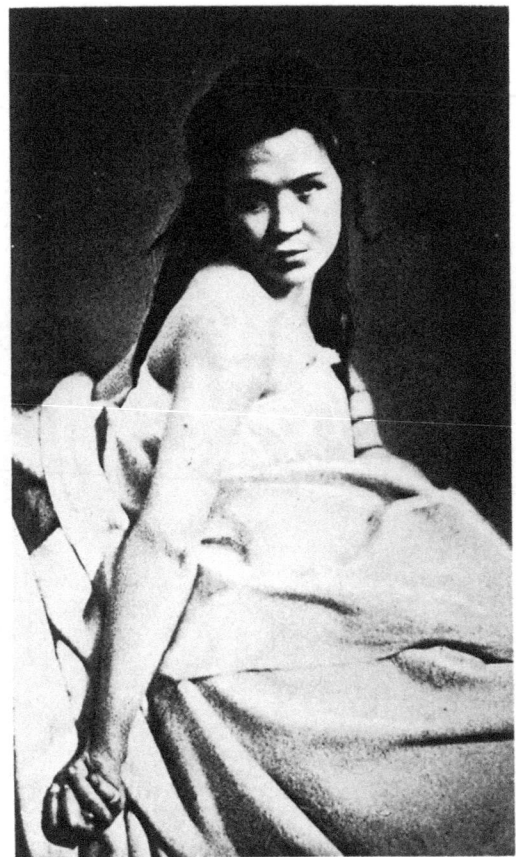

Planche XXX.

HYSTÉRO-ÉPILEPSIE

CONTRACTURE

104. [Lámina XXX. Histero-epilepsia. Contractura]. Régnard. Fotografía de Augustine. *Iconographie...*, tomo II.

Kant:

> Nos *detenemos* en la contemplación *(Betrachtung)* de lo bello, porque esta contemplación se fortifica y se reproduce a sí misma; es un estado análogo (aunque no idéntico) a la detención del espíritu *(Verweilung)*, cuando una propiedad atractiva de la representación del objeto despierta la atención repetidas veces —estado en el que el espíritu permanece pasivo[226].

La *Iconographie* sería por tanto como la *colección* de tales «detenciones», de tales retrasos. Mirar siempre dos veces, ésta era la metodología de Charcot en relación con la visibilidad de los síntomas. Ver y medir, ver y rehacer mediante la hipnosis. Ver y fotografiar.

Así ocurría con la «contractura» de Augustine. Fotografiada incluso dos veces: lámina XXIX y lámina XXX de la *Iconographie*, tomo II [103-104]. Ciertamente no falta un toque de belleza, algo que, por la virtud de la mirada desdoblada, siempre dúplice, hace pasar la contractura, un daño corporal («todas las coyunturas están rígidas; el antebrazo se encuentra en pronación exagerada, los dedos están enérgicamente doblados sobre la palma de la mano, el pulgar colocado entre el anular y el corazón. (...) El dolor de la pierna derecha también sigue siendo intenso y la contractura de los miembros del lado derecho es lo más completa posible»)[227]... posee un encanto inenarrable de pose, de hábil ropaje, indiscreto, aunque no demasiado, de silla dispuesta a caerse de inmediato, como si vuestra misma mirada turbara el porte del cuerpo. Y luego todos esos primeros planos blancos de carne. ¿Encantador?

Imágenes mismas del pecado, ¿no? Imágenes de un cuerpo saturado de sexualidad. Pero imágenes falsas, *representando ficticias*. Aunque fotografías auténticas, imágenes totalmente falseadas, porque se fundaban sobre un tráfico, fatal, del tiempo que impresionaban. Y ese tiempo no se ve, o como mucho se sospecha (un casi-ver: una inquietud) cuando conocemos la formidable contractura de Augustine, en ese momen-

---

[226] Kant, 1790, pág. 65 (§ 12).
[227] IPS, II, págs. 138, 146.

to, la pérdida de movimiento en todo su lado derecho, la hemiplejia momentánea, la anestesia, acuérdense, que «igualmente afecta las mucosas de la mitad derecha del cuerpo (conducto auditivo, párpados, ojo, nariz, boca, lengua, paladar, vulva)»[228]. Fotografías de alguien para quien la noción de posición ya no existía a la derecha, que hablaba con media lengua, que perdía toda noción de los colores, que «aprendía a ser zurda», tal y como ella misma decía. Belleza siniestra.

La imagen disimula, pues, la enfermedad que se suponía debía mostrar, y cuya leyenda nos indica que, no obstante, esa enfermedad se muestra, e incluso en primer plano, en un brazo, una pierna. Pero, sin saberlo, habrá intervenido un estilo, *en beneficio de la belleza,* pero desgarrador. La imagen artera, pues. Que a la vez se aleja y se acerca. El drapeado esconde el cuerpo (una rareza respecto al «estilo médico» habitual) pero el encuadre encierra «al sujeto» atrayéndolo algo más cerca, suscitando curiosidad, deseo de «complementar»[229]. La imagen se mantiene, pues, próxima al cuerpo. Pero sobre todo para acallar la angustia, convertir en forma esa angustia. Mediante dicha dialéctica, que es una *dialéctica de esperas,* la fabricación de imágenes lleva la demanda histérica a su cumbre: perfección y crueldad. Puesto que la demanda histérica, frente a ese *oculus* (... que puede también ser una palabra del amor: *in oculis aliquem ferre, es querer* a alguien), a ese ocular que siempre se acerca más, la demanda histérica se agarra al siguiente señuelo: la oreja está muy cerca, al acercamiento del ojo va a seguir una escucha. Error. Error que nunca es evidente. La demanda histérica se vuelve, pues, infinita, y con ella el consentimiento a todo, y con ello el síntoma. La instancia psiquiátrica del ver, en su reificación siempre reconducida de los cuerpos, en su mantenimiento y dominio, e incluso disfrute, de la angustia de las locas, la instancia psiquiátrica del ver habrá querido por lo tanto suspender el tiempo y mantener locas a las locas.

De esta manera habrá fomentado una *relación perversa.* Los médicos de la Salpêtrière de alguna manera se habrán planteado, y constantemente, a lo largo de los protocolos experi-

---

[228] *Ídem,* pág. 123.
[229] Cfr. Freud, 1905a, pág. 42 (curiosidad, veladura, belleza).

mentales, la cuestión perversa por excelencia: «¿De qué sustancia corporal está hecha la mujer?»[230]. Habrán instrumentalizado cada vez más su pregunta, habrán reinventado sin cesar el cuerpo histérico como superficie experimental de *desencadenamientos,* siempre a la búsqueda de un principio sustancial, de una descripción protocolaria de esa especie de disfrute del que una histérica hace muestra, o lo parece, al mismo tiempo que de sus dolencias. Frente a esta búsqueda, el cuerpo histérico consentía, pues, a una indefinida reiteración de los síntomas, fragmentos de respuestas, una enloquecida reiteración. Para una instancia perversa, apetecible. Iconografiable.

El consentimiento está en el núcleo de un proceso fundamental, que Freud enunciaba en los siguientes términos: «*La neurosis es, por así decirlo, el negativo de la perversión*»[231], y yo diría que en cierto sentido neurosis y perversión pueden encontrar su vínculo en un *en-frente.* Una especie de reciprocidad última, pero marcada por lo negativo. La situación fotográfica, en la Salpêtrière, parece ejemplar respecto a esto.

Así pues, una paradójica connivencia. «Los fantasmas inconscientes de las histéricas», escribe Freud, «corresponden plenamente, en cuanto a su contenido, a las situaciones de satisfacción que los perversos llevan a cabo conscientemente»[232]. ¿Qué hay que decir a esto? Lo siguiente: que *esta connivencia es disimétrica,* colocando frente a frente un (supuesto) saber perverso y una total angustia (histérica) del saber. Connivencia, por lo tanto.

CONTRATO

Más bien, contrato.

El encanto de y hacia Augustine, ese encanto tenía forma de contrato. Incluía, en un mismo movimiento, algo así como el *ejercicio de una ley* —algo que estaba unido, no al cuerpo, sino a un estatuto de su *apariencia,* poses, actitudes pasiona-

[230] Cfr. Fédida, 1977, pág. 39.
[231] Freud, 1905a, pág. 54.
[232] Freud, 1908, pág. 152.

les, etc.— y además algo que siempre se encontraba *condena-do a la repetición*[233]. Fíjense simplemente en esto, en los ropa-jes de Augustine. En dos series de tomas (de imágenes), tomo II, luego tomo III de la *Iconographie,* Augustine se habrá cambia-do de ropa, habrá trocado su sencillo camisón de interna por un hábito de cuidadora. Me imagino que ese uniforme le fue entregado a cambio de su propia «regularidad» de histérica: puesto que se contorsionaba y se alucinaba a horas fijas, si se nos permite decir, a horas fijadas para las sesiones hipnóticas o las lecciones del anfiteatro. Esto describe los mejores días del contrato.

Época en que Augustine estaba de acuerdo con Bourne-ville, el estenógrafo de sus delirios provocados por el nitrito de amilo, para admitir lo siguiente, que «las palabras se van, lo escrito permanece»[234]... Pero él, Bourneville, buscaba, a través de sus notas, sus predaciones fotográficas, sus «nuevas tomas» hipnóticas, Bourneville *buscaba «la» mujer histérica.* Al llevarlo a la acción, caía en algo así como una perversión. In-tentaba elaborar, con las poses de Augustine, sus «actitudes pasionales», *un objeto único.* Véase, de una cierta manera, ina-nimado. Un cuadro. Intentaba ardientemente fijar Augustine a una existencia típica, a reunir todo acto, todo dicho, toda risa de Augustine bajo el imperativo categórico (pero imagi-nario) de su concepto de la Histeria. Bourneville, Régnard, Charcot, *fetichizaron los cuerpos.*

Fetichizar, esto denomina en primer lugar un saber-hacer[235], y más bien diría, en este caso, un *saber-hacer-hacer* de director de escena. Se practicó en la actuación sintomática de Augustine un riguroso *recorte,* que no tuvo por efecto más que acusar, agravar en ella el *hacer-sin-saber,* su gran desconoci-miento de *vedette.*

Denomino imaginario este imperativo porque, como «reti-rada» de la histeria, obraba en tanto que *imposición de una es-tructura de ficción:* papeles, repeticiones hipnóticas, protocolos experimentales a petición, regulados por algún Maestro de ballet. Impuesta de tal manera, dicha ficción ocupó el sitio,

[233] Cfr. Fédida, 1977, págs. 41-42 (el contrato perverso).

[234] IPS, II, pág. 148.

[235] Cfr. Clavreul, 1967, pág. 117; Lacan, 1973a, págs. 60-61.

por censura y rechazo, de cualquier otra ficción: se prohibieron, pues, a las histéricas las sutiles emociones de novela y de melodías, para golpear mejor con destellos y gongs.

Y tengan en cuenta lo siguiente. La fetichización de los cuerpos, más bien de sus «actitudes», depende tanto de una emblemática de la *ley* en la imaginación como de una instrumentalización del *placer*. Connivencia íntima. He aquí, pues, reformulado, ese nudo de paradojas, las mismas, siempre, de las que la Salpêtrière fue teatro. Volvamos a desgranarlo de esta manera: un deseo no se atrevía a decir su nombre, en ello radicaba su sorprendente fuerza, su genialidad, su ardid y su *maestría;* pero al mismo tiempo era lo que asigna todo deseo perverso a una irremediable *precariedad*[236]. El «objetivo», escribe Freud, en efecto, no «parece poder ser alcanzado», no existe más que un *clinamen,* una declinación sin fin hacia el «objeto», y esta perpetuidad misma compromete el deseo a un riesgo de muerte del deseo[237]. La histérica, lo repito, permanece totalmente connivente a este riesgo. Esa muerte le toca en el reparto.

Tal es, pues, el contrato, momento clave del compromiso de una actriz con un director de escena, que promete dulcemente convertirla en una estrella, a condición... Pero las condiciones, justamente, no se escribieron; el contrato fue *tácito*.

Lo era, para que la *coacción* se viese acallada, al igual que acallada debía ser la *precariedad* del deseo perverso abandonado a ello, durante el espectáculo: un «temor contradictorio o deseo de ver demasiado y no suficiente», lo que «exige una prolongación»[238], aquí por ejemplo el prolongamiento indefinido de las repeticiones experimentales. Esto indica finalmente cómo se unen, en el *espectáculo,* contrato imaginario y placer puro —no: casi puro. Contrato y placer propios de *la escena.*

Arte que inquieta, seduce como auténtico detrás de una ambigüedad entre lo escrito y lo representado, de los dos ninguno; ella vierte, omitiendo prácticamente el volumen, el encanto inhabitual de las candilejas. Tanto el presente pérfido y

---

[236] Cfr. Lacan, 1953-1954, pág. 246.
[237] Freud, 1905a, pág. 39. Cfr. Lacan, 1956-1957, 19 de diciembre de 1956.
[238] Mallarmé, *OC,* pág. 311 («Crayonné au théâtre»).

querido de un avasallamiento al pensamiento ajeno, ¡más!, a
un escrito, como el talismán de la página; por otro lado, aquí
uno no se cree cautivo del viejo encantamiento redorado de
una sala, el espectáculo implicando un no sé qué de directo o
incluso la cualidad de provenir de cada uno a la manera de
una visión libre. La actriz evita acompasar el paso a la canti-
nela dramática, pero franquea un silencioso tapiz, sobre el so-
noro trampolín rudimentario de la marcha y del salto. Fragmentación, infinita, hasta el delirio —de lo que habría, por
contradicción con una frase célebre, que apelar a *la escena que
no hay que representar*...[239].

LA ESCENA QUE NO HAY QUE REPRESENTAR

Fragmentación de una escena, aquella que no hay que representar: incluso su mismo advenimiento, alucinando. Momento último, en el drama histérico: *el colmo del consentimiento.* «Que lo diga - como sé decirlo - inmediatamente - verán
mi cuerpo actual - volar en pedazos - y recogerse - bajo diez
mil aspectos - notorios - un cuerpo nuevo - en el que no po-
drán - olvidarme - nunca más»[240]...

El colmo del consentimiento vuelve de hecho a privar de
toda sorpresa espectacular. Es casi una venganza, totalmente estructural: *hacer una escena* contra *escenificar.* Regreso violento de
las exhortaciones públicas del síntoma, de las hipnotizaciones
por ejemplo: el «imperturbable primer plano» de los curiosos se
acerca un poco más; demasiado; es decir, peligrosamente.

Es un *desafío del exceso* en el consentimiento. «¿Quieres mirar? ¡Pues bien, aquí tienes esto!» Cuando está cerca, demasiado cerca, la actriz, incluso hermosa, resulta incapaz de apa-
ciguar. Puesto que, si ofrece algo a la mirada (algo que el espectador se verá muy tentado en llamar «todo su cuerpo»),
invita, no, obliga la mirada a una total deposición, a un abandono tal, que ya no puede creerse apolíneo. El espectáculo
pasa a tal «sumisión» («¿Me quieres devorar con los ojos?
¡Pues venga, adelante, lo deseo!»), que ésta pasa a subversión,

---

[239] *Ídem,* pág. 319 (Mallarmé de hecho escribe: «l'acteur»).
[240] Artaud, *OC,* XIII, pág. 118 («Le théâtre de la cruauté»).

a crueldad; una especie de materia, que no es un sustrato sino una demasiado-materia, tal como de nuevo la enfocaba Antonin Artaud: «Saber que una pasión es materia, que está sujeta a las fluctuaciones plásticas de la materia, otorga un imperio sobre las pasiones», del que el actor, la actriz, son los dueños de toda última instancia, de todo último extremo[241]. Dominio no de príncipe, sino de funámbulo. De la distancia fijada, colocada en la cuerda floja por su fotógrafo, Augustine hizo ostentación, se engalanó a su gusto, es decir, demasiado (a gusto de él). Representaba, realmente, es decir, realmente demasiado. Pero con ello no engañaba a nadie. Tan sólo representaba, pero con lujo, derroche, de esa distancia impuesta, intentaba asistir ella también a la eclosión de su propio pensamiento, su gestualidad exultaba, vacilaba, se desplomaba, ¡locura!, respondiendo a la mirada del espectador como una *obsesión*.

¿Por qué una obsesión? Porque su gestualidad no era más que la *ostentación de una falta*. La falta por excelencia: la relación sexual, siempre intentada, siempre contradictoriamente figurada en mil y una «actitudes pasionales», y siempre presentada como una pura inanidad, la cobarde y patente vacuidad de un abrazo al vacío.

Esto denomina la monstruosidad misma del *acto entregado al simulacro*. Sobreactuado, disparatado, exorbitante. Comportando ya, como elemento inmediato, una diferencia de la diferencia[242]. Esto significa que una identificación, disparatada, *mete el diablo en el cuerpo,* y en la inmediatez; no duda en precipitar la ostentación en esa especie de riesgo de muerte del que hablaba. Esto significa que la escena que no hay que representar se agita, furtiva y fulminante al mismo tiempo, como una escena que buscaría su teatro fuera de la repetición. Desgraciada, es decir, desesperada visibilidad histérica.

La ostentación del defecto, esto denomina finalmente *la actuación del mimo,* una alusión siempre producida (que no reproductora), violenta en un sentido, pero una alusión a nada, ese «nada» de la «relación» intentada. La actriz mimifica e in-

---

[241] Artaud, *OC,* IV, pág. 127 («Le théâtre et son double»).
[242] Cfr. Deleuze, 1968, págs. 93-95 (pero a «dispar» se le denomina más bien «subrepresentativo»).

dica: «Me mantengo pura de lo que ocurre aquí»[243], el *aquí* denominando principalmente simulacros y «actitudes pasionales» de disfrutes de los que Augustine hacía ofrenda, gentileza.

La temporalidad de esta actuación: suspense, inanidad de un presente central; indecisión; «aquí adelantando, allí rememorando, en un futuro, en un pasado, bajo una falsa apariencia de presente»[244], siempre. En este sentido, la pantomima histérica no es más que una *contraefectuación*. Tal como:

> La bailarina *no es una mujer que baila,* por las razones yuxtapuestas de que *no es una mujer* sino una metáfora que resume uno de los aspectos elementales de nuestra forma, espada, copa, flor, etc.; y *que no baila,* sugiriendo, mediante el prodigio de escorzos o de saltos, con una escritura corporal aquello que en su redacción necesitaría párrafos en prosa dialogada a la vez que descriptiva para expresar: poema libre de todo el aparejo del escriba[245].

Cuerpo, íntimamente despejado de todo el aparejo del director de escena. Recorrido afectivo arrojado de lleno hacia el interior[246].

LA EXTREMA PACIENCIA

Este despejar, lo denomino íntimo, porque él, el director de escena, siempre está ahí, enfrente, con sus mismas y tiránicas exigencias. Entonces, la contraefectuación de la histérica se crispa, tanto más difícil de pacificar cuanto que viene, más o menos oculta, pero ineludiblemente, a inducir una relación de *quasi lucha a muerte.* Esa ficción es una lucha de la imagen para hacerse «con el» cuerpo histérico. Todos quieren creer en la existencia de ese cuerpo: voluntad compartida, connivencia, consentimiento mutuo. Pero ¿cómo repartir hasta el

---

[243] Mallarmé, *OC,* pág. 315 («Crayonné au théâtre»).

[244] *Ídem,* pág. 310 («Mimique»).

[245] *Ídem,* pág. 304 («Ballets»).

[246] Cfr. Artaud, *OC,* IV, pág. 125 («Un athlétisme affectif»).

final una creencia de tal contenido? Por eso, al final, se convierte en lucha, casi lucha a muerte.

Todo lo que he denominado *consentimiento,* denomínenlo desde ahora *paciencia:* una especie de suspenso vis a vis de algún ineludible desastre por el que esta lucha saldría a la luz. Todo se habrá hecho para enmascararla, esta lucha, puesto que aporta un daño extremo a cada una de las partes, quiebra una estructura habitable. Pero es ineludible, recorre su camino, lentamente, a través de miradas, escenificaciones, consentimientos.

Las histéricas se vieron obligadas a esa paciencia, bajo la especie de una *espera de la representación para estar relajadas.* Charcot, por ejemplo, difería una faradización de mano paralizada «porque puede ser que toda tentativa de este tipo conlleve el regreso de la motilidad y la curación, y quería que su audiencia fuera testigo de lo que podría llegar a ocurrir»[247]; curaba por tanto en las horas fijas del espectáculo, lo que permitía que cada uno se congratulase del milagro: la enferma, una vez electrizada, ante todos, «apretando con fuerza la mano de los auditores deseosos de cerciorarse de la realidad de los fenómenos que acababan de producirse ante ellos»[248].

Paciencia también en *la espera de la sesión para volver a interpretar el síntoma* y volver a padecer. Charcot producía, pues, para su público, unos «dolores por imaginación», es decir, sugeridos hipnóticamente, y que producían, en ellas, unos gritos muy reales; provocaba una y otra vez, para su público, todos los males, contracturas, anestesias, etc., precisando sin embargo que: «No hay que dejar durar esos fenómenos, no se diviertan en dejarles persistir dos días ni siquiera un día, ya no podrían hacerlos desaparecer»[249], así pues, ¡prudencia! Y, sin embargo, a Augustine le sobrevino un día el «accidente»:

> 24 de noviembre. En su lección, el señor Charcot provocó una contractura artificial de los músculos de la lengua y de la laringe (hiperexcitabilidad muscular durante la ensoñación). Se hace cesar la contractura de la lengua, pero no se consigue

---

[247] Charcot, *OC,* III, pág. 476.
[248] *Ídem,* págs. 476-477.
[249] Charcot, 1887-1888, pág. 140.

destruir la de los músculos de la laringe, de tal forma que la enferma se queda *áfona* y se queja de *calambres* a nivel del cuello. Del 25 al 30 de noviembre, se intenta sucesivamente: 1.º aplicación de un potente imán que no tiene más efecto que el de volverla sorda y contracturar la lengua; 2.º electricidad; 3.º hipnotismo; 4.º éter: la afonía y la contractura de la lengua y de los músculos de la laringe persisten. El compresor ovárico permanece aplicado durante treinta y seis horas sin obtener mayor éxito. Un ataque provocado no modifica en nada la situación...[250].

Y fue así como la coacción teatral se interiorizaba como coacción de repetición del síntoma, una especie de cruel dinámica del desequilibrio automimético. *La paciencia se hacía disfraz,* se disfrazaba del propio mal, del síntoma. Y esto llegaba muy, muy lejos. Crisis histéricas gravísimas «interpretadas» en las lecciones clínicas por «varias de estas mujeres, excelentes actrices, con una absoluta precisión», por no decir la verdad, *contrarremuneración,* me refiero a algunas monedas deslizadas a escondidas por el interno del servicio...[251]. Y la paciencia se llevaba a cabo a todos los ritmos, pago semanal o *soirée* de gala, como «el espectáculo del ataque llamado demoníaco» que «la decana de nuestras histéricas, la joven L...» ofrecía una vez al año[252].

Pero, al interiorizarse, *el disfraz se revelaba como pathos,* totalmente interno al mimo, como una angustia del contrato, del propio actuar de *vedette.*

Y he aquí la situación ejemplar de esta paciencia hecha tormento, *el tormento simple de la situación teatral:* «Una simple emoción, por ejemplo el hecho de entrar en el anfiteatro de las lecciones en la Salpêtrière para ser presentada por el señor profesor Charcot a sus auditores, basta para provocar un ataque»[253]. Es decir, que el simple pánico escénico bastaba para producir todo el *papel* exigido, el espectáculo del mal, el propio mal. Momento extremo, en mi opinión, del consentimiento transformándose en paciencia. Prodigio extremo de

---

[250] IPS, II, págs. 165-166.
[251] Cfr. Guillain, 1955, pág. 174.
[252] Charcot, *OC,* IX, pág. 281. Cfr. IPS, I, págs. 14-28.
[253] Gilles de la Tourette, Guinon y Huet, 1890, pág. 111.

la transferencia, *prodigio y pathos de la repetición,* puesto que «la transferencia no es en sí misma más que un fragmento de la repetición»[254]. Manipulación extrema, pues, del tiempo de la histérica: hacer de la repetición, del martirio temporal, una convocación espectacular dirigible, siempre representada plásticamente, siempre fotografiable.

La histérica, obligada a no existir más que como la actriz de sus síntomas, se convertía a la vez en *ideal y mártir,* una fórmula de Baudelaire para el arte del cómico, para el propio genio, en el sentido de que «el genio puede representar una comedia al borde de la tumba con una alegría que le impide ver la tumba»[255]... Pero ese genio era, en la histérica, tan intrínseco como impuesto.

Es por eso por lo que el prodigio extremo de la transferencia constituye la detención misma de la contraefectuación, es decir, de la mayor resistencia de la lucha, del rechazo, de la contratransferencia. «Geneviève» declaraba, ¡incluso gritaba!, su rechazo. «Ya no iré más a la Salpêtrière... Me metieron en una celda. Me colocaron una bayeta sucia sobre la cara... Sentía el cuello oprimido... Me ahogo... ¡Dios mío! (...) Quiero marcharme. No quiero ir al anfiteatro...» Entonces, Bourneville:

> Cesamos la compresión ovárica. En el acto, como por un efecto teatral, la palabra se detiene; los rasgos de la cara permanecen inmóviles; la enferma parece sufrir un *shock;* el rostro se inclina hacia la izquierda y sus músculos se convulsionan; todo el cuerpo se ve invadido por una rigidez extrema...[256].

Todas las crisis, convulsiones, tetanismos, antes que una palabra de rechazo.

EL TEATRO EN LLAMAS

Y «Geneviève», un día, llegó al extremo del rechazo. «Mortificada» por una «intensa reprimenda» de Charcot, totalmente «traumatizada», ¡cesó *en su estado de histeria!* «Bajo la

---

[254] Freud, 1914b, pág. 109.
[255] Baudelaire, *OC,* I, pág. 321 («Une mort héroïque»).
[256] IPS, I, pág. 79.

influencia de esta intensa emoción, la raquialgia ha desaparecido completamente y ya no podemos provocar ataques»[257].

La histérica habrá dado, pues, demasiado. La zarabanda de síntomas, el «teatro de lo imposible», la obscenidad, el encanto: demasiado, demasiado. La histérica habrá por lo tanto gesticulado su demanda demasiado para nada. Habrá dado demasiado aquello que no tenía. Demasiadas, demasiadas veces, se habrá desdoblado, ofrecido «mujer», difamado en público[258]. Demasiado dispuesta a las manipulaciones transferenciales. El amor de transferencia, escribe Freud, crea a menudo como un *círculo vicioso*[259], y a menudo el círculo gira en redondo, *gira hacia el desastre.*

El desastre de un contrato revela el contrato, su naturaleza. En este caso, un mantenimiento de las distancias bajo el pretexto de ver-todo; el odio hacia un encuentro, bajo la mascarada de vínculo, de llamamiento a la confianza. La histérica se habrá creído esta mascarada, esta promesa de encuentro. Habrá intentado el encuentro y encontrado únicamente las candilejas del escenario. No habrá podido, pues, más que *precipitar el encuentro.* Esto, en una especie de salto, de *insurrección* de su cuerpo, un intempestivo alzamiento, un paso al acto de contratransferencia, un *insulto* al contrato de conveniencia representativa. *Insultat* (de *insultare)*: salta, desesperadamente. Charcot llamó a esto, con maldad, *«clownismo».Insultat,* forcejea, con violencia, insolencia, desafía el contrato, libera, en lugar de las clásicas «actitudes pasionales», los escasamente fotografiados «movimientos ilógicos».

Mediante este insulto, se levanta y vuelve a caer, todo ello a la vez. Exulta y se angustia. Gesticula un odio hacia el teatro en el mismo escenario en el que se la mantiene como *prima donna.*

Augustine dio muestras de esta angustia escénica el día en que reconoció, entre los *espectadores* de la lección clínica, que asistían a su repetición y pantomima de una antigua violación, siempre presente, al violador en persona, que había

---

[257] IPS, II, pág. 205.

[258] Cfr. Lacan, 1972-1973, pág. 79; Lacan, 1956-1957, 23 de enero de 1957 (la donación del amor: para nada).

[259] Freud, 1915a, pág. 125.

acudido a echar el ojo sobre lo que debió tal vez considerar, en algún momento, como «su propia obra». Terror absoluto de Augustine, ciento cincuenta y cuatro ataques en un solo día. Delirios: «No quiero sentirle cerca de mí (...) ¿Por qué me tapaba la cara durante?... Es por culpa suya»[260], etc.

Su mal (su memoria) la alcanzaba como los reflejos en un laberinto de espejos. Multilocal. Exasperado, incluso, en el teatro clínico. ¿Cómo habría entonces podido hacer algo así como: curarse? «Me dijiste que me curarías», decía, «me dijiste que me harías otra cosa. Querías que yo *cayese*»[261]. ¿A quién se dirigía, así colocada en el cruce de dos miradas, simétricas pese a ellos, la de el «Sr. C...» y la de Charcot? En todo caso, su respuesta concluyó en lo siguiente: «Creo que me estás tirando de la lengua... Ya puedes decir que *sí*, yo digo que *no*»[262].

Nudo del drama, ese *no*. Y es menos un momento de apogeo en la ficción emprendida que un momento de *ruptura de la ficción*, como la interrupción del propio espectáculo. Es el colmo de la transferencia, lo repito, en el sentido en el que Freud lo comparaba con un *teatro en llamas:* en el que la paciente

> renuncia a sus síntomas o los ignora y se declara incluso curada. La escena ha cambiado completamente, todo transcurre como si cierta función hubiese sido repentinamente interrumpida por un suceso real, por ejemplo como cuando estalla un incendio durante una representación teatral. El médico que asiste, por primera vez, a este fenómeno, tiene grandes dificultades para mantener la situación...[263].

Pero ¿por qué tantas dificultades?

---

[260] IPS, II, pág. 160.
[261] *Ídem*, págs. 148, 150.
[262] *Ídem*, pág. 150.
[263] Freud, 1915a, pág. 119.

CAPÍTULO 8

Clímax del espectáculo

GRITOS

He aquí el insulto y la ruptura de ficción, el clímax: *un grito*. Imágenes poco habituales. Augustine totalmente desfigurada. Es decir, horrible [105]. ¿Imágenes poco habituales? Una pesadilla. Un sueño, que hoy se muestra ante nuestros ojos, pero «un sueño que devora al sueño»[1].

Intentar describirlo.—Ella «lanza un grito ahogado; su boca está muy abierta; tan pronto la lengua conserva su posición natural [lámina XV], como al contrario, aparece extendida, en cierto modo colgante [lámina XXVIII]. A veces, antes del grito, se perciben sacudidas, hipo, sofocos»[2].

Intentar.—«Un grito de características muy especiales. Es penetrante, semejante al silbido de una locomotora, prolongado y a veces modulado. Se repite varias veces seguidas, en su mayoría tres. La enferma se hunde en su cama, en la que se acurruca para lanzar ese grito. Se produce antes de los grandes movimientos, entre dos grandes movimientos o después»[3]. Richer trataba incluso de emplear subterfugios, intentaba decir que Augustine «lanza algunos "iah!, iah!" guturales» sin que ninguno de esos «ruidos» pueda ser calificado es-

---

[1] Artaud, *OC,* IV, pág. 144.
[2] IPS, II, pág. 162.
[3] Richer, 1881-1885, pág. 82.

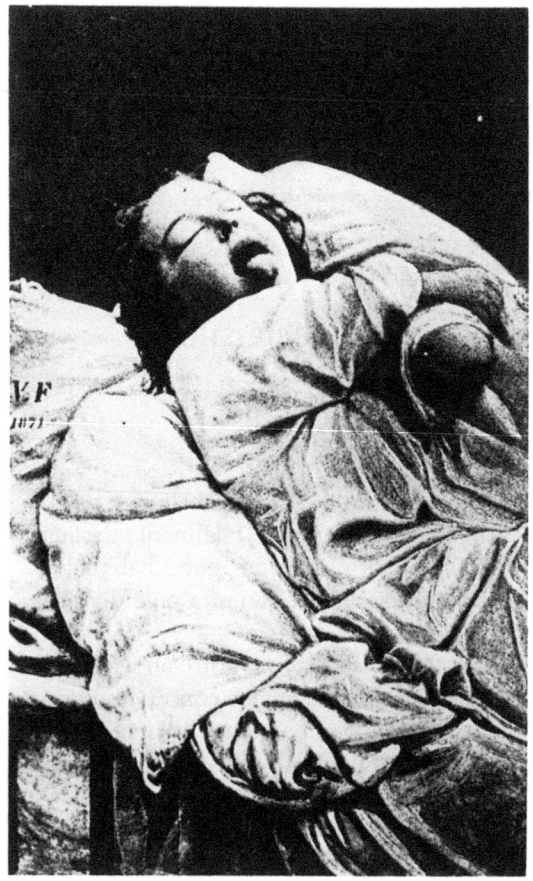

Planche XXVIII.

DÉBUT D'UNE ATTAQUE

CRI

105. [Lámina XXVIII. Inicio de un ataque. Grito]. Régnard. Fotografía de Augustine. *Iconographie...* tomo II.

trictamente de «grito». En otras partes hablaba de un «grito laríngeo que imita el canto del gallo»[4].

¿Por qué? ¿Por qué intentar, por qué obstinarse en *relegar un grito a la dialéctica de una imitación?* Briquet tampoco se contentaba con esta palabrita acre y simple, buscaba la simulación, afirmaba, con Willis, que las histéricas «pueden simular el ladrido, los aullidos de los perros, los maullidos del gato, los rugidos, el gañido, el cloquear de las gallinas, el gruñido del cerdo y el croar de las ranas»[5]...

Yo creo que Augustine no imitaba a ningún animal en particular. Gritaba, cruzaba incesantemente las piernas al mismo tiempo, desgarraba su camisón[6], simplemente como un animal, como tal vez ustedes o yo un día, se amoldaba al golpe invisible que la alcanzaba. Y donde, de alguna manera, se enroscaba, se contorneaba. Gritando, único giro posible.

MOVIMIENTO DE SOBRESALTO

Los gritos de las histéricas nunca dejaron de resultar sospechosos. Sospechosos de no ser, justamente, más que *giros,* pero en el sentido de tropos (es decir, una retórica), en el sentido de piruetas (una payasada), en el sentido, finalmente, de simulacros (una mentira).

Augustine, abandonada a las dementes sacudidas de la crisis, ¡se reía! «Protracción de la lengua»[7]. Gritaba. Sacaba la lengua **[105]**. ¿Una mueca ante el fotógrafo? ¿O muestra de dolor? Tal vez las dos cosas. Augustine vociferaba, reía, vomitaba. Al mismo tiempo. Deliraba. Amor, amenaza, atentado, todo al mismo tiempo. Todo y cualquier cosa. ¿Qué «parte» creer, se preguntaban, qué detalle de actitud? Se miraba, se tomaba nota, se buscaba el giro pertinente, y ella, enfrente, abandonada a las sacudidas, mártir también de la sospecha, intentaba incluso una respuesta a la sospecha, intentaba una *explicación imposible de su movimiento de sobresalto:* «Siente algo

---

[4] *Ídem,* págs. 19, 44.
[5] Briquet, 1859, págs. 317-318.
[6] Cfr. IPS, II, págs. 139, 164.
[7] *Ídem,* pág. 138.

que tira de los dedos, de la lengua, etc. La *palabra* se traba, las palabras se entrecortan: "Tengo co... mo un... sobresalto... cuando me ocurre esto." La cabeza aparece bruscamente lanzada hacia atrás, la boca se abre a veces mucho, la punta de la lengua se levanta»[8]. Lengua levantada, batiente: ¿burla? ¿Qué creer? Richer también tomaba nota, y lo que nos refiere no es de hecho más que un movimiento insensato, un increíble ir y venir, flujo y reflujo inmediatos, *del dolor y del placer*[9]. Y es esto mismo lo que resulta indescifrable.

Un atletismo aberrante, inútil, del corazón, de las pasiones. Augustine, además, permanecía como indiferente, totalmente flemática, en lo más profundo de los síntomas más graves, y luego, por el contrario, se aterrorizaba, montaba «todo un drama», como se suele decir, por un detalle, un color por ejemplo. Un mismo recoveco de su cuerpo interpretaba, como dice Freud, *un doble papel*, una intolerable intermitencia del placer y del desplacer, sin ser nunca capaces de elucidar dicha intermitencia. Freud hablaba de *conversión* (precisando que esto no aclara en nada esa oscuridad, llegando incluso a incitar una huida, puesto que, decía, nos «ofrece un motivo para que nos apresuremos en abandonar este estéril dominio»)[10]. Por su parte, Charcot hablaba de sugestibilidad, de *imitación*.

De donde: teatro histérico contra teatro psiquiátrico. Tensión, pronto detestación. He aquí el apunte de una sesión en donde la enferma, que debía realizar la demostración (desencadenada mediante compresión ovárica) del desarrollo «clásico» del ataque, hizo ofensa al comentario magistral de Charcot, interrupción al saber que se transmitía. El insulto aparece citado entre paréntesis:

> Venimos de oprimir de nuevo sobre un punto histerógeno y he aquí el ataque epiléptico que se reproduce. La enferma algunas veces se muerde la lengua, aunque no a menudo. Vean ahora el famoso arqueamiento que encontrarán descrito en todas partes.
> (La enferma grita de pronto: ¡Mamá, tengo miedo!)

---

[8] *Ídem*, pág. 155.
[9] Cfr. Richer, 1881-1885, págs. 90-97.
[10] Freud, 1926, pág. 32.

He aquí las actitudes pasionales; después, si dejamos que todo continúe, nos encontraremos con el ataque epileptiforme.

Se produce un tipo de resolución seguida de una especie de contractura. Esto ocurre algunas veces como fenómeno accesorio a los ataques.

(La enferma grita: ¡Ay, mamá!)

Aquí pueden ver cómo gritan las histéricas. Se puede decir que es mucho ruido por nada...[11].

Esta frase a mí me suena como un acceso de *odio hacia la imprevisibilidad, véase hacia la invisibilidad.* La invisibilidad de las causas.

En otra ocasión, Charcot intentaba la demostración de despertar a una histérica «ovárica» a la que se había abandonado, en pro de la causa pedagógica, a la pesadilla de su «ataque de sueño». Helo aquí:

> El señor Charcot se acerca a la cama donde está acostada la enferma; aplica sobre el flanco izquierdo de ésta, que se ha dejado al desnudo, un poco por encima del pliegue de la ingle, el extremo de los cuatro dedos extendidos de su mano derecha que dirige hacia el pubis, ejerciendo una compresión progresivamente creciente de la pared abdominal. Enseguida la enferma lanza un grito agudo, abre los ojos, e inicia al momento un ataque convulsivo: primero son algunos movimientos amplios de salutación similares a los que se mostraban antes espontáneamente durante el periodo de sueño, luego se produce la actitud de arqueo en dos o tres ocasiones. El señor Charcot, que no ha cesado durante todo ese tiempo de mantener su mano sobre la región ovárica izquierda, dirigiéndose a la audiencia: No es esto, señores, lo que yo quería producir exactamente[12].

Por supuesto que no. Un grito nunca es lo que se prevé en las escenificaciones terapéuticas. Y luego, además de que es imprevisible, el grito, lo repito, personifica la arista misma en la que *dolor y placer se unen por completo.* Esto resulta insoporta-

---

[11] Charcot, 1887-1888, pág. 176.

[12] Charcot, 1888-1889, pág. 276.

ble para el médico, para quien un síntoma no debería provocar exultación aquí, grito en otro momento, salvo si es simulacro. Ahora bien, se trata realmente de un síntoma. Se desencadena, ahí, se destrenza, de forma espectacular, mediante una sacudida del cuerpo, de manera tal que no puede comprenderse ni como puro símbolo psíquico, ni como pura descarga fisiológica.

El psicoanálisis, para dar cuenta de ello, apeló a «seres míticos, sublimes en su indeterminación»[13], lo que Freud llamaba *las pulsiones.* Las pulsiones, en tanto que se especializan, se gesticulan. Lacan escribe que «la histérica juega a probar hasta la elasticidad extrema»[14], y esto es decir que hay en ese grito de Augustine como un juego casi mortal con lo que sería *un órgano,* que «debe ser denominado irreal», y que ella «realiza una evaginación de ida y vuelta»[15], espasmódicamente, hasta la extenuación, el desmayo. Términos, sí términos, tanto del placer como del dolor[16].

Esto denomina y vuelve a plantear la extenuante cuestión que el cuerpo histérico, que no es «el cuerpo», pródigo, asesta al pensamiento.

Cuestión de una gestualidad, de cien gestualidades espontáneas de amor y de agresión mezcladas, cuestión de la múltiple presentación, *Darstellung,* de un objeto de angustia bajo los mismos gestos de un disfrute —¿y de cuál? Aquel en el que se encuentra todo, presentado, abierto, ofrecido. Inaccesible[17].

Grito abierto y ofrecido. Pero grito de un «¡esto no es!», toda espera cruelmente derrumbada, abismo entre disfrute esperado y disfrute obtenido, ahí, en ese acto, como fulminado. Y todo bajo los ojos, ante la nariz, a las barbas del director de escena, del fotógrafo. ¿No sospechaban en ese momento, ahí, que *el acto tiene lugar,* es decir, que se produce, de forma violenta, ciertamente, de forma extrema, como grito, pero *como otra cosa?*

---

[13] Freud, 1933, pág. 125.

[14] Lacan, 1966, pág. 848.

[15] *Ídem,* pág. 847.

[16] *Ídem,* pág. 774.

[17] Cfr. Freud, 1915d, págs. 90-91; Freud, 1933, págs. 108-109, 124.

MÁSCARA

Únicamente en este sentido, el grito de Augustine es una *máscara*. Es decir, en el sentido que le dio Georges Bataille, el de un «terror nocturno» vinculado a toda mascarada, la aparición, «en el umbral de ese mundo claro y tranquilizador» (pero, ya para empezar, ¿cómo podrá haber sido tranquilizador, pese a ser claro, ese «laboratorio» de fotografía médica?), la aparición de una «oscura encarnación del caos»; «eso mismo que habitualmente reafirma, se ha cargado de golpe de una oscura voluntad de terror —cuando lo que es humano está enmascarado, ya no queda presente nada más que la animalidad y la muerte». Puesto que, escribe Bataille, buscando un titular: «LA MÁSCARA ES EL CAOS CONVERTIDO EN CARNE»[18].

La máscara es aquí el término de una energía, la energía, tal vez, a la que un teatro se arriesgaría, se arriesgaría a no ser ya nunca más representativa de cualquier cosa que resultase encuadrable. Tan sólo *una energía de los cuerpos*. Una «reivindicación desesperada», soplo, «contracción y relajación combinadas», «tiempo femenino prolongado», tal como lo define Artaud, puesto que lo femenino, en esta ocurrencia (teatral), se cuestiona como se cuestiona una energía:

> Lo que es femenino, lo que es abandono, angustia, llamada, invocación, aquello que tiende hacia eso que hay en un gesto de súplica, se apoya también sobre los puntos del esfuerzo, pero al igual que el que se tira y tan sólo toca con los talones el fondo marino para volver a la superficie: existe como un chorro de vacío en el lugar en que estaba la tensión[19].

Artaud hablaba de «un femenino atronador y terrible», hablaba de «un lenguaje teatral puro»[20]. Yo apelo a estas definiciones como abandonado por otras palabras tal vez posibles (y esta apelación muestra mi inexperiencia).

---

[18] Bataille, *OC*, II, págs. 403-404 («Masque»).
[19] Artaud, *OC*, IV, pág. 130.
[20] *Ídem*, págs. 120, 143.

Que no se haya dejado denominar, a ella, a la histérica, más que con términos de la pintura, del teatro y de la danza, no debe dejar caer en el olvido ese límite, que es esencial: existe, en el corazón de las gesticulaciones, actitudes, invenciones histéricas, una experiencia crucial de la despreocupación. El momento más enmascarado, sin duda, el momento de un riesgo mayor, el más íntimo[21].

El momento de un grito, ¿es representable, *factible* más allá de esa franja tan estrecha que hay entre medio segundo y un segundo y medio, ese tiempo de toma fotográfica por indecisión de la cual, además, la imagen de Augustine habrá quedado más o menos desenfocada, es decir, borrosa, exigiendo en cualquier caso los *retoques,* las *correcciones* de un pincel y de una camisa de fuerza?

(Lessing ya había prohibido al pintor el grito, porque el grito en imagen pone fin a la imaginación; ésta la invierte, ya la edulcora convirtiéndola en queja, ya la hace pasar a una inercia de cadáver: «Si Laoconte gime, la imaginación puede escucharle gritar; pero si grita, no puede ni elevarse un grado ni descender un grado de esa imagen sin verle en un estado más soportable, es decir, menos interesante. O le escucha únicamente gemir o le ve ya muerto»[22]. Como si el grito derrotase toda protensión.)

El tiempo del grito sería, con relación a la visibilidad, como una *doble coacción* de negatividad. El rostro es su teatro. Evidencia espectacular. Pero demasiada. Porque la representación (repetición, marco, retrato) está como arruinada. La boca no es más que una circunstancia de la bestialidad en el hombre, órgano desmesurado, adelantándose al cuerpo, furioso, órgano desmesurado de rictus, de náusea[23]. La mirada no es más que punto negro, *mácula,* colmo del horror.

La horripilación, pues, del rostro. «Había un punto negro», dice Artaud, «Había un punto negro – Donde había confluido mi destino. – Y permanecía allí – Fijo – Hasta que los tiempos – Se reabsorbiesen»[24]. ¿Pero reabsorberse en qué? ¿Qué significa *reabsorber?*

---

[21] Cfr. Blanchot, 1955, págs. 44-48.

[22] Lessing, 1766, pág. 68.

[23] Cfr. Bataille, *OC,* I, págs. 237-238 («Bouche»).

[24] Artaud, *OC,* tomo I, vol. 1, pág. 185 («Horripilation»).

ANSIAS

Reabsorber significa: tragar de nuevo, contener, aspirar, incluso sorber, retirarse como se retira el mar, un reflujo. Es un tiempo paradójico de presencia. El tiempo del grito sería aquí como un *reflujo de todos los miedos*. Una confluencia de destino a través, lo repito, de un miedo, de una retracción ante el movimiento, un desarrollo inconsciente de los gestos, de los movimientos, los músculos como en carne viva, una fatiga asombrosa y central, una especie de fatiga aspirante, una fatiga de muerte...[25].

El mismo grito de Augustine habrá sido ya como fulminado, y para que hubiese podido lanzar ese grito, había hecho falta algo así como una caída formidable, confluencia de destino. Freud habla de los síntomas como de protecciones contra la angustia, afirma que la angustia es lo primero que aparece, suscita, véase provoca directamente, el rechazo[26]. A mí, el grito me parece aquí como un momento —límite del *embargo*, fuerte palabra, del embargo del sujeto *entre síntoma y objeto de la angustia*. No es un síntoma en el sentido estricto. Es algo muchísimo más sencillo, menos simbolizado. Responde, no a una suspensión del rechazo, como suele decirse, sino más bien a su hundimiento. Es, al mismo tiempo, una aparición: algo que se acerca a la alucinación. Una revelación de estar ahí. Algo que, de pronto, ya no engaña. La *angustia* misma[27]. Con estos dos caracteres específicos, concernientes a la histeria: una especie de *limitación exacta*, orgánica, temporal, y una *intensidad excesiva*[28].

Una conmoción, pues, muy singular. Vínculo de la pulsión y de la presencia, una *agonía*. Un paroxismo que ha de entenderse no únicamente como una horripilante suspensión del

---

[25] *Ídem,* pág. 58.

[26] Cfr. Freud, 1933, págs. 111-114.

[27] Cfr. Heidegger, 1927, págs. 226-233 (la angustia en tanto que «revelación privilegiada del estar-ahí»); Lacan, 1964, pág. 40 (la angustia: lo que no engaña).

[28] Freud, 1888-1893, pág. 45.

tiempo, sino también como un horripilante *poder-ser,* el Tiempo que busca el tiempo, el aspecto que busca su explicación y, tal vez, su decisión, pero que permanece crucificado en el momento del paroxismo, permanece crucificado porque se instaura de un *tiempo del deseo*[29].

El grito aparece ahí como sorpresa, Ursprung, «salto excesivo en torno a una suspensión», escribía Mallarmé, bote, surgimiento de un destino en el instante, un origen en actuación, en breve gesticulación. Que revela de golpe. Y por tanto desprovee, ciega. Pero ¿qué es lo que revela?, y ¿cuándo? Repetir: ¿el estar-ahí, «como tal»?[30]. Decir: ¿«el centro de la noche en la noche»?[31]. ¿Por qué? ¿Tal vez porque un grito, una crisis, hacen frente, obsidionalmente, a algo así como «al maestro absoluto», la muerte? Sí. Y todavía hay más. Frente a Augustine también había un maestro, no menos concreto que la muerte, a veces puede que incluso su misma figura; un maestro absoluto, o en ocasiones de forma totalmente relativa, uno o varios maestros: su médico, Bourneville; su fotógrafo, Régnard, y el maestro de todos ellos, Charcot. La angustia histérica hace primero frente a «la sensación del deseo del Otro»[32], como el esclavo hace frente al maestro en la lucha a muerte, un esclavo que estaría él también coaccionado al riesgo mayor, al «riesgo de perder la vida». Esa sensación fue posiblemente en algún momento la del rostro, camuflado bajo un velo negro, de su fotógrafo, o la del rostro, camuflado entre un público de teatro, de algún «Sr. C...». «Sensación» de estar ahí. «Sensación» de muerte.

Lo que «confiere», *Es gibt,* esa sensación: puede que el tener-lugar simplemente de ese grito, el don, *Gift,* el veneno de la angustia histérica, infectada de lo visible.

Don profundo, voraz, ruidoso, todo él boca avanzada. Don de algo así como *unas ansias.* He aquí cómo la imagen de Augustine se volvía imprecisa, de lámina en lámina, la pequeña carita, de hermosa figura, bello rostro de mujer fatal, convertida aquí en *horrible rostro.*

---

[29] Cfr. Maldiney, 1975, págs. 41-50 (temporalidad del deseo según Schelling). Cfr. Maldiney, 1976, *passim.*

[30] Cfr. Heidegger, 1927, págs. 226-233.

[31] Blanchot, 1955, pág. 227.

[32] Lacan, 1961-1962, pág. 356. Cfr. Lacan, 1966, pág. 824.

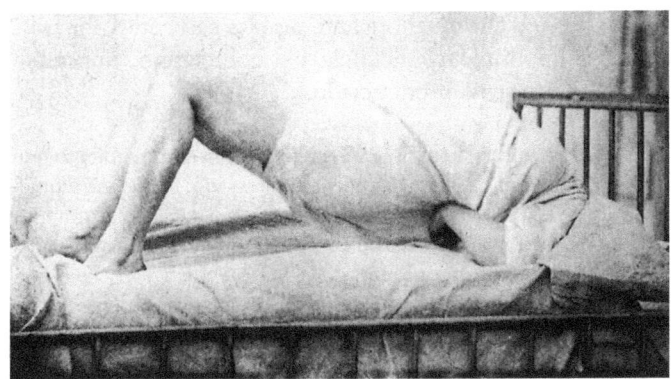

106. Régnard,
«Ataque
histero-epiléptico:
arqueamiento»,
Iconographie...,
tomo III.

CLAVOS, CRUZ

También hay algo así como una epifanía, pero enmascarada, que surge de lo dionisíaco, puede que de su misma centralidad[33]. Un paso a lo demoníaco del amor.

No sólo infectado de lo visible, sino haciendo sedición en lo visible, o haciendo incluso de lo visible una especie de la sedición. Porque existen, más allá de las clásicas «actitudes pasionales», los innombrables, incatalogables, tan escasamente fotografiados «movimientos ilógicos» y otros *«clownismos»*. Existe concretamente el «arqueamiento», más típico pero no menos enigmático [106], en el que Freud, según el principio de la «figuración contradictoria», veía una «denegación enérgica, por medio de una inervación antagonista, de una postura corporal apropiada al intercambio sexual»[34]. Una postura pese a todo, pero con todo el sentido trastocado, de disfrute.

De este modo, la evidencia espectacular se excede en sobrerrepresentaciones, pero se enmascara de la misma manera, porque esas sobrerrepresentaciones son contradictorias, intrínsecamente. Y es eso mismo lo que da su giro específico a la *impaciente* y desgraciada teatralidad histérica, su giro temporal, eso es también lo que da paso a la *impotente* y desafortunada dialéctica de la histérica y del perverso.

---

[33] Cfr. Maldiney, 1975, págs. 252-253.
[34] Freud, 1909, pág. 162.

Esto debería abrirse ahora ante sus ojos casi como por azar, como la imposible confidencia del compañero, imposible porque nunca se ha pronunciado:

> Ella quería de mí lo imposible, pero en el movimiento que la embarga, descarta lo que ya ha conocido: lo que me inquieta de ella es esa impaciencia. Me imagino un clavo de grandes proporciones y su desnudez. Sus movimientos arrebatados por la pasión me producen un vértigo físico y el clavo que hundo en ella, ¡no puedo dejarlo! En el momento en el que escribo, sin poder verla y el clavo duro, sueño con enlazar su cintura: no es la felicidad sino mi impotencia para alcanzarla lo que me detiene: ella se me escapa de todas maneras posibles, resultando lo más enfermizo en mí que lo desee y que mi amor sea necesariamente desgraciado. Realmente ya no busco la felicidad: no quiero dársela, no la quiero para mí. Querría tocarla siempre hasta la *angustia* y que ella desfalleciese: ella es como es, pero dudo que jamás dos seres se hayan comunicado más pronto ante la certeza de su impotencia[35].

El *clavo* responde tan bien a lo que imagina un testigo de crisis histérica, que ya ocupaba un lugar destacado en el vocabulario tradicional de los dolores de la histeria: se dice *clavus,* pues, y también *ovum,* huevo, el dolor que se considera que atraviesa a la sujeto a partir de su errática y lacerante matriz[36]. Augustine fue atravesada, algunas veces. Se medía el clavo. Augustine se desfiguraba en todo tipo de muecas.

> *Clavo histérico,* situado en la línea media y a la derecha, con una longitud de aproximadamente dos centímetros. Existe, a ese nivel, un dolor espontáneo y punzante. Si se apoya con fuerza, sobreviene un dolor vivo «del tipo del de los ovarios» y la cara se contrae en una mueca[37].

Este «clavo» en el cuerpo de la histérica es una metáfora tan bien incluida que tejer la metáfora, en dicha ocasión, lejos de ser un alejamiento soñador del concepto, se muestra como

---

[35] Bataille, *OC,* III, págs. 105-106 («L'impossible»).
[36] Cfr. Briquet, 1859, pág. 215; Livi, 1978, pág. 77.
[37] IPS, III, pág. 190.

un descubrimiento, un acercamiento más preciso todavía que la gestualidad, el disfrute y el dolor histéricos. La histeria parece en efecto *apelar* a la metáfora, para hacerla pasar, *metamorfosearla,* en actos. Entonces: clavo, es decir, cruz, es decir cuerpo crístico, cuerpo del suplicio, «¡Cristo! O Cristo, eterno ladrón de energías, Dios que durante dos mil años condenaste a tu palidez, clavados al suelo, de vergüenza y de cefalalgias. O echadas hacia atrás de dolor, las frentes de las mujeres»[38]... Y Augustine no dudaba en encadenar, ¡qué sentido del misterio!, el episodio de la *crucifixión* sobre el «clavo» que la traspasaba de un sufrimiento de sacrificada [107]. «Yo creía que iba a morirse, decía la subvigilante»[39].

SACRIFICIO

¿Augustine habría llegado a sacrificarse de tal forma a la imagen? Iba y venía, en todas direcciones, extremadamente, en la entrega de sí misma.

Se observa que los episodios de *«crucifixión»* precedían de forma inmediata a las famosas «actitudes pasionales» del «erotismo» y del «éxtasis» [cfr. **57-64**]:

> Permaneció, durante algunos instantes, con los brazos en cruz *(crucifixión).* Después, *delirio:* «¿Qué es lo que quieres (bis)...? ¿Nada? ¿Nada?» (Fisonomía risueña.) «A buena hora...» (Mira hacia la izquierda, se levanta a medias, hace una señal con la mano, lanza besos.) «¡No!, ¡no! No quiero» (Más besos... Sonríe, ejecuta movimientos con el vientre, con las piernas.) «Vuelves a empezar... Eso no (bis)...» (Se queja, después ríe.) «¡Te marchas!» La fisonomía expresa pesadumbre; X... llora.—T.V.: 38°C. Secreción vaginal abundante[40].

Lloraba y reía, la vida y el disfrute eran su destino, «su destino de forma tan inexorable como la muerte lo es de un condenado»[41]. En este sentido, su gesticulación era casi como lo

---

[38] Rimbaud, *OC,* pág. 65.
[39] IPS, II, pág. 141.
[40] *Ídem,* pág. 140.
[41] Bataille, *OC,* I, pág. 553 («La pratique de la joie devant la mort»).

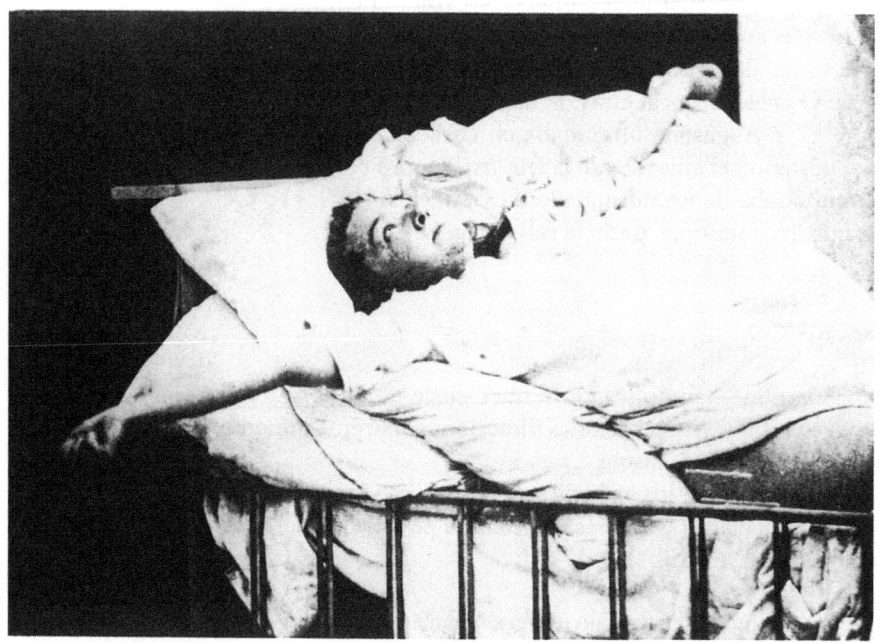

Planche XXV.

ATTITUDES PASSIONNELLES

CRUCIFIEMENT

107. [Lámina XXV. Actitudes pasionales. Crucifixión]. Régnard. Fotografía de Augustine. *Iconographie...*, tomo II.

que Bataille ha denominado una «práctica del júbilo ante la muerte»; quiero decir que Augustine bailaba en cierta forma con el propio tiempo que la condenaba.

Esto, en una gestualidad del *espasmo* que viene a asociarse escandalosamente a la metáfora cristiana del *sacrificio*, de la crucifixión. Augustine se retorcía como un gusano, innoble y ridícula *(«clownismo»)*, y se ofrecía crucificada, al mismo tiempo o casi, totalmente tensa, fija, en su llamada al gran Ausente («actitudes pasionales»). Se evocará una importante palabra: *mística* —pero dejo aquí, por esta vez, las mil preguntas que plantea esa palabra.

Y desemboca en este otro texto, terriblemente preciso:

> Como un trozo de lombriz, se agitaba, atacada de espasmos respiratorios. Me agaché hacia ella y tuve que tirar de la puntilla del antifaz que se tragaba y desgarraba con los dientes. El desorden de sus movimientos la había desnudado hasta el vello púbico: su desnudez, ahora, tenía la ausencia de sentido, y al mismo tiempo el exceso de sentido de una mortaja. Lo más extraño —y lo más angustioso— era el silencio en el que permanecía encerrada: de su sufrimiento, ya no había ninguna comunicación posible y yo me consumía en esa ausencia de salida —en esa noche del corazón que no era ni menos desierta ni menos hostil que el cielo vacío. Los saltos de pez de su cuerpo, la rabia innoble expresada por su rostro malvado, calcinaban en mí la vida y la quebraban hasta el hastío[42].

No obstante, no puedo dejar de hablar del vínculo de ese *sacrificio* con lo que he denominado una *predación* fotográfica. Es como si Augustine se sacrificase ella misma a plena luz, es como si su grito fuese respuesta a un simple y perforador *ataque de la luz* que impresionaba, además de las placas, a todo su cuerpo, lo timpanizaba, lo convulsionaba. Augustine, pues, como víctima: maldita y consagrada; trágica; repugnante (cuerpo convulso, espuma en la boca, secreciones múltiples). Y su grito: como luminoso. Vínculo de luz a sacrificio, de luz a sangre.

---

[42] Bataille, *OC*, III, pág. 26 *(Mme. Edwarda)*.

SANGRE: SECRETOS

Ahora bien, puede que este vínculo denomine justamente un *secreto* de las imágenes. Más allá de su evidencia espectacular. Al punto en que la evidencia hace exceso, se vuelve en un sentido intolerable, aunque obscenamente «seductora».

La «suerte de mujer» que fue la histérica siempre mostraba demasiado y no lo suficiente, ya que hacía *muestra ostensible,* y de qué manera, de su narcisismo, y, sin embargo, su deseo permanecía totalmente *impenetrable.* Es por lo que precisamente convocaba todas las técnicas de visibilidad, siempre en ascenso, permaneciendo ella, la visibilidad de su cuerpo, paradójicamente, desconcertante.

Ahí se encuentra también todo el problema de lo que hay en lo que se ve y en lo que no se ve. «El ser no se ve», escribe Artaud; por lo tanto: ver «es hacer obscena la realidad; siendo el origen de esa capacidad de ver el de un obsceno que quiso creer en lo que era», en lo que veía; «puesto que no hay nada más obsceno y sin embargo seductor que un ser»[43]... Se trata, pues, también de la cuestión de un secreto de la obscenidad.

¿Cómo llegar a imaginar el secreto de esas imágenes de Augustine, cuyo «caso» sin embargo se consideraba que iba a agotarse? Emitiré lo siguiente, diré que era un paso, el único que la técnica fotográfica de la época no pudo alegar, integrar en su pretensión de veracidad y de autentificación. Era el *paso al color.* Me imagino el «secreto» de los retratos de Augustine como un cierto modo de *imposibilidad del tránsito al rojo,* para ser más preciso: como un temblor de tiempos blancos y tiempos rojos.

El rojo estuvo en el centro de los delirios de Augustine. Siempre asociado a la mirada. Miradas graves, deseos no compartidos, violación. Pérdida de sangre. Sufrimiento. Secreto terrible, que debía callarse. Palidez. «Miradas amenazadoras, dirigidas a imponerle silencio.» Vómitos. Ojos de gato, terror, grito, sangrado de nariz. Primer ataque his-

---

[43] Artaud, *OC,* tomo XIV, vol. 1, págs. 48-49.

térico[44]. Luego, más tarde, en la Salpêtrière, las primeras menstruaciones de Augustine, con el hecho, cuidadosamente consignado en la *Iconographie,* de que había soñado rojo, en el mismo momento: «De 5 a 7 horas, durmió, pero soñando que estaba en un matadero, veía matar a las bestias, correr la sangre. Al despertar, le vino la *regla por primera vez*»[45].

Esta *consignación* meticulosa, destacada, es un indicio del cuestionamiento por el que Bourneville introdujo toda la historia de Augustine: la relación de su caso se abre en efecto (y se clausura) sobre este problema: ¿cuál es el *vínculo de la histeria y de la menstruación?*[46]. El caso de Augustine sería, desde ese punto de vista, ejemplar, rico en enseñanzas teóricas. Pero queda, a fin de cuentas, un enigma por excelencia.

Ejemplar, en el sentido de que los primeros ataques de Augustine tuvieron lugar antes de la aparición de su primera regla, lo que lleva a rechazar, como poco pertinente, la tesis de la histeria como «neurosis métrica»[47]. No obstante, hay que destacar que los dolores y gritos de Augustine, tras la violación, habían sido imputados tenazmente a la aparición de la regla; hipótesis en cierto sentido reconfortante, casi inculcada; y además, «los ataques habrían, se decía, coincidido con el desarrollo de los pechos y del sistema piloso del pubis»[48]. Por otro lado, la afirmación teórica de Bourneville no le impedía darse cuenta constantemente (esto forma incluso parte de los protocolos más «clásicos» de la clínica) de una especie de *coincidencia,* de nuevo, entre los periodos de la regla y los periodos de los ataques, coincidencia que iba incluso, se decía, hasta transformar el carácter de Augustine en dichos momentos[49].

En resumen, la coincidencia introducía duda, *indecisión,* subrepticiamente, en la teoría. «Lo sabemos realmente, pero sin embargo.» Indecisión perceptible ya en Landouzy o Briquet: es la indecisión en cuanto al carácter femenino, ovárico, ute-

---

[44] IPS, II, págs. 126-127 (el texto completo está citado *supra).*

[45] *Ídem,* pág. 132.

[46] *Ídem,* pág. 123.

[47] Cfr. Landouzy, 1846, pág. 14.

[48] IPS, II, pág. 125.

[49] *Ídem,* págs. 133, 137, 166-168. Cfr. IPS, III, págs. 198-199.

rino, de la histeria[50]. Charcot fue más brillante, frente a la indecisión, pero, en cierto sentido, no menos ambiguo. También comentó el caso de Augustine: teniendo en cuenta el hecho de que «la aparición de la regla (...) no ha modificado en
nada esencial el historial clínico», venía a insistir, no en una
ausencia de vínculo causal, sino en la hipótesis según la cual
«la actividad ovárica es con mucho anterior a la función
menstrual y la sobrevive»[51]. Porque la «histero-epilepsia» de
Augustine seguía realmente siendo *ovárica*, lo que, ¡atención!, precisaba Charcot, no quiere decir obligatoriamente
que fuese fundamentalmente de naturaleza «lúbrica»[52] (de todas formas, era necesario «salvar la histeria», es decir, discri-
minarla del deseo, a fin de que existiese para una ciencia, al
igual que la física hubiese podido convertir ya en un deber el
«salvar los fenómenos»).

Esta casuística indica en cualquier caso una persistencia del
enigma, la dificultad, para un positivismo neurofisiológico, de escapar al desconcierto frente a la ostentación histérica del rojo
misterio de lo femenino.

SECRECIONES

Dificultad e indecisión ante el misterio se vieron relegados,
perversa rutina, por una nueva pasión de las medidas. Así
pues, se midieron todas las *secreciones* y todas las humedades
histéricas, creyendo alcanzar con ello algún secreto corporal.

Como un *remake* del tema medieval, luego modificado en
clásico, de una «continencia de las mujeres», «femina, fex
Sathanae, rosa fetens, dulce venenum» (mujer, nalgas de Sa-
tán, rosa fétida, dulce veneno), mujer húmeda y caliente, y la
histérica, en grado superlativo[53].

Conocemos el inigualable enunciado de Landouzy: «Hay
histéricas que lloran abundantemente; las hay que orinan

---

[50] Cfr. Landouzy, 1846, págs. 164-165, 195-196; Briquet, 1859, pág. 149.

[51] Charcot, *OC,* I, pág. 394.

[52] *Ídem,* págs. 301-302.

[53] Cfr. Legendre, 1976, págs. 14-15; Foucault, 1961, págs. 299-302 (lo caliente y lo húmedo), 322-323 (la orina, la sangre...); Foucault, 1976, págs. 193-196.

mucho a la vez; las hay finalmente, ¿puedo decirlo?, que lloran por la vulva»[54]. De dónde: cuadro sin fin, catálogo de secreciones de todos los tipos, salivas, babas, espumas, sudores, «secreciones lechosas», lágrimas y orinas, es decir, «sudores de sangre», y finalmente lo que se denominaba la «hipersecreción uterina o vaginal», aún no se sabía muy bien[55].

También conocemos, reciprocidad evidente, las mil medicaciones de la histeria consistentes en *exudar totalmente los cuerpos* (sanar el mal por medio del mal), en empujar justamente hasta el final su vocación de rezumamiento. El cuerpo que secreta *todo* también secreta el secreto de su mal, su materia. Se recordará a la histérica de Pomme, «sumergida de diez a doce horas al día, durante diez meses enteros», hasta el punto en que «porciones membranosas semejantes a trozos de pergamino empapados» lleguen a «desprenderse por medio de ligeros dolores y salir a diario con la orina», etc.[56].

Pero la histérica, algunas veces, resistía dramáticamente a toda esa terneza. Vocación de rechazo. La observación número sesenta y nueve de Landouzy anota el caso de una histérica cuyas menstruaciones desaparecieron súbitamente, tras un «gran temor», y que murió, «pese a las trescientas sangrías» prodigadas para la buena causa[57]. Charcot denomina *isquemia* a esa propensión histérica contradictoria a «retener su sangre» (las convulsas de Saint-Médard, anota, rehusaban sangrar bajo las estocadas)[58].

Lo cierto es que en la *Iconographie* se nos relatan, con profusión, lágrimas, sangres y «fluidos blancos» de Augustine, contenidos o no, e incluso sus olores (tal secreción vaginal, de tal día, «muy fétida»). Entre otros, en los mismos momentos (episodios) de las crucifixiones[59]. Vocación de estigmas.

Pero, no lo olviden. Mis interrogantes no habrán cesado de girar en torno a la noción del *retrato*, a una extensión atroz de la noción del retrato. Ahora bien, ese paso infernal del

---

[54] Landouzy, 1846, pág. 81.
[55] Cfr. Briquet, 1859, págs. 479-489.
[56] Pomme, cit. por Foucault, 1963, pág. V.
[57] Landouzy, 1846, págs. 299, 342.
[58] Charcot, *OC,* I, pág. 303.
[59] Cfr. IPS, II, pág. 140 (texto citado *supra),* págs. 141, 153; Richer, 1881-1885, pág. 228.

rojo también afectaba al rostro de Augustine. Apelaba casi, en ausencia de una técnica de reproductibilidad visual, a un cierto talento, de manos de Bourneville, para practicar la distinción de los matices, y esto en los momentos más atronadores de las crisis de Augustine: «El rostro, los labios, las conjuntivas palpebrales adquieren un color *rojo bermellón,* y no *rojo burdeos,* como con el nitrito de amilo»[60]. En otro lugar, a propósito de «Geneviève»: «El rostro está rojo violáceo; se desliza a la vez de la boca y de la nariz una espuma abundante primero blanca, luego fuertemente mezclada de sangre»[61].

Blanco, espuma y baba, sangre escupida. Henry Meige anota en otra ocasión la vieja historia de otra Geneviève, la cual también escupía sangre por la boca en lugar de palabras:

> Durante todos los últimos cuartos de la luna, le sobrevenían unos vómitos de sangre que se repetían durante dos o tres días. Otras veces, perdía el conocimiento, se caía al suelo, los miembros rígidos, o bien se debatía furiosamente lanzando terribles gritos. Cuando estos accidentes la alcanzaban en el campo, se conseguía pararlos mediante una práctica cuando menos extraña, aunque siempre coronada por el éxito: se colgaba a Geneviève por los pies, con la cabeza hacia abajo[62].

SIMULACRO Y TORMENTO

Ese dar la vuelta al cuerpo, cabeza abajo, me recuerda la acción llamada en latín *torquere,* dar la vuelta, hasta retorcer, es decir: someter a la prueba de un tormento. Una tortura. *Tormentum* designa la máquina, el instrumento de dicha prueba. Es en primer lugar una máquina de guerra, una máquina que hace maravillas. Unas cuerdas se enroscan lentamente sobre un cilindro, luego se aflojan: *los rasgos se disparan.* Es también una máquina de tortura cuyos prodigios particulares utilizan el mismo principio: tensa, tira, retuerce, despedaza lentamente, luego, de golpe, desmiembra los cuerpos. Si el

---

[60] IPS, II, pág. 131.
[61] IPS, I, pág. 83.
[62] Meige, 1896, pág. 223.

sujeto no habla, al menos gritará su muerte. Apunto esto como un imponderable funcionamiento de la cámara fotográfica, en la *Iconographie:* una tortura invisible para volver a los cuerpos cada vez más visibles, reproducir de forma adecuada (según la *adæquatio rei et intellectus)* su sufrimiento: y para ello, más o menos invisiblemente, desmembrarlos. Mediante una maquinaria técnica. Mediante una maquinación, ardid, encanto, dirigida al consentimiento.

La *Iconographie photographique de la Salpêtrière* instrumentalizó los cuerpos, maquinó con los cuerpos, los histéricos *cuerpos-simulacros,* en vista de una verdad conceptual. Maquinó con los ostentativos «tener-lugar» histéricos. Pero, para instrumentalizar «en el momento oportuno», para maquinar y obtener el «aspecto verdadero» de un síntoma, la *Iconographie* se vio obligada a querer, a enriquecer y magnificar cada vez más un simulacro, pero otro, el de su elección, manipulable, obtenido por consentimiento o mediante *extorsión,* daba igual. Es decir, el mismo, finalmente. Impulsó concepto y uso del simulacro hasta su sentido *sacrificatorio* y de *retorsión:* el sentido de la palabra *simulacrum,* tal como se encuentra en César, a lo largo de su itinerario sangriento y guerrero. *Simulacrum* designa (además de la «imagen» o la «representación mnemotécnica») a esos maniquíes de mimbre en los que se encerraba a unas víctimas muy escogidas y a las que se quemaba vivas en honor a los dioses.

Histeria y respuesta, retorsión hasta la histeria, son en cierto sentido, ambas, *llamaradas de simulacros.* Cada una de ellas sacrifica el cuerpo a la imagen, consume el cuerpo en la imagen. Consentimiento, paciencia, eran también por lo tanto términos para *tormento.*

Tormento consentido, he aquí lo que sigue resultando difícil de creer. La histérica hace del simulacro, del que sin embargo disfruta, un tiempo de tormento. El simulacro, ataque, actitud pasional, síntoma —el simulacro invade a la histérica según la intermitencia de un enigmático periodo. De nuevo, un *tránsito temporal* da nombre al secreto de una evidencia espectacular. Como el secreto de la visibilidad, y su alteración. Citado aquí a menudo, el tiempo del flujo menstrual, de nuevo[63], el paso temporal, periódico, de la secreción san-

---

[63] Landouzy, 1846, pág. 130; Fliess, 1897, *passim,* nota en págs. 9-10.

grante en la *similitudo,* la semejanza; recordémosla ya en
Aristóteles:

> Se dice que el rojo se produce cuando las mujeres se miran
> en un espejo en el momento de sus menstruaciones, porque so-
> bre el espejo aparece una nube sangrante que enturbia la ima-
> gen: razón de que un cuerpo, sometido a su cantidad de hu-
> mor, no es más que un lugar cambiado. Color *deglutido* en esta
> ficción: lo que quedaría de un cuerpo apartado de su figura[64].

FUGA

Además, la extensión radical del simulacro como posición
existencial común de la histeria y de su contrasujeto, la perversión, esa extensión designa de nuevo cierto vínculo más
cruel entre *figuración y temporalidad.* Fíjense ya en la palabra,
contiene *simul,* que significa «al mismo tiempo»; ahora bien,
simul constituye una raíz común a dos direcciones con sentidos bastante contradictorios: *similitudo,* la *similitud,* la aproximación imaginaria; *simultas,* el odio recíproco, la *rivalidad.*

Mi hipótesis viene a ser la siguiente: la creación de las imágenes de histéricas, en la Salpêtrière, fue una operación de la
similitudo volviéndose *simultas.* Según temporalidad simultánea de una dialéctica de estructura histérica (el cuerpo para la
imagen y la imagen para el amor) y de estructura perversa (el
cuerpo para la imagen y la imagen para el saber). De donde
encanto (convocatoria recíproca, concertada, del parecer) *vi-
rando hacia el odio* (cuando se reconocen, es decir, se descon-
ciertan, los deseos).

Temporalidad: en el entredós de un encanto absoluto y de
un odio absoluto, la histérica dudaba, permanecía totalmente
temblorosa en una especie de expectativa. La espera de algo
que hubiese decidido, que hubiese fijado su imagen para el
deseo del Otro. Un lazo de espera. Augustine decía: «Cuando me aburro, no tengo más que hacer un lazo rojo y mirar-
lo»[65]. Su narcisismo siempre buscando el desencadenamiento, el desencadenamiento siempre inminente, es decir, el nar-

---

[64] Comentado por Schefer, 1978, pág. 133.
[65] IPS, II, pág. 168.

cisismo haciéndose infinito. Un miedo tomaba el relevo, venía a hacer las veces de Alteridad por excelencia. Instalación en el miedo. La intensa sensación del *defecto*. *Ustérizein*, en griego, significa, hago recordar: llegar siempre demasiado tarde, quedarse atrasado, hacer defecto, *privar de...* En la Salpêtrière, la histérica se iba «histerizando» cada vez más. Lógica de sistema.

Pero cuando un síntoma hacía llamarada de simulacro en el cuerpo de la histérica, fulgurando la espera, cuando sentía cosas como: «Tengo una resonancia en el bajo vientre... todo lo que me ocurre despierta mi antiguo dolor»[66], ¿qué ocurría? Un *retorno de la memoria* se convertía en *drama:* el actuar *(to dran)* de un destino, en un guiño. Súbitamente. Una precipitación de la expectativa, la evidencia espectacular modulándose, puede que como toda evidencia, sobre la dialéctica temporal de una presunción, o *anticipación* (por lo tanto ficción), y, de repente, de una *prisa,* de lo repentino de un presente[67]. Probar la evidencia espectacular de la histeria habrá sido, pues, para los médicos de la Salpêtrière, algo como lo siguiente: realizar el descubrimiento de una sorpresa en el tiempo; de la *imprevisibilidad,* es decir, de lo *desprovisto,* de la pérdida. ¿Y el «aspecto verdadero»? Vuelve a caer rápidamente en los fondos infernales. ¿La histérica «vista en tanto que ella misma»? Eurídice dos veces perdida. ¿Todo visto? ¿Todo ido, ya, para siempre?, quién sabe.

Charcot también hizo prueba de ello, e incluso con la misma Augustine. Realizó por tanto la prueba de la imprevisibilidad que se recorta de golpe, pasa visible, evidente, y se va. Esto es por lo que la clínica de Charcot fue una clínica a la vez expectante y apresurada, como la histeria (¿estaba por ello obligada a volverse ella misma histérica, a casarse con el tiempo histérico?). Obsesionado en cualquier caso por el «instante verdadero» de una «revelación» de «cuerpo real»:

> Los fenómenos de los que se trata datan ya de hace varios días, pero puede ocurrir que mañana, puede que en un ins-

---

[66] Breuer y Freud, 1893-1895, pág. 163.
[67] Cfr. Lacan, 1966, págs. 197-213 («Le temps logique et l'assertion de certitude anticipée»).

tante —no se puede prever nada al respecto—, hayan cesado de existir. Por lo tanto, la ocasión es apremiante; hay que aprovecharla[68].

Pero el cuerpo histérico convierte en disparate todo concepto del «cuerpo real». E incluso la misma Augustine, quebrantando el destierro de sus poses «clásicas», se entregó a lo que Bourneville llamaba, con justicia, «actos extravagantes»: Augustine saltaba por las ventanas, Augustine se subía a los árboles, a los tejados de la Salpêtrière, «ejecutando todo eso con una agilidad verdaderamente sorprendente», e, insiste Bourneville, con total desprecio del peligro[69], al igual que del decoro (su camisón totalmente desordenado, más bien casi descubriéndola).

Las alucinaciones de Augustine: correr, salvarse[70]. Rehusar, en última instancia. Un día, «W...», la amiga de Augustine, contó el secreto, en su delirio, revelando tal vez toda una complicidad en el rechazo, exhibiendo miserablemente su voluntad de disimulación y su odio hacia el teatro clínico (esto, en el mismo momento en el que el teatro clínico la rodeaba por completo):

> Conozco bien tu historia; quédate tranquila, no llores... Todo lo que me has confiado está grabado en mi corazón... Lo mismo que tú; creo que todo lo que te he dicho, lo mantendrás en secreto... Si te atormentan demasiado, respóndeles que eso no es en absoluto de su incumbencia...[71].

Los ataques de cólera de Augustine. En el mismo momento en que «aparecía» alguna cosa de su «secreto», como apunta Bourneville:

> 20 de marzo. Ayer hizo su aparición la regla. Acceso de cólera, a consecuencia de una contrariedad, L... fue a pasearse en camisa, sin calzar, al patio, bajo un aguacero. Hubo que meterla dentro a la fuerza y ponerle la camisa de fuerza

---

[68] Charcot, *OC*, I, pág. 386 (caso de Augustine).
[69] IPS, II, pág. 172.
[70] Cfr. Richer, 1881-1885, pág. 88.
[71] IPS, III, pág. 11.

que rasgó; tiraba a la cabeza de la gente todo lo que tenía a su alcance[72].

Mencionaré todo ese movimiento, ese rodeo del encanto en rechazo y en odio, solapados o explosivos, musicalmente, como el de una *fuga:* «sujeto» *(dux,* es decir, director y maestro) y «respuesta» *(comes,* es decir, el acompañante), luego todo el juego de sorpresas, de «contrasujetos», etc. Fuga resulta un nombre conveniente a ese movimiento porque es un término de estructura (contrapuntos y obstinados *ricercari),* y además es un término de los dramas del amor, de las rupturas de obligaciones o de piedades filiales.

La historia de Augustine termina, en la *Iconographie,* con esta especie de drama: «X... ha recaído», reconoce Bourneville, un tanto desconcertado. Augustine «recaía», es decir, que volvía a la loca intermitencia histérica, renegaba de «lo mejor» (la sabiduría del cuerpo), gracias a lo cual se había convertido en ayudante-cuidadora.

> 6 de abril de 1880. X... ha recaído; se la vuelve a colocar en el servicio, como enferma. Contra los ataques se emplean el compresor, el éter, el cloroformo. Se destaca, en varias ocasiones, periodos de agitación en los que rompe, hace añicos las ventanas, desgarra la camisa de fuerza, etc. El 11 de junio, siendo la agitación más violenta, X... es encerrada en una celda[73].

Encerrada en una celda. Tras encanto y ruptura de encanto, la retorsión, obligada. Bourneville, autor de un filantrópico *Manuel des infirmières*[74], puede que renunciase a «salvar» a Augustine. En cuanto a Augustine, puede que ella renunciase a sus clásicos éxtasis.

Entonces, ella misma puso fin a su existencia como «caso»: se disfrazó de hombre (qué ironía). Y de esta manera se escapó de la Salpêtrière. Sus guardianes, sin embargo atentos, no se enteraron de nada. Fuga: fin de no-recibir.

---

[72] IPS, II, pág. 139. Cfr. Richer, 1881-1885, pág. 134.
[73] IPS, III, pág. 197.
[74] Cfr. Bourneville, 1878, *passim.*

LA DESCONCERTACIÓN
Y LA IMAGEN DE VUELTA

Este fin-fuga no es por lo tanto un final. Salvo tal vez para esa *quasi-Augustine* de la que he hablado, que puede que se convirtiera simplemente en Agustine, o tal vez no. En cuanto a mí, habría interrumpido el despliegue de mi cuestión sobre un punto que no resulta muy fácil. Puesto que se trata realmente de un *nudo del drama*. Permanecerá en suspenso sobre un encanto que *no ha cuajado* hasta el final. «Cosa detenida, en una palabra», había dicho un día, premonitoriamente, Augustine[75].

Lo que aquí se detiene es el círculo vicioso de la transferencia. Todos habrán preguntado demasiado: el médico, por su escalada experimental y su vértigo de director de escena, creyendo poder hacerlo todo, deshacer y volver a hacer, con los cuerpos a él abandonados; la histérica, por su escalada de consentimientos, rompiendo de hecho toda reserva y gracia de representación. Lo que aquí se detiene es la operación recíproca del encanto. Muerte de un deseo, tal vez de dos. *Desconcertación:* la decepción sin continencia, la ruptura de un ritmo por medio del que hacía efusión una estructura.

Pero este cese no constituye un fin, por eso es por lo que yo hablo de suspensión. Consideren lo siguiente, que, encanto o no encanto, todo, fabricación de imágenes, procedimientos clínicos y experimentales, todo tendrá que haber seguido funcionando, en la Salpêtrière, pese a y con el rechazo. ¿Cómo? Esta continuación demandaría que mi mismo relato continuase, también que se «retomase». Esta suspensión no constituye un fin, sino una *exasperación.* Momento de la *strette,* o «estrecha imitación» en la fuga, respuesta que ya no espera el reposo del sujeto, imitación que se precipita, momento estructural de un peligro. Momento estructural, también, de una *angustia.*

---

[75] IPS, II, pág. 150.

Se trata, en la histérica, de una *angustia de la imagen.* Es el momento en que se transmite una muerte, en el mismo teatro, y ese momento, aunque obsesionado por una ausencia, no hace ausente nada uniformemente, sino que por el contrario lo vuelve *presente,* actualiza algo de forma muy, muy intensa, no un objeto, sino su *inminencia absoluta,* escandalosa, la pulsión. Y, por ello, toda metáfora se aplasta, se estrella sobre una gesticulación del rechazo y de la apelación mezclados. Momento de holofrase. Grito, convulsión: efracción imaginaria. Y tan rápido, tan virulento que, en el momento, *disloca* el imaginario, su hermosa organización. Reverso de una espera de imagen, ¿no es esto lo que, finalmente, también esperamos de un espectáculo, su precipitación?

Se trata, pues, de un paso catastrófico, en el que el intenso narcisismo de la histérica no habrá sido más que una muy sutil retención. Y, ahora: cita fallida con todo ideal, encuentro mucho, mucho más cruel, con la cara de la realidad. El fracaso del encanto siempre es como un despertar horrorizado. Es, en el fondo, un intenso autocastigo del fantasma histérico, el talión mismo de la imagen. Un simulacro postrero: tal vez el de un suicida. La imagen alcanza, momentáneamente, algo así como su propio límite, transforma *dislocación de imagen* en *acto,* en *gestos por lo tanto figurados,* ciertamente de forma contradictoria. A pesar de todo he aquí la aporía, la aporía en acto de la visibilidad histérica. Una crispación convulsiva de lo imaginario mismo en la desemejanza misma. La imagen existe entonces como algo que haría «morir de miedo» a una histérica[76].

Nosotros, que miramos esas fotografías de la Salpêtrière, imágenes fijas de imágenes gestualizadas, eso en el fondo nos agrede, nos *altera.* Arruina pero reconduce nuestro deseo de ver. Infecta nuestra mirada, es decir, la trastorna, pero la mantiene, resiste, regresa. *Fascinum:* seducción, es decir, maleficio, mala suerte. Nos sobreviene una especie de obsesión. También es en esto que, más allá de las fotografías, nos imaginamos ese antiguo «teatralismo» histérico como una auténtica práctica de crueldad, la epidemia en todas direcciones de los fantasmas histéricos que sin embargo ellos mismos están

---

[76] Breuer y Freud, 1893-1895, pág. 50.

totalmente angustiados. Devoramos la histeria con la mirada, la histeria en contrapartida devora nuestra mirada. Vean la extrema rareza de una «risa histérica», expresión que ha pasado al lenguaje corriente para expresar: insoportable. La mímica, la contraefectuación, aquí hace las veces de asesinato del espectador. *Ad facinus accedit:* él llega al crimen, ella llega al crimen. La histérica habrá amado con la imagen, esperado con la imagen, odia, muere y asesina con la imagen. Se cuenta que, el día de la muerte de Charcot, varias histéricas de la Salpêtrière habían soñado con la muerte de Charcot[77]. Una obra del *Théâtre d'épouvante* de André de Lorde, dedicada al gran psicólogo Alfred Bidet y representada en el Gran Guiñol de París, corría un velo sobre la venganza de la histérica, es decir, un retorno al médico de la *desemejanza:* «Claire» lanzaba a la cara de su experimentador el eficaz vitriolo desfigurador...[78].

Repito que la histérica, para precipitar su angustia, espera su momento, que desconoce. Ésta espera ahonda la temporalidad del mimo, que ya no se denominará con un «como si», sino con un *como si... como si,* un balanceo. Repetición ahondada de drama, espera misteriosa, aquella, en ocasiones, de una precipitación a gritos del misterio, o insinuada, o envuelta de ironía, o de un torbellino de hilaridad y de horror, siempre acrobacia alrededor de un abismo, siempre angustia.

Frente a esta angustia que nunca termina, no hay más que una exasperación del saber. Ésta tampoco terminará nunca. Ya no sabrá qué máscara llevar. Es la exasperación indecisa de las formas de su poder, de su eficacia.

Y la indecisión cambiará, cuando surja un momento propicio, en un *odio a la imagen.* Efecto de las decepciones, de las paradojas de evidencia. Será el odio de todo lo que permanece, resiste y regresa como de lo real en las imágenes, poses, actitudes, delirios histéricos. «Limpiar» la histeria vendrá a ser lo mismo que encarnar sus mil producciones imaginarias, sus «espectros». Alimentarse, primero. Reproducir, seguidamente, y dominar la reproducción. Finalmente, conjurar,

---

[77] Cfr. Ellenberger, 1970, pág. 633.
[78] Lorde, 1909, págs. 79-81 («Une leçon à la Salpêtrière»).

exorcizar, para siempre. No existió en Freud un odio tal, aunque el «despliegue de imágenes», su *desaparición sin retorno*, como «fantasmas rescatados», tal como él decía, fue durante un momento su esperanza[79], justo antes de que una teoría del fantasma volviese a introducir el paso de los fantasmas, que ahí ya no se dejaban rescatar tan fácilmente, puesto que vienen del interior.

En la Salpêtrière se impondrá una forma, la Histeria. Algunas veces, las chicas contratadas como simples «chicas de servicio» se volvían histéricas en apenas unos días, llegaban hasta intentar suicidarse, como desesperadas por esta forma[80]. No todo era consentimiento. La forma se alimenta, testa, *detesta* finalmente las imágenes, cuando las imágenes se vuelven poco interlocutoras, o bien pierden en belleza. Pero nunca se cesará de fabricar otras imágenes, con la esperanza perversa de una imagen adecuada a la forma.

La invención de la Histeria irá, pues, exasperándose a sí misma. En dos sentidos. Como gestión infernal, si se me permite decirlo, como *tiranía*, metiendo en cintura cada vez más apretada a los fantasmas histéricos, a los cuerpos histéricos. Escalada de la retorsión. Pero también, y *al mismo tiempo*, como gestión de las imágenes con miras a formas, es decir, como *estética*. Un paradigma más allá de la fotografía y del teatro: la pintura. Puesto que Charcot habrá intentado, como si nada, subsumir las «mil formas» de la histeria en ultimísima instancia dentro de la hipótesis, véase en el canon, histórico y estético, de lo que denominó *los Demoníacos en el arte*[81]: una cierta noción del arte barroco, un cierto uso de la iconografía entendido, esta vez, en su sentido más tradicional, el de las representaciones pictóricas.

Apelación última, esta apelación a la pintura. Apelación inquieta, sin duda («y si miras al abismo durante mucho tiempo, el abismo te devolverá la mirada»)[82]. Pero inquietud portadora de los más crueles efectos. Puesto que ese vínculo del

---

[79] Breuer y Freud, 1893-1895, pág. 227.
[80] Cfr. IPS, II, págs. 187, 196.
[81] Cfr. Charcot y Richer, 1887, *passim*. Aquí no hago más que introducir un futuro episodio de esta investigación.
[82] Nietzsche, 1886, pág. 91.

amor al arte y la retorsión (la retorsión hacia las mujeres histéricas incapaces de elevarse totalmente a la dignidad, no diría que de artistas, sino simplemente de objetos de arte), ese
vínculo abre una nueva paradoja de atrocidad, o al menos
una pregunta: ¿cuál es, pues, la naturaleza particular de ese
odio que experimenta, inventa y produce imágenes, de ese *odio
hecho «arte»*?

Apéndices

«Este enorme asilo, qué duda cabe de que ninguno de ustedes lo ignora, encierra una población de más de 5.000 personas, entre las cuales figuran en gran número, bajo el título de incurables, ingresadas de por vida, sujetos de todas las edades afectados de enfermedades crónicas de todo tipo y, entre éstas en particular, las que tienen su centro en el sistema nervioso.

Tal es el material, considerable pero necesariamente de carácter particular, que comprende lo que calificaría de fondo antiguo, el único que, durante largos años, hemos tenido a nuestra disposición para nuestras investigaciones patológicas y para nuestra enseñanza clínica.

Los servicios que pueden rendir los estudios y la enseñanza realizados en tales condiciones no resultan, ciertamente, desdeñables. Los tipos clínicos se ofrecen a la observación representados por numerosos ejemplares que permiten advertir la afección de un solo golpe, de manera, por así decirlo, permanente, puesto que llenan de inmediato los vacíos que con el tiempo se van haciendo en tal o cual categorías. En otros términos, estamos en posesión de una suerte de *museo patológico vivo,* cuyos recursos son considerables.»

Charcot, «Leçons sur les maladies du système nerveux»,
en *Œuvres complètes,* III, págs. 3-4.

APÉNDICE 2
LAS LECCIONES CLÍNICAS DE CHARCOT

«Las lecciones clínicas de Charcot tenían lugar los viernes por la mañana en su anfiteatro, repleto hasta las últimas gradas; él se colocaba sobre el estrado, rodeado de sus alumnos. Pese a su aparente impasibilidad, Charcot siempre llegaba a su anfiteatro con una cierta timidez. No era un orador brillante, tenía horror al énfasis, tanto, por otra parte, como a los lugares públicos. Hablaba con parsimonia, su dicción era impecable; no gesticulaba, y tan pronto se sentaba como se incorporaba. Su exposición siempre era de una claridad meridiana. Daba la impresión de anhelar instruir y convencer.

Tenía por costumbre hacer venir simultáneamente, a su anfiteatro, varios pacientes aquejados de la misma afección; iba de uno al otro, destacando en ellos las mismas particularidades sintomáticas, las mismas actitudes, las mismas evoluciones, las mismas deformaciones. En otros casos, agrupaba a los enfermos que presentaban distintas variedades de temblores o de problemas motores para mostrar los caracteres diferentes entre ellos. Charcot, en el transcurso de la lección, solía imitar él mismo tal o cual signo clínico; por ejemplo, la desviación de la cara en una parálisis facial, la posición de la mano en una parálisis del nervio radial o del nervio cubital, la postura rígida de un sujeto aquejado de la enfermedad de Parkinson. Detrás de Charcot, sobre el estrado, había innumerables láminas, cuadros sinópticos, gráficas y también estatuillas y vaciados en yeso. Con tizas de diferentes colores, Charcot trazaba sobre la pizarra esquemas de las regiones anatómicas más complejas del sistema nervioso, que hacía comprender al auditorio con una precisión esclarecedora. He de añadir que Charcot fue uno de los primeros en utilizar aparatos de proyección para sus lecciones...»

Guillain, *J.-M. Charcot, sa vie, son œuvre*, págs. 53-54.

APÉNDICE 3
LA CONSULTA

«Es un mecanismo casi indispensable del servicio. Pero es, además, un elemento muy importante de estudio para todos los médicos y estudiantes vinculados a la clínica. En efecto, gracias a ella se ve más en pocas semanas que todo lo que pueda verse en varios meses, y el examen repetido del profesor, en particular con los casos más difíciles, constituye un elemento precioso de instrucción para todos los alumnos que frecuentan el servicio.

El servicio se organiza, además, de un modo muy particular, que permite a todo el mundo aprovecharse de estos innumerables elementos de trabajo. Los martes por la mañana, día de la consulta, desde primera hora y tan pronto como los pacientes han comenzado a llenar la sala de espera, los señores internos del señor Charcot practican un primer examen. Los pacientes son clasificados primeramente en dos categorías: aquellos que, habiendo venido ya a la consulta, están recibiendo tratamiento, y quienes acuden por primera vez. Estos últimos son examinados sobre la marcha por los señores internos, que levantan con la mayor precisión posible una primera lista de diagnósticos.

A su llegada al hospicio, el señor Charcot encuentra dicha lista a su disposición y elige rápidamente, entre los casos que juzga más interesantes a primera vista, un cierto número de enfermos que le servirán para extraer una parte de los elementos de su lección de ese día. Una vez concluida la lección, comienza la ronda del jefe de la clínica, que, ayudado por algunos externos del servicio, acaba la consulta, es decir, practica el examen e instituye o cambia el tratamiento de todos los enfermos pendientes, nuevos o antiguos.

Al ser su número siempre considerable (siempre quedan al menos 60 o 70, a veces incluso 90 o aún más), se llega a la conclusión de que no es posible dedicar a cada uno de ellos más de unos cuantos minutos.»

Charcot, *Clinique des maladies du système nerveux*, II, págs. 430-431.

APÉNDICE 4
PREFACIO DE LA *REVUE PHOTOGRAPHIQUE*
DES HÔPITAUX DE PARIS

«La revista que tenemos el honor de poner a disposición del público médico tiene por objeto publicar los casos más interesantes recogidos en los hospitales de París.

Un modo de ilustración completamente nuevo en medicina nos permite añadir a esta revista unas láminas cuya Veracidad resulta siempre superior a la de cualquier otro género iconográfico.

Las ventajas de la fotografía aplicada a la medicina han proporcionado un rotundo éxito a la clínica fotográfica de las enfermedades de la piel, gracias a los señores A. Hardy y A. de Montméja. Esperamos que nuestra publicación, reuniendo estas mismas ventajas y las que pueden resultar de una experiencia aún mayor, sabrá ser merecedora de un favor similar entre los lectores.

El señor Director general de la Beneficiencia ha tenido a bien poner bajo su patrocinio esta nueva publicación, y ordenar la construcción en el hospital de Saint-Louis de un magnífico taller de fotografía, lugar de reunión de todo lo que la patología encierra de mayor interés y de mayor rareza.»

Montméja y Rengade, Prefacio de la
Revue photographique des Hôpitaux de Paris, I (1869).

APÉNDICE 5
PREFACIO DE LA *ICONOGRAPHIE PHOTOGRAPHIQUE*
DE LA SALPÊTRIÈRE (TOMO I)

«Al someter a la apreciación del público dedicado a la medicina este primer volumen de la *Iconographie photographique de la Salpêtrière,* nos parece necesario explicar por qué y cómo ha sido concebida y realizada.

Muchas veces, en el curso de nuestros estudios, hemos lamentado no tener a nuestra disposición los medios de perpetuar a través del dibujo los recuerdos de los casos, interesantes por diversas razones, que tuvimos la ocasión de observar. Este pesar se fue haciendo progresivamente más palpable a medida que vimos, gracias al ejemplo del señor Charcot, cuán considerables eran los beneficios que podían extraerse de semejantes representaciones.

Más tarde, en el transcurso de nuestra colaboración con la *Revue photographique,* pensamos en fotografiar a los enfermos epilépticos e histéricos, que una frecuencia asidua de los servicios especiales de la Salpêtrière nos permitía ver habitualmente mientras sufrían sus ataques. Obligados a recurrir a un fotógrafo externo, nuestras primeras tentativas dieron escasos frutos: a menudo, cuando llegaba el operario, todo había terminado.

Para poder llevar a cabo el objetivo perseguido, lo que necesitábamos era tener a mano, en la misma Salpêtrière, a un hombre que conociera la técnica fotográfica y fuera lo suficientemente dedicado para estar listo, cada vez que las circunstancias lo exigieran, a responder a nuestra llamada.

El hombre adicto y hábil que deseábamos, hemos tenido la fortuna de encontrarlo en nuestro amigo el señor P. Régnard. Cuando llegó a la Salpêtrière en 1875, en calidad de enfermo, le hicimos partícipe de nuestra idea, que aceptó con empeño. Ha sido, por tanto, gracias a él que hemos podido utilizar, de una manera sorprendente, una porción de los materiales que hemos reunido.

En primer lugar, el señor Régnard y yo mismo compusimos un *Álbum* de cien fotografías y quizá nos habríamos limitado a esto si nuestro excelente maestro, el señor Charcot, que seguía nuestros trabajos clínicos y nuestros ensayos fotográficos con su habitual benevolencia, no nos hubiera alentado a publicar las observaciones que habíamos recogido en sus salas, ilustrándolas con las fotografías tomadas por el señor Régnard. Hemos seguido este consejo: queda ahora a juicio de los lectores decidir si la obra, empresa común con el señor Régnard, es útil y merece ser continuada.»

Bourneville, Prefacio a la *Iconographie photographique de la Salpêtrière,* I (1876-1877), págs. III-IV.

APÉNDICE 6
PREFACIO DE LA *ICONOGRAPHIE PHOTOGRAPHIQUE*
DE LA SALPÊTRIÈRE (TOMO II)

«Cumpliendo la promesa que realizamos al final del primer volumen de la *Iconographie photographique de la Salpêtrière,* hemos consagrado la primera parte de este que van a leer a la descripción de una forma particular de epilepsia, la *Epilepsia parcial* y a sus variedades.

En la segunda parte, hemos proseguido la tarea emprendida en el primer volumen, es decir, la *descripción de los ataques de histero-epilepsia.* Nuestros lectores hallarán en las nuevas observaciones que, a nuestro juicio, nos son menos interesantes que las precedentes, informaciones cada vez más precisas sobre los ataques.

A continuación, unas breves palabras sobre el modo de ilustración. Los recientes progresos de la fotografía aún no han sido introducidos con la amplitud necesaria en las obras científicas. El señor Régnard ha querido, para el segundo volumen de la *Iconographie,* utilizar un procedimiento fotográfico que da lugar a pruebas tiradas en tinta de impresión y, en consecuencia, inalterables. La *fotolitografía,* que empleamos en la actualidad, consiste en un sencillo reporte sobre piedra del cliché obtenido con cámara oscura. La tirada se efectúa, a continuación, en la prensa. Este procedimiento implica todas las garantías de veracidad inherentes a la fotografía, al mismo tiempo que las ventajas de la impresión en tinta grasa.

Por último, hemos de agradecer, el señor Régnard y yo mismo, al señor Michel Möring, director de la Administración de la Asistencia Pública, haber tenido a bien anexionar al laboratorio del señor Charcot un taller de fotografía. Gracias a esta instalación, perfectamente adecuada, hemos podido obtener láminas superiores en calidad a las antiguas.»

Bourneville, Prefacio a la *Iconographie photographique de la Salpêtrière,* II (1878), págs. I-II.

APÉNDICE 7
EL ESTRADO, EL REPOSACABEZAS
Y LA HORCA FOTOGRÁFICOS

«El estrado que empleamos en la Salpêtrière puede desdoblarse y ocupar entonces toda la longitud del taller: este dispositivo nos sirve, por ejemplo, cuando queremos registrar a un enfermo andando, de modo que éste puede dar así algunos pasos, más que suficiente en la mayoría de los casos.

Será necesario tener un reposacabezas firmemente sujeto, si bien el empleo de este instrumento, que favorece posturas demasiado rígidas y muy poco naturales, no nos parece recomendable para la práctica de la Fotografía médica.

En efecto, la rapidez de los procedimientos actuales hace cada vez menos necesario el uso de este accesorio tan empleado en la fotografía corriente. Sin embargo, será necesario servirse de él cuando el enfermo no pueda guardar la inmovilidad o cuando la falta de luminosidad no permita realizar una prueba instantánea. También será necesario cuando la cámara enfoque desde muy cerca y se quiera fotografiar a gran escala la cabeza o alguna de sus partes: los ojos, la boca, la nariz o las orejas. La enorme dimensión de la imagen, en este caso en particular, necesita poses más largas de lo habitual, y, por otra parte, la inmovilidad completa del sujeto resulta aún más indispensable: no obstante, todas las veces en que la posición y actitud del enfermo sean características, habrá que prohibir absolutamente el empleo del reposacabezas.

En último lugar, en ciertos casos nos servimos de una horca de hierro que está destinada a suspender a los enfermos que no pueden caminar ni tenerse en pie. Esta horca móvil sobre un eje se pliega habitualmente a lo largo de uno de los muros del taller. El enfermo es sostenido por medio de un aparato de suspensión que le mantiene por los brazos y la cabeza: este aparato es del mismo género que el que se emplea para el método de la suspensión.»

Londe, *La photographie médicale,* pág. 15.

APÉNDICE 8
LA «OBSERVACIÓN» Y LA FOTOGRAFÍA
EN LA SALPÊTRIÈRE

«Cuando un enfermo ingresa en el hospital, el personal médico se ocupa de levantar una especie de informe denominado *observación*. En este documento se recogen todos los datos relativos a los antecedentes del enfermo y su estado actual. A medida que se producen modificaciones, éstas son anotadas con el mayor de los detalles y así sucesivamente hasta su curación, si tiene lugar, o su deceso, si sobreviene. Aunque en muchos casos al médico le bastará la observación, en otros le resultaría ventajoso complementarla con documentos iconográficos.

Si se trata de una deformación cualquiera, de una llaga o herida, una buena prueba revelará más que líneas y líneas de explicaciones, por perfecta que sea la descripción.

En ciertas enfermedades, el aspecto general, la actitud, el semblante, resultan por completo característicos, y de nuevo en estos casos la prueba unida a la observación la completará provechosamente. Asimismo, para conservar la huella de un estado pasajero, no habrá nada más cómodo que hacer un cliché; en una palabra, todas las veces que el médico lo juzgue necesario, habrá que tomar la fotografía del enfermo a su ingreso en el hospital.

Cada vez que se produzca una modificación en su estado, será necesaria una nueva prueba; de esta manera se podrá seguir el progreso de la curación o de la enfermedad.

En casos de parálisis, de contractura, de atrofia, de ciática, etc., será muy importante conservar el aspecto del enfermo durante todo el tratamiento. En el estudio de ciertas afecciones nerviosas, tales como la epilepsia, la histero-epilepsia, la gran histeria, en las que encontramos actitudes, estados esencialmente pasajeros, la fotografía se impone para conservar la imagen exacta de estos fenómenos, cuya duración es demasiado corta para poder ser analizada por la observación directa. Lo mismo ocurre con las hipótesis en las que el ojo no sería capaz por sí mismo de percibir los movimientos demasiado rápidos; así ocurre en las crisis epilépticas, los ataques de histeria, la evolución de los casos patológicos, etc. Gracias a los métodos fotocronográficos se suplirá fácilmente la impotencia del ojo en este caso particular y se obtendrán documentos de enorme valor.

Tras haber estudiado el conjunto, nos ocuparemos de los diferentes miembros que puedan estar afectados aisladamente, o que en una afección general demandan su reproducción a gran escala.

Asimismo, tras haber analizado el aspecto, podrá procederse especialmente a la reproducción de los diferentes órganos que encierra.

No se limitará siempre a observar el aspecto exterior del enfermo, será necesario, en ciertos casos, examinar el interior de algunos órganos accesibles. Hoy en día, por medio de instrumentos muy ingeniosos, pueden explorarse fácilmente las diversas cavidades del individuo; este examen debe ser necesariamente muy rápido: así pues, en estos casos particulares será de mayor provecho sacar una prueba fotográfica, que, además de su autenticidad, tendrá la ventaja de recordar al observador lo que ha percibido y permitirle realizar un estudio reposado a partir de un documento indiscutible. Desgraciadamente, como veremos más adelante, las dificultades prácticas que deben resolverse son innumerables y hasta el presente se han realizado pocas aplicaciones en este orden de ideas.»

Londe, *La photographie médicale*, págs. 3-4.

APÉNDICE 9
LA «FICHA FOTOGRÁFICA» EN LA SALPÊTRIÈRE

«La ingente acumulación de clichés en un servicio médico requiere su clasificación de la manera más ordenada posible.

Veamos a continuación cómo operamos en la Salpêtrière. Cuando aceptamos a un paciente, consignamos en una ficha especial los siguientes datos: nombre, edad, domicilio, sala del hospital y número de cama, número de cliché. He aquí el modelo de los impresos que hemos ordenado realizar.»

Londe, *La photographie médicale*, pág. 177.

SERVICIO FOTOGRÁFICO

Ficha para fotografiar M. Dubois

Sala: Duchenne de Boulogne.　　　Núm. de cliché: 1510, 1511, 1512.
Núm. 10.　　　　　　　　　　　　Estereóscopo
Edad: 27 años　　　　　　　　　　Proyección
Domicilio: rue de l'Entrepôt, 72.　　Pruebas: 2 de cada cliché.

Diagnóstico

Contractura histérica.

Observaciones

La contractura se mantiene desde hace dos meses.
Le sobrevino como consecuencia de una emoción violenta.
Procurarse, si fuese posible, una fotografía anterior del sujeto.

6 de diciembre de 1891　　　　　　　　　　　　　　El Médico,
　　　　　　　　　　　　　　　　　　　　　　　　Charcot.

APÉNDICE 10
TÉCNICA DE LA FOTOGRAFÍA JUDICIAL

«1.—Cada sujeto debe ser fotografiado 1.º de frente y 2.º de perfil, *lado derecho,* en las siguientes condiciones: a) *de iluminación,* b) *de reducción,* c) *de pose,* y d) *de formato.*

2.—La pose de frente estará iluminada por la luz del sol que entre por la izquierda, con relación al sujeto, permaneciendo la mitad derecha en relativa penumbra.

3.—La pose de perfil estará iluminada por una luz que caiga perpendicularmente a la figura del sujeto.

4.—La escala de reducción adoptada para el retrato judicial de frente, así como para el de perfil, es de *un séptimo.* Dicho de otro modo, el número del objetivo debe elegirse de tal manera y la distancia que separa el objetivo de la silla de posado organizada de tal forma que una longitud de 28 centímetros pasando verticalmente por el ángulo externo del ojo izquierdo del sujeto al que ha de fotografiarse dé en el cliché una imagen reducida a 4 centímetros, con margen de un milímetro más o menos $(4 \times 7 = 28)$.

5.—El enfoque de la cámara para la fotografía de frente debe establecerse sobre *el ángulo externo del ojo izquierdo,* mientras que para la de perfil se tomará *el ángulo externo del ojo derecho,* correspondiendo estas dos partes respectivamente a la disposición mediana mejor iluminada de cada pose. (...)

6.—Para evitar titubeos en sesiones posteriores, bastaría fijar de una vez por todas sobre el entarimado del taller dos pequeñas cuñas que permitirían reinstalar de inmediato la silla y la cámara en sus respectivas posiciones.

7.—Es absolutamente indispensable que las dos poses de las fotografías judiciales para la identificación se tomen mostrando el sujeto la cabeza totalmente descubierta.

8.—Si por motivos particulares a la instrucción del caso fuese necesario que el sujeto fuera fotografiado también *con el sombrero puesto,* este último posado debería ser objeto de un tercer retrato que deberá tomarse de pie, conforme a las prescripciones que se darán en el párrafo 25.

9.—Se ha de cuidar, tanto para la pose de frente como para la de perfil, que el sujeto se encuentre sentado lo más recto posible, con los hombros a la misma altura, la cabeza apoyada en el reposacabezas, la mirada *horizontal,* dirigida directamente al frente.

10.—Para la pose de frente, se deberán dirigir los ojos del sujeto a mirar hacia el objetivo, lo que generalmente no entraña ninguna dificultad. Para la de perfil, se evitará el frecuente desplazamiento de los ojos hacia un lado, en dirección al fotógrafo, invitando al sujeto a mirar un blanco, o mejor un espejo, que se colocará en sentido al perfil lo más lejos que permita la longitud del taller y a la misma altura que el objetivo, es decir, a 1,20 metros de altura más o menos.

11.—*Encuadrar la imagen.* Está terminantemente prohibido tanto el acto de "lanzarse" como el de "levantar la nariz" hacia el objetivo.

12.—Las orejas siempre deberán aparecer despejadas de la cabellera, tanto en la de perfil como en la de frente.

Para obtener dicho resultado en algunas cabelleras enmarañadas y rebeldes, en ocasiones será necesario sujetar los cabellos, ya sea con un cordel, ya sea con una goma elástica (únicamente para el posado de perfil).

13.—Las fotografías *de perfil* en las que no aparezca por completo el contorno de la oreja, se deberán hacer de nuevo. (...)

14.—*Los clichés no deberán sufrir ningún tipo de retoque*, a excepción de agujeros o picaduras en la gelatina que provocarían sobre la prueba unas manchas negras similares a lunares o cicatrices. Está rigurosamente prohibido el acto de embellecer y de rejuvenecer la imagen, borrando sobre el cliché las arrugas, cicatrices e imperfecciones de la piel.

15.—En el servicio fotográfico de la Comisaría de Policía, para evitar confusiones en la transcripción de los estados civiles y para facilitar la ulterior clasificación de los clichés, se atribuye un número provisional a cada uno, siguiendo diariamente un orden numérico. Los números impresos en etiquetas movibles de aproximadamente 3 centímetros de longitud se introducen sucesivamente en un sobrecillo colocado en un lateral de la silla, en la parte superior del respaldo vista de lado.

16.—Esta indicación reproducida sobre el cliché por la propia fotografía permite, consultando la lista del día, encontrar de inmediato el nombre del sujeto, que entonces se inscribe con las letras al revés sobre la gelatina por debajo del perfil. Inmediatamente después se anota la fecha de la confección del cliché, formulada en cifras en el orden seguido habitualmente: *día, mes, año.* Por último, más lejos, hacia la derecha, aparecerá grabado de la misma manera el número de orden general que determinará el emplazamiento definitivo de cada cliché en los archivos.»

Bertillon, *Identification anthropométrique.*
Instructions signalétiques, págs. 130-132.

APÉNDICE 11
LA VELADURA DEL RETRATO, EL AURA

«*Fuerza vital en especialización por división.*—Fotografía tomada a las 11 de la mañana, a mediodía, 15 minutos de posado; a 1,50 metros, con cámara, sin nada de electricidad; fin 94.

Deseaba obtener de nuevo los efluvios vitales del grupo de dos niños muy simpáticos y muy nerviosos, como ya había obtenido varias veces de uno de ellos.

Los subo a caballito, en el momento en que se comportan como diablillos, y les paro en seco en sus jugueteos mediante una orden tajante; se produce una veladura que los esconde y que cubre el cliché.

Habían experimentado una especie de escalofrío, de opresión, de llamada que modificaba su atmósfera periférica con suficiente intensidad para que la placa se viese impresionada a 1,50 metros, distancia a la que se produjeron esos fenómenos invisibles para el ojo humano.

Observamos así un *tejido luminoso,* como un *entramado* con puntos y nudos.

La forma es elíptica, característica.

Al nivel de la yuxtaposición de los dos niños en contacto, uno en su lado izquierdo y el otro en su lado derecho (el primero repulsivo, el segundo atractivo), el fluido se ha condensado, especializado, *individualizado* en puntos redondeados; esta forma parece representar el equilibrio y la fusión entre dos formas fluídicas, de dirección opuesta y detenidas bruscamente en el momento de la contracción anímica de los dos niños, que había constituido durante cierto tiempo una sola alma.

El baño extendido de forma incompleta sobre toda la superficie de la placa a la vez produce esa mancha tan visible; sin electricidad ni luz roja, con cámara; la segunda fotografía, tomada sin emoción, ofrece el retrato de los dos niños a caballito.»

Baraduc, *L'âme humaine, ses mouvements,*
ses lumières et l'iconographie de l'invisible fluidique,
Explicación de la prueba XXXVIII [36].

APÉNDICE 12
EL AUTORRETRATO «AURACULAR»

«*Iconografías comparadas del cuerpo vivo, del alma vital y del alma espiritual.*—Aquí aporto una tabla comparativa de 4 grafías: 1.º Mi fotografía realizada en el taller de Nadar. 2.º La obografía de mi cuerpo fluídico, emanación del alma sensible, concomitancia con la repulsión de la aguja biométrica de 2.º, habiendo colocado la placa entre la mano y el biómetro. 3.º Una iconografía de mi fantasma psicocónico. 4.º La grafía del alma psiquextásica, del alma espiritual de cuatro rayos.

Explicación XXVIII. 1.º Fotografía de mi cuerpo vivo a la luz del día por Nadar. 2.º Icono óbico espontáneo, representando el fantasma fluídico del cuerpo aromal que reproduce la forma de mi cabeza. Este icono se hizo bajo la luz roja, con la mano derecha colocada frente a la placa sensible, colocada ella misma delante del aparato biométrico, para estudiar a la vez la fuerza expansiva del Ob empujando la aguja de 2 d., y realizando ella misma su propia firma atravesando la capa sensible, el vidrio, el aparato para empujar la aguja (sin método eléctrico, los dedos frente a la capa sensible). 3.º Imagen psicocónica de mi cabeza; involución de un pensamiento relativo a mí en una masa ódica, en medio de la cual surge con nitidez la deseada imagen de mi icono; el pensamiento de mi yo-mismo (con método eléctrico, los dedos frente a la placa). 4.º Alma psíquica, mi yo espiritual. Alma espiritualizada, delicada perla estrellada con cuatro puntas (por imantación) con, en el centro, el área del rayo divino, un delgado círculo de vestido ódico alrededor, con cuatro rayos comunicando con los cuatro soplos del Espíritu.»

> Baraduc, *L'âme humaine, ses mouvements,*
> *ses lumières et l'iconographie de l'invisible fluidique,*
> Explicación de la prueba XXVIII [40].

APÉNDICE 13

EL AURA HISTÉRICA (AUGUSTINE)

«Se compone de los siguientes fenómenos: 1.º dolor localizado a nivel del ovario derecho (hiperestesia ovárica); 2.º sensación de una bola que asciende a la zona epigástrica (nudo epigástrico); 3.º palpitaciones cardiacas y constricción de la laringe (tercer nudo); 4.º por último, problemas cefálicos (latidos a nivel de la sien y de la parte anterior del parietal derecho, silbido en el oído derecho).

El aura aparece tan sólo algunos minutos antes del ataque; la enferma siempre tiene tiempo de recostarse. No obstante, algunas veces piensa que el ataque va a detenerse, que los fenómenos que siente no van a continuar y no se acuesta; ahora bien, a veces se equivoca y se cae, sin dañarse seriamente. (...) Además de los pródromos ya citados, debemos destacar los siguientes: el habla se vuelve breve; G... es maleducada, irritable; sus movimientos son bruscos; la mirada se vuelve extraviada, fija; las pupilas se dilatan, el ataque estalla sin avisar.»

Bourneville y Régnard, *Iconographie photographique de la Salpêtrière,* II, págs. 129, 133.

APÉNDICE 14
EXPLICACIÓN DEL CUADRO SINÓPTICO
DEL GRAN ATAQUE HISTÉRICO

«La lámina V [cfr. **46**] representa un cuadro sinóptico del gran ataque histérico y de las variedades que resultan de modificaciones añadidas a los elementos que lo constituyen. Ha sido confeccionado con la mayor parte de las ilustraciones de este libro reunidas y dispuestas en un orden que permite captar de un solo vistazo los distintos periodos del gran ataque histérico de forma completa y regular, y deducir sus principales variantes.

La primera línea horizontal de figuras ofrece la reproducción esquemática del gran ataque en su desarrollo perfecto. Todos los periodos y sus diversas fases están representados en su forma clásica.

Todas las demás figuras dispuestas en columnas verticales son otras tantas variedades del tipo clásico, variedades que podríamos multiplicar fácilmente. Cada columna comprende, pues, las formas variadas de una misma fase, siendo la figura que aparece en cabeza, y que pertenece al esquema clásico, la que representa su apariencia más habitual.»

Richer, *Études cliniques sur la grande hystérie ou hystéro-épilepsie,* pág. 167 [cfr. **46**].

Pródromos		A
Primer periodo		
Fase tónica	Grandes movimientos tónicos	B
	Inmovilidad tónica	C
Fase clónica		D
Fase de resolución		E
Segundo periodo o *clownismo*		
Fase de contorsiones		F
Fase de grandes movimientos	rítmicos	G
	desordenados	H
Tercer periodo o de las actitudes pasionales		
Actitud pasional alegre		I
Actitud pasional triste		J
Cuarto periodo o periodo de delirio		
Delirio, zoopsia		K
Contracturas generalizadas		L

APÉNDICE 15
EL «ESCOTOMA CENTELLEANTE»

«Hoy no entraré en la historia de la migraña oftálmica, es un tema que trataremos algún día de forma muy especial. Únicamente les recordaré que en un acceso corriente de migraña oftálmica, claramente caracterizado, vemos cómo se manifiesta, en el campo visual, una figura luminosa, primero circular, luego semicircular, en forma de zigzag o de dibujo almenado, agitada por un movimiento vibratorio muy rápido, imagen tan pronto blanca, fosforescente, como ofreciendo tintes amarillos, rojos o azules más o menos acentuados. A esto es a lo que llamamos escotoma centelleante.

El escotoma a menudo da paso a un defecto temporal de hemianopsia en el campo visual, que hace que ya no percibamos más que la mitad de los objetos.

El examen de campo visual, muy útil en estos casos, permite reconocer un defecto de hemianopsia, habitualmente homónimo y lateral, que por lo general no se extiende hasta el punto de fijación.

Todo esto viene seguido de un dolor en la sien correspondiente al lado en el que se crea el defecto visual o el espectro, y el ojo del mismo lado resiente un dolor de tensión que a veces recuerda al que se experimenta en el glaucoma agudo. La escena termina con vómitos y luego todo vuelve a su orden.»

Charcot, «Leçons sur les maladies du système nerveux», en *Œuvres complètes,* III, págs. 74-75 [cfr. **55**].

APÉNDICE 16
¿CURAR O EXPERIMENTAR?

«Cuántas veces, siendo su interno o su jefe de clínica, no escuché decir en el transcurso de una discusión sobre los trabajos de mi jefe: "La histeria, en la Salpêtrière, la cultiváis, no la curáis." Cuando esto llegaba a oídos de Charcot, respondía: "Para aprender a curar, primero hay que haber aprendido a conocer, el diagnóstico es la mejor baza del tratamiento." ¡Y era a él a quien estaba dirigido ese reproche de no ser un terapeuta!, a Charcot, que dio la fórmula auténtica del tratamiento de la histeria y de la epilepsia, que encontró el único medio de curar a los enfermos de vértigos auriculares a quienes, antes de él, se abandonaban a su desafortunada suerte; a él, que en terapéutica jamás retrocedió ante ninguna experimentación, cuya máxima en la materia era "que el buen remedio es aquel que cura". Respecto a este tema debería volver a leerse uno de sus últimos trabajos, una suerte de testamento filosófico, la *¡Fe que cura!*»

Gilles de la Tourette, «Jean-Martin Charcot», *Nouvelle Iconographie de la Salpêtrière,* 1893, pág. 246.

APÉNDICE 17
GESTO Y EXPRESIÓN:
EL AUTOMATISMO CEREBRAL

«Los ejemplos que citaremos en primer lugar han tenido un seguimiento desde el principio de nuestras investigaciones sobre el hipnotismo. Consisten en la influencia del gesto sobre la expresión de la fisonomía. Mientras el sujeto se encuentra inmerso en el estado cataléptico, los ojos permanecen abiertos y el rostro no se queda indiferente, sean cuales sean las actitudes que se infundan a todo el cuerpo. Cuando dichas actitudes son expresivas, el rostro se dispone en armonía con ellas y concurre en la misma expresión. Así, una actitud trágica imprime un aire duro a la fisonomía, el ceño se contrae. Por el contrario, si se acercan las dos manos abiertas a la boca, como en el acto de lanzar un beso, la sonrisa aparece inmediatamente en los labios.

En estos dos ejemplos que se refieren a dos sentimientos opuestos y fáciles de caracterizar, la reacción del gesto sobre la fisonomía resulta muy sorprendente y se produce con la mayor nitidez.

Pero resulta difícil imprimir a un maniquí, todo lo dócil que sea, unos movimientos perfectamente expresivos, y el número de actitudes comunicadas que estén totalmente relacionadas con un sentimiento dado nos parece relativamente restringido.

También hemos tenido la idea de proceder de una manera inversa y, en lugar de actuar sobre el gesto para modificar la fisonomía, hemos investigado la influencia de la fisonomía sobre el gesto.

Para imprimir a la fisonomía expresiones variadas, el medio había sido encontrado y la vía abierta por un hábil experimentador. Tuvimos recurso a la faradización localizada de los músculos del rostro, siguiendo los procedimientos empleados por Duchenne (de Boulogne) en sus estudios sobre el mecanismo de la fisonomía. (...) Desde nuestros primeros experimentos vimos la actitud, el gesto apropiado seguir a la expresión que la excitación eléctrica había impreso a la fisonomía. A medida que el movimiento de los rasgos se acentuaba, se veía, de alguna manera, espontáneamente, entrar en acción a todo el cuerpo y completar la expresión del rostro mediante el gesto. Cuando por error o titubeo en el procedimiento operativo, la expresión de la fisonomía no se acusaba con claridad, el gesto permanecía indeciso.

Una vez producido, el movimiento impreso a los rasgos del rostro no se borra, pese al cese de la causa que lo ha engendrado, después de que se han retirado los electrodos. La fisonomía permanece inmovilizada en estado de catalepsia y lo mismo respecto a la actitud y el gesto que lo han acompañado. El sujeto se encuentra así transformado en una especie de estatua expresiva, modelo inmóvil representando con un sorprendente realismo las expresiones más variadas y de las que los artistas podrían con certeza sacar el mayor de los partidos.

La inmovilidad de esas actitudes así obtenidas es especialmente favorable a la reproducción fotográfica. Hemos obtenido, con la participación del señor Londe, encargado del servicio fotográfico de la Salpêtrière, una serie de fotografías de las que hemos hecho reproducir aquí algunas de las más interesantes, y a propósito de las cuales destacaremos que han sido tomadas en el transcurso de los primeros experimentos practicados sobre este tema.»

Charcot, «Leçons sur la métallothérapie et l'hypnotisme», en *Œuvres complètes,* IX, págs. 441-443.

APÉNDICE 18
UN CUADRO VIVIENTE DE CATALÉPTICAS

«Se sabe que en las histéricas cualquier ruido violento e inesperado provoca la catalepsia; únicamente, las distintas enfermas adoptan actitudes totalmente diferentes, pero que son por lo general las mismas para cada una de ellas. Todavía no se ha encontrado el valor clínico de esta actitud particular en cada sujeto, pero puede que exista, y de lo que no hay duda es de que reuniendo un gran número de pruebas de este tipo seguramente llegaremos a resultados interesantes.

He aquí la reproducción de una fotografía realizada en la Salpêtrière [89]. Las histéricas han sido conducidas ante la cámara bajo el pretexto de hacerles un retrato. En ese momento, se dio un golpe de gong y todas ellas cayeron en estado cataléptico, tal y como lo muestra el croquis realizado según el experimento por parte del doctor Richer.

En este caso particular, se puede posar el tiempo que se quiera, puesto que en el estado de catalepsia el enfermo presenta una inmovilidad casi completa. No obstante, aunque la actitud se conserve durante un tiempo relativamente prolongado, se produce una fatiga general de los músculos en acción y las pruebas tomadas, a un cierto intervalo, mostrarán este hecho en cuestión de manera manifiesta.»

Londe, *La photographie médicale,* pág. 90.

APÉNDICE 19
DELIRIOS PROVOCADOS:
RELACIÓN DE AUGUSTINE

«Delirio provocado por éter.—Aunque hayamos contado ya un gran número de veces las alucinaciones y las sensaciones experimentadas por las histéricas bajo la influencia de inhalaciones de éter, y en particular por parte de L... (t. II, pág. 161), nos ha parecido interesante reproducir la relación escrita por la propia enferma, a petición nuestra y tras reiteradas instancias, de las sensaciones que le procura el éter y que la empujan a reclamarlo a menudo:

"Desde el 3 de marzo (1877), tras haber inhalado una cierta cantidad de éter, conservé, durante tres días, ciertas malas ideas sobre las alucinaciones y las cosas que había visto y experimentado con satisfacción. Esas ideas eran: seguía estando con mi muy amado M...; mi pensamiento no era más que para él, en todas partes a las que iba me parecía verle siempre, escucharle llamándome. Cuando, por momentos, me quedaba sola, me esforzaba en reflexionar para saber cómo podría hacer para... poder amarlo y poseerlo como me gustaría; entonces me cubría la cara con las manos, y era en ese momento en el que sentía una gran felicidad cuando le preguntaba: '¿Me quieres?' Me parecía que me respondía: 'Sí'; entonces me embargaba la alegría creyendo sentirle abrazándome y apretándome contra su pecho, al igual que a veces me ocurría oírle a él preguntármelo; yo siempre le contestaba 'Sí'. (Pero desgraciadamente no era más que un sueño.) Durante esos tres días sentía esa felicidad más o menos 10 veces al día. Cuando llegaba la hora de acostarme, era aún peor, le sentía tumbado a mi lado, entrelazándome con sus brazos, apretándome contra su pecho y diciéndome que me durmiese, eso quería yo, pero antes me hubiese gustado que me hiciese completamente feliz y me probase que me quería, pero me parecía que me decía 'No'; entonces me quedaba confusa, enfadada, por esa respuesta, experimentaba un malestar que no quiero dejar de señalar: súbitamente, era víctima de escalofríos, mi corazón se ponía a batir con fuerza, un sudor frío me recorría el rostro; hubiese querido poder levantarme, pero no podía mover ni mis brazos ni mi cabeza. Esto duraba más o menos de 4 a 5 minutos. Luego, al final, experimentaba una sensación de placer que no me atrevo a explicarles. Sufría esa especie de malestar cada vez que le sentía apretarse contra mi pecho; sentía que me besaba el pecho, pidiéndole algo que no quería hacerme, entonces experimentaba de nuevo el malestar y me costaba mucho dormirme tras haber expulsado todas esas ideas. Durante los tres días sentí la misma sensación al ir a acostarme. Desde que he estado enferma ya no he vuelto a sentir todo eso, salvo cada vez que tengo ocasión de ver a esa encantadora persona que siempre me da ganas de abrazarla, y sin embargo, cuando aparezco ante él, me siento intimidada, puesto que me contengo lo más posible para no mostrarle que le quiero. No les digo el nombre de la persona, puesto que no creo que eso sea necesario y además no me atrevería.

"P.S. He terminado de decirle todo lo que me ha preguntado e incluso más; le hablaría más abiertamente si me atreviese, pero temo que sea a la vista de todo el mundo."

Es decir, los efectos del éter se alargarían durante un tiempo bastante prolongado tras la inhalación. Si la narración que precede es exacta —y así lo creemos, puesto que se asemeja a la de la mayoría de las enfermas—, el éter produciría casi constantemente sueños agradables, voluptuosos, y dispondría a la enferma en la situación en la que se encuentra durante una parte de la fase alegre del periodo de delirio de los ataques.

Efectos consecutivos a las inhalaciones de nitrito de amilo.—X... L..., a finales de noviembre de 1877, es decir, en una época en la que era bastante fácil de manejar, nos ha ofrecido los siguientes detalles sobre los fenómenos que experimenta cuando se le ha hecho respirar nitrito de amilo:

"Tras el nitrito de amilo, estaba hundida en mi cama; comenzaba a dormirme cuando veo a M... acercarse a mí, se tumba a mi lado, me enlaza con sus brazos, me besa, me hace cosquillas y me toca.

"Por mi parte, yo también le besaba y le colmaba de caricias apretándome contra él, entonces temblaba, animada, feliz, después me retorcía, comportándome de forma totalmente inconveniente... Creyendo todavía que M... me acariciaba, me tocaba los senos, seguidamente hacía... Y yo, feliz, siempre lo hacía con placer y ardor; esto duró por espacio de 2 horas; me dormí durante unas horas, siempre contenta con la misma persona. Soñaba que ya no estaba en la Salpêtrière, vivía desde hacía algunos días con él, iba a pasear a su lado al *bois de Boulogne*, enseñándome cosas hermosas en todo momento: siempre soñando, asistía a un teatro en el que se representaba una revolución: eran unos negros con ojos rojos, dientes azules, que peleaban con armas de fuego, M... fue alcanzado por una bala en la cabeza, la sangre brotaba, yo gritaba y, al despertarme, me di cuenta por completo de mi error.

"El resto del día transcurrió bastante bien, pero siempre más sobreexcitada de lo habitual; es por lo que voy a citarles un ejemplo. La misma noche un interno, que venía a cumplir servicio, vino a hablarme, me tomó de la mano diciéndome 'Buenos días'; entonces me sentí como electrificada de los pies a la cabeza; él se dio cuenta, me preguntó qué me ocurría; no le dije nada, pero tuve la suficiente voluntad y firmeza de carácter para no abrazarle, porque me recordaba a M..."

La acción del nitrito de amilo es menos agradable que la del éter. Vemos que con las sensaciones voluptuosas se mezclan sueños dolorosos, en los que la enferma veía ojos rojos, dientes azules, sangre, etc.»

Bourneville y Régnard, Iconographie photographique de la Salpêtrière, III, págs. 187-190.

APÉNDICE 20
SUGESTIONES TEATRALES

«Intentamos llevar el experimento aún más lejos. Ya habíamos visto que, durante ese estado cataléptico, bastaba con disponer los brazos de la enferma en la actitud del inicio del ataque para que éste diese comienzo. Ahora nos disponemos a afirmarle simplemente que está sufriendo su ataque. Hay un momento de estupor y de duda, pero, al cabo de algunos segundos, se declara un auténtico ataque histero-epiléptico, que detenemos mediante la compresión ovárica. Este experimento repetido varias veces al día siempre ha dado los mismos resultados. (...)

La alucinación puede actuar sobre la misma sustancia del sujeto en experimentación, que, según la voluntad del experimentador, se cree de vidrio, de cera, de goma, etc. Entonces podemos ver desarrollarse, como ocurre en ciertos alienados, un delirio sistematizado relacionado con la naturaleza de la sugestión. Si la enferma se cree de vidrio, la vemos revolverse guardando infinitas precauciones por miedo a quebrarse, etc.

Se puede igualmente transformar a la enferma en pájaro, en perro, etc., y se la ve entonces ejercitarse en reproducir las conductas de dichos animales. No obstante, habla y responde a las preguntas que se le hacen, sin que parezca darse cuenta de lo que hay de contradictorio en el hecho de un animal que se sirve del lenguaje humano. Y, sin embargo, la enferma afirma ver y sentir perfectamente su pico y sus plumas, o su hocico y su pelaje, etc. Experimentos todavía más interesantes, sobre todo desde el punto de vista psicológico, consisten en el cambio de personalidad. Un sujeto, bajo la influencia de una sugestión verbal, puede creerse el Sr. X o Y. Entonces pierde la noción de todo lo que concurre a formar su propia personalidad y crea, con la ayuda de sus recuerdos, la nueva personalidad que se le ha impuesto.

El señor Ch. Richet ha citado ejemplos muy curiosos que distingue bajo el nombre de objetivaciones de los tipos, porque el sujeto, en lugar de concebir un tipo como cualquiera puede hacerlo, lo lleva a cabo y lo objetiviza. Ya no es únicamente a manera del alucinado que asiste como espectador a imágenes que se despliegan ante él; es como un actor que, en un ataque de locura, se imaginaría que la obra que representa es una realidad, no una ficción, y que él ha sido transformado, en cuerpo y alma, en el personaje que está encargado de interpretar.

He aquí algunos ejemplos de esas objetivaciones.

Bajo la influencia de la sugestión verbal uno de los sujetos, la señora A..., sufre las siguientes metamorfosis:

Como campesina.—(Se frota los ojos, se estira.) "¿Qué hora es? ¡Las cuatro de la mañana!" (Camina como si arrastrase los zuecos.) "Veamos, ¡tengo que levantarme! Vayamos al establo. ¡Venga! ¡Canela! Vamos, date la vuelta..." (Hace como si estuviese ordeñando una vaca.) "Déjame tranquila, *Gros Jean*. Veamos, *Gros Jean,* ¡déjame tranquila, te digo! Cuando haya terminado mi labor. Sabes que no he terminado mi labor. ¡Ah!, ¡sí, sí!, más tarde..."

Como actriz.—Su figura toma un aspecto risueño, en lugar del aire duro y molesto que tenía hacía un momento. "Ven ustedes mi falda. ¡Pues bien!, es mi director quien ha hecho que la alarguen. Son unos pesados estos directores. Yo, creo que cuanto más corta es la falda mejor queda. Siempre hay demasiada. Una simple hoja de parra. Dios mío, es suficiente. Tú también crees, querido, que no hace falta más que una hoja de parra. Mira, pues, a esa gran espingarda de Lucie, ¡tiene buenas piernas, eh!

"¡Pero bueno, querido! (se echa a reír), eres muy tímido con las mujeres; haces mal. Ven a verme algún día. Sabes, todos los días a las tres estoy en casa. Ven a hacerme una pequeña visita y tráeme alguna cosita." (...)

Como religiosa.—(Se pone enseguida de rodillas y comienza a rezar sus oraciones persignándose, luego se levanta.) "Vayamos al hospital. Hay un herido en esa sala. ¡Pues bien!, amigo mío, ¿verdad que esta mañana está mejor? ¡Veamos! Déjeme deshacer su vendaje. (Hace el gesto de desenrollar un vendaje.) Iré con mucho cuidado; ¿verdad que esto le alivia? ¡Veamos! Mi pobre amigo, tenga tanto valor ante el dolor como ante el enemigo."

Este ejemplo basta para mostrar cómo se opera esa transformación absoluta de la personalidad en tal o cual tipo imaginario. No es un simple sueño. Es un sueño vivido, empleando la expresión del señor Ch. Richet.»

Richer, *Études cliniques sur la grande hystérie ou hystéro-épilepsie,* págs. 728-730.

APÉNDICE 21
Escritura sonambúlica

«La primera vez que hicimos esta prueba, comenzó a escribirnos una canción titulada "El vino de Marsala". Una vez lanzado a esta ocupación, está totalmente concentrado, en un grado tal que no pueden ustedes imaginarse. Se puede gritar a su lado, hablarle al oído, pasar los dedos alrededor de su cara y hasta en sus conjuntivas, acercándonos a él de lado. Si en ese momento la mano que se agita alrededor suyo llega a ese estrecho círculo en el que parece que está restringido su campo visual, por lo general no es una mano lo que ve, sino una cucaracha que intenta atrapar. Después, retoma la escritura. Entonces se puede interponer un cartón entre su mano y sus ojos, y continúa escribiendo sin dirección, sin tinta en la pluma, pero no se preocupa por el obstáculo dispuesto. Se diría que todo tiene lugar en su cerebro, que en realidad no dirige su mano con los ojos, sino que se trata de una simple imagen mental de lo que lleva a cabo. Se han colocado, supongo, ante él, varias hojas de papel superpuestas. Si entonces se le retira rápidamente la hoja sobre la que escribe, él termina, sin ocuparse de lo que ocurre, el trazo de la letra que estaba escribiendo sobre la siguiente hoja y sigue su tarea en esa página en la que la parte superior está medio en blanco. También se puede incluso quitarle todo el paquete de hojas que tiene ante él. Poco le importa, continúa escribiendo sobre la madera de la mesa o sobre la tela encerada que la cubre.

Más aún: una vez terminada la estrofa que escribía, se detiene y se dispone a leer todo lo que ha escrito. Se le vuelve entonces a colocar papel blanco ante sus ojos; se encuentra por tanto en presencia de una hoja completamente virgen de caracteres. Esto no es para detenerle: no es, ya lo hemos dicho, sobre el papel donde está su canción, es en su cerebro. Continúa, pues, viéndola sobre esa página totalmente blanca y vuelve a leer lo escrito, añadiendo puntos, comas, acentos, las barras de las t. Entonces no hay más que hacer coincidir exactamente las dos primeras hojas con la tercera y vemos que una barra atravesando, un acento agudo o grave, marca-

398 ☐ LA INVENCIÓN DE LA HISTERIA

dos sobre ésta, corresponden exactamente a una letra sin acentuar, a una t sin barra de una u otra de las dos primeras hojas. Esta prueba resulta de lo más característico que podamos imaginar.»

Charcot, *Clinique des maladies du système nerveux*,
págs. 126-127 (redactado por Guinon).

APÉNDICE 22
¿HASTA DÓNDE LLEGA LA SUMISIÓN HIPNÓTICA?

«Le digo a Wit... mientras duerme: "Cuando despierte se pondrá este sombrero en la cabeza y se paseará alrededor de la mesa." Le soplo en los ojos; se despierta; vean que cumple exactamente la acción que le he ordenado. Tengan en cuenta que podría haberle ordenado que no ejecutase dicho acto más que durante una hora, o mañana o dentro de ocho días, y las cosas se hubiesen producido exactamente en el momento indicado.

Son los hechos de esta segunda categoría los que sorprendieron especialmente a los observadores. Se dijeron: pero si se puede ordenar así a un hipnotizado que cometa un acto en una fecha precisa, no habría nada más fácil para un diestro criminal que dormir cuando y como él quisiese a una persona hipnotizable a su disposición, y hacerla cometer una falsificación, un robo, un asesinato en una fecha más o menos lejana.

He aquí la hipótesis, plausible en apariencia, tanto más plausible cuando de hecho las sugestiones experimentales no se limitaron a actos insignificantes semejantes a los que vengo de hacer ejecutar a Wit..., sino que se han podido llevar a cabo varios tipos de crímenes en laboratorio.

¿Es posible hacer ejecutar un crimen mediante sugestión?

A primera vista, los experimentos llevan a responder afirmativamente a esta pregunta. Es indiscutible que en el laboratorio se puede hacer cometer a los histéricos hipnotizados simulacros de robos o de asesinatos. Los experimentos de esta naturaleza son tan impresionantes que incluso resulta difícil resistirse a la tendencia de suponer que en la vida práctica las cosas ocurrirían igual que en el hospital. Esta tendencia se encuentra en la comunicación que ofrecía en 1883 en la Sociedad médico-psicológica el señor Charles Féré, hoy médico de Bicêtre.

Los hipnotizados aparecen en efecto como auténticos autómatas. Y nos damos muy bien cuenta de que, influido por las apariencias, el hipnotizado pertenece al hipnotizador "como el báculo pertenece al viajero". O incluso, tomando la expresión del señor Liébault, de que los hipnotizados "caminan hacia su destino como la piedra que cae".

No obstante, analizando los hechos de cerca nos damos fácilmente cuenta de que no es totalmente de esta manera.

Voy a mostrarles que la sugestionada no es, como se ha querido decir, un autómata totalmente pasivo.

La joven que les presento es, como pueden ustedes juzgar, muy fácil de hipnotizar. La hago salir. Volverá luego para ejecutar las sugestiones que voy a darle. Pero, mientras no está, quiero decirles lo que tengo la intención de demostrarles con ella. Ustedes van a ver que esta joven ejecuta sin la menor dificultad las sugestiones indiferentes, pero, cuando voy a ordenarle *actos* que por diversas razones le resulten repulsivos, los llevará a cabo con tanta más resistencia cuanto más le repugnen.

La hago entrar y la duermo de nuevo.

1.er experimento: le ordeno que se rasque la nariz al despertar; la despierto, pueden ustedes constatar que cumple al momento el acto ordenado.

2.º experimento: le pido que haga burla con la mano al auditorio. Observen que esta segunda sugestión se lleva a cabo con ciertas dudas. En un principio, no se trata de un acto de gravedad sino simplemente de una falta de respeto a las personas presentes.

3.er experimento: ésta no la reproduzco ante ustedes por razones que van a comprender. Pero la he llevado a cabo varias veces en el relativo aislamiento de mi despacho. He ordenado a la paciente (puesto que, ténganlo en cuenta, se trata de una enferma) que dé un beso a una de las personas presentes. Al despertar, los instintos de pudor se han rebelado en esta joven honesta y casta; terminó por obedecerme (a medias, puesto que detengo el acto en vías de ejecución), pero tras haber opuesto una gran resistencia a la tentación sugerida.

4.º experimento: le enseño este vaso y le digo: "Contiene arsénico. Cuando despierte le ofrecerá el vaso al Sr. X., que es muy malo y habla mal de usted." Le soplo en los ojos. Ya está despierta. Toma el vaso, pero con dificultad. Observen que el experimento no llega a su fin. Puede que lo haga en media hora, un cuarto de hora. No estoy seguro, pero admito que pueda ocurrir.

Lo que deseo retener de estos cuatro experimentos es que esta joven no obedece a una sugestión de forma pasiva. Se resiste a algunas y con mayor energía cuanto más contrario es el acto sugerido a sus instintos y a sus tendencias. La obediencia no es por tanto tan constante y tan absoluta como se dice. El automatismo es positivo, pero es relativo. Este hecho les permite entrever que nos veremos expuestos a encontrar al menos algunas dificultades si pretendemos servirnos de una persona honesta para hacerla llevar a cabo un acto criminal mediante sugestión.»

Ballet, «La suggestion hypnotique au point de vue médico-légal», *Gazette hebdomadaire de médecine et de chirurgie,* octubre de 1891, págs. 6, 11-13.

Bibliografía

PRINCIPALES PUBLICACIONES COLECTIVAS
CITADAS EN EL TEXTO

DESM: Dictionnaire encyclopédique des sciences médicales, 106 vols.
en 5 series, París, Masson/Hasselin/Houzeau/Labé, 1864-1889.
IPS, 1875, *Iconographie photographique de la Salpêtrière,* compendio sin
distribución, Salpêtrière, Bibliothèque Charcot.
IPS, I, *Iconographie photographique de la Salpêtrière,* por Bourneville
y Régnard, París, Aux Bureaux du Progrès médical/Delahaye
& Lecrosnier, 1876-1877, 167 páginas y 40 láminas.
IPS, II, *Iconographie photographique de la Salpêtrière,* por Bourneville
y Régnard, París, Aux Bureaux du Progrès médical/Delahaye
& Lecrosnier, 1878, 232 páginas y 39 láminas.
IPS, III, *Iconographie photographique de la Salpêtrière,* por Bourneville
y Régnard, París, Aux Bureaux du Progrès médical/Delahaye
& Lecrosnier, 1879-1880, 261 páginas y 40 láminas.
NIS: Nouvelle Iconographie de la Salpêtrière, 1888-1918. Citado por
artículos.

BIBLIOGRAFÍA GENERAL

ADHÉMAR, J. (1961), «Un dessinateur passionné pour le visage
humain: Georges-François-Marie Gabriel (1775-v. 1836)», *Omagiu
lui George Oprescu...,* Bucarest.
ARAGON, L. y BRETON, A. (1928), «Le cinquantenaire de l'hystérie»,
La Révolution surréaliste, núm. 11, págs. 20-22.
ARTAUD, A. (1970-1981), *Œuvres complètes (OC),* París, Gallimard,
16 vols.

ARTHUIS, A. (1880), *Traitement des maladies nerveuses, affections rhumatismales, maladies chroniques, par l'électricité statique*, París, Delahaye (3.ª ed.).

— (1887), *Électricité statique. Manuel pratique de ses applications médicales*, París, Doin.

ATHANASSIO, A. (1890), *Les troubles trophiques dans l'hystérie*, prefacio de Charcot, París, Progrès médical/Lecrosnier & Babé.

AZAM (1887), *Hypnotisme, double conscience et altérations de la personnalité*, prefacio de Charcot, París, Baillière.

— (1893), *Hypnotisme et double conscience*, prefacio de P. Bert, Charcot y Ribot, París, Alcan.

BABINSKI, J. (1934), *Œuvre scientifique*, compendio de sus principales trabajos, París, Masson.

BAILLARGER, J. (1890), *Recherches sur les maladies mentales*, París, Masson, 2 vols.

BALLET, G. (octubre de, 1891), «La suggestion hypnotique au point de vue médico-légal», *Gazette hebdomadaire de Médecine et de Chirurgie*.

BARADUC, H. (1882), *Double prolapsus ovarien chez une hystérique. Compression ovarienne intravaginale produisant le transfert*, París, Parent-Davy.

— (1893), *La force vitale. Notre corps vital fluidique, sa formule biométrique*, París, Carré.

— (1896), *L'âme humaine, ses mouvements, ses lumières et l'iconographie de l'invisible fluidique*, París, Carré.

— (1897), *Méthode de radiographie humaine. La force courbe cosmique. Photographie des vibrations de l'éther. Loi des Auras*, París, Ollendorff.

BARTHES, R. (1962), «Le message photographique», *Communications*, núm. 1, págs. 127-138.

— (1970), «Le troisième sens», *Cahiers du Cinéma*, núm. 222, páginas 12-19.

— (1975), *Barthes par lui-même*, París, Seuil.

— (1997), *Fragments d'un discours amoureux*, París, Seuil (trad. esp.: *Fragmentos de un discurso amoroso*, Barcelona, Círculo de Lectores, 1997).

— (1980), *La chambre claire. Note sur la photographie*, París, Cahiers du Cinéma/Gallimard (trad. esp.: *La cámara lúcida: nota sobre la fotografía*, Barcelona, Paidós Ibérica, 1997 [1983]).

BATAILLE, G. (1970-1979), *Œuvres complètes (OC)*, París, Gallimard, 9 vols.

BAUDELAIRE, C. (1975-1976), *Œuvres complètes (OC)*, París, Gallimard, 2 vols. (trad. esp.: *Obras*, Madrid, Aguilar, 1963).

BAUMGAERTNER (1842), *Kranken-physionomik*, Stuttgart, Rieger.

BENJAMIN, W. (1931), «Petite histoire de la Photographie» (trad. de M. de Gandillac, en *L'homme, le langage, la culture*, París,

Denoël, 1971; ed. 1974, págs. 57-79 (trad. esp: «Breve historia de la fotografía», en *Discursos interrumpidos*, vol. I, Madrid, Taurus, 1990).

— (1935), «L'œuvre d'art à l'ère de sa réproductibilité technique», *ídem*, págs. 137-181 (trad. esp.: «La obra de arte en la época de su reproductibilidad técnica», en *Discursos interrumpidos*, vol. I, Madrid, Taurus, 1990).

BENVENISTE (1966-1974), E., *Problèmes de linguistique générale*, París, Gallimard, 2 vols.

BERCHERIE, P. (1980), *Les fondements de la clinique. Histoire et structure du savoir psychiatrique*, prefacio de Lantéri-Laura, París, Lyse-Ornicar?

BERGSON, H. (1886), «Simulation inconsciente dans l'état d'hypnotisme», *Revue philosophique*, XXII, págs. 525-531.

— (1959), *Œuvres (OC)*, París, PUF (trad. esp.: *Obras escogidas*, Madrid, Aguilar, 1963).

BERNARD, C. (1858), *Leçons sur la physiologie et la pathologie du système nerveux*, París, Baillière, 2 vols.

— (1865), *Introduction à l'étude de la médecine expérimentale*, París, Baillière (trad. esp.: *Introducción al estudio de la medicina experimental*, Barcelona, Crítica, 2005).

BERTILLON, A. (1890), *La photographie judiciaire*, París, Gauthier-Villars.

— (1890-1893), *Identification anthropométrique. Instructions signalétiques*, París, Gauthier-Villars (nueva edición refundida).

BINET, A. y FÉRÉ, C. (1887a), *Recherches expérimentales sur la physiologie des mouvements chez les hystériques*, París, Masson.

— (1887b), *Le magnétisme animal*, París, Alcan.

BLANCHOT, M. (1955), *L'espace littéraire*, París, Gallimard (trad. esp.: *El espacio literario*, Barcelona, Paidós Ibérica, 1992).

BOURNEVILLE, D.-M. (1962 y 1863), «Mémoire sur la condition de la bouche chez les idiots, suivi d'une étude sur la médecine légale des aliénés, à propos du Traité de Médecine légale de M. Casper», *Journal des connaissances médicales et pharmaceutiques*, núms. 13, 15, 22, 26, y 3, 19, 20, 22.

— (1871), «Notes et observations sur quelques maladies puerpérales. V. Deux cas de déchirure du périnée», *Revue photographique des Hôpitaux de Paris*, págs. 135-140.

— (1872-1873), *Études cliniques et thermométriques sur les maladies du système nerveux*, París, Delahaye.

— (1876), *Recherches cliniques et thérapeutiques sur l'épilepsie et l'hystérie*, compendio de las observaciones recogidas en la Salpêtrière e 1872 a 1875, París, Progrès médical/Delahaye.

— (1878), *Manuel des infirmières*, París, Progrès médical, 3 vols.

— (1880-1906), *Recherches cliniques et thérapeutiques sur l'épilepsie, l'hystérie et l'idiotie*, compendios del servicio de epilépticos y de niños retrasados de Bicêtre, 27 vols.

— (s.f.), Album de photographie d'idiots de Bicêtre, París, Bibliothèque Charcot.

BOURNEVILLE, D.-M. y VOULET (1872), *De la contracture hystérique permanente*, París, Delahaye.

BREUER, J. y FREUD, S. (1893-1895), *Études sur l'hystérie*, trad. de Berman, París, PUF, 1956 (ed. rev., 1973).

BRIQUET, P. (1859), *Traité clinique et thérapeutique de l'hystérie*, París, Baillière.

BROUARDEL, P. (1887), *Le secret médical*, París, Baillière.

BROUARDEL, P., LEYGUES, M. y RAYMOND, F. (1898), «Inauguration du monument élevé à la mémoire du Professeur Charcot», *La médecine moderne*, IX, núm. 86, págs. 681-683.

BROUSSAIS, F. J. V. (1828), *De l'irritation et de la folie, ouvrage dans lequel les rapports du physique et du moral sont établis sur les bases de la médecine physiologique*, París, Baillière, 2 vols.

BURKE, E. (1757), *Recherche philosophique sur l'origine de nos idées du sublime et du beau*, trad. de Lagentie de Lavaïsse, París, Pichon & Depierreux, 1803; reed. París, Vrin, 1973 (trad. esp.: *Indagación filosófica sobre el origen de nuestras ideas acerca de lo bello y lo sublime*, Madrid, Alianza, 2005).

CAGNETTA, F. y SONOLET, J. (1981), *Nascita della fotografia psichiatrica*, Exposición, Venecia, Ca' Corner della Regina.

CANGUILHEM, G. (1958), «Qu'est-ce que la psychologie?», en *Études d'histoire et de philosophie des sciences*, París, Vrin, 1968, págs. 365-381.

— (1966), *Le normal et le pathologique*, París, PUF.

CARRÉ DE MONTGERON (1737), *La vérité des miracles opérés à l'intercession de M. de Paris et autres appelans, démontrée contre M. l'Archevêque de Sens*, s.e., 3 vols.

CARROY-THIRARD, J. (1979), «Figures de femmes hystériques dans la psychiatrie française du XIXe siècle», *Psychanalyse à l'université*, IV, núm. 14, págs. 313-324.

— (1980), «Possession, extase, hystérie au XIXe siècle», *Psychanalyse à l'université*, V, núm. 19, págs. 499-515.

— (1981), «Hypnose et expérimentation», *Bulletin de psychologie*, XXXIV, núm. 348, págs. 41-50.

CESBRON, H. (1909), *Histoire critique de l'hystérie*, París, Asselin & Houzeau.

CHARCOT, J.-M. (1886-1893), *Œuvres complètes (OC)*, Lecciones reunidas y publicadas por Bourneville, Babinski, Bernard, Féré, Guinon, Marie, Gilles de la Tourette, Brissaud y Sevestre, París, Progrès médical/Lecrosnier & Babé, 9 vols.

— (1857), *De l'expectation en médecine,* Tesis de presentación a la cátedra, París, Baillière.

— (1867), *La médecine empirique et la médecine scientifique,* París, Delahaye.

— (1887-1888), *Leçons du mardi à la Salpêtrière. Policlinique 1887-1888,* Notas sobre el curso de los Sres. Blin, Charcot y Colin, París, Progrès médical/Delahaye & Lecrosnier.

— (1888-1889), *Leçons du mardi à la Salpêtrière. Policlinique 1888-1889,* Notas sobre el curso de los Srs. Blin, Charcot, Colin, París, Progrès médical/Lecrosnier & Babé (trad. esp.: *Histeria: lecciones del martes,* Jaén, Ediciones del Lunar, 2003).

— (1892), *La foi qui guérit,* París, Progrès médical/Alcan, 1897.

— (1892-1893), *Clinique des maladies du système nerveux,* publicado bajo dirección de G. Guinon, París, Progrès médical/Babé, 2 vols.

CHARCOT, J.-M. y PITRES, A. (1895), *Les centres moteurs corticaux chez l'homme,* París, Rueff.

CHARCOT, J.-M. y RICHER, P. (1887), *Les démoniaques dans l'art,* París, Delahaye & Lecrosnier (trad. esp.: *Los endemoniados en el arte,* Jaén, Ediciones del Lunar, 2000).

CHERTOK, L. y SAUSSURE, R. (1973), *Naissance du psychanalyste. De Mesmer à Freud,* París, Payot (trad. esp.: *Nacimiento del psicoanalista,* Barcelona, Gedisa, 1980).

Cires anatomiques du XIXᵉ siècle. Collection du Docteur Spitzner (1980), Exposición, París, Centre Culturel de la Communauté française de Belgique.

CLARÉTIE, J. (1903), «Charcot le consolateur», *Les annales politiques et littéraires,* XXI, núm. 1.056, págs. 79-80.

CLAVREUL, J. (1967), «Le couple pervers», en *Le désir et la perversion,* París, Seuil, págs. 91-117.

— (1974), «Sémiologie clinique et sémiotique», *Psychanalyse et sémiotique* (coloquio de Milán), París, UGE, 1975, págs. 231-245.

— (1978), *L'ordre médical,* París, Seuil (trad. esp.: *El orden médico,* Barcelona, Argot, 1983).

COMTE, A. (1837), «Considérations générales sur l'étude positive des fonctions intellectuelles et morales, ou cérébrales (45ᵉ leçon du Cours de Philosophie positive)», en *Philosophie première,* París, Hermann, 1975, págs. 842-882.

CONTA, O. (1897), *Contribution à l'étude du sommeil hystérique,* París, Ollier-Henry.

DAGONET, H. (1876), *Nouveau traité élémentaire et pratique des maladies mentales,* París, Baillière.

DAMISCH, H. (1980), «L'alphabet des masques», *Nouvelle Revue de Psychanalyse,* núm. 21, págs. 123-131.

— (1981), «Agiphot. Pour le cinquantenaire de la "Petite histoire de la Photographie" de Walter Benjamin», *Les cahiers de la photographie,* núm. 3, págs. 24-26.

DANTE (1965), *Œuvres complètes (OC),* trad. de Pézard, París, Gallimard (trad. esp.: *Obras completas,* Madrid, Biblioteca de Autores Cristianos, D.L. 1994).

DARWIN, C. (1871), *L'expression des émotions chez l'homme et chez les animaux,* trad. de Pozzi y Benoit, París, Reinwald, 1877 (2.ª ed. rev.) (trad. esp.: *La expresión de las emociones en los animales y en el hombre,* Madrid, Alianza, 1998).

DAUDET (1894), L., *Les morticoles,* París, Charpentier & Fasquelle.

— (1922), *Les œuvres dans les hommes,* París, Nouvelle Librairie Nationale.

DAVID-MÉNARD, M. (1978), *Pour une épistémologie de la métaphore biologique en psychanalyse: la conversion hystérique,* Tesis, Université de Paris VIII.

DEBOVE, M. (1900), «Éloge de J.-M. Charcot», *Bulletin médical,* núm. 103, págs. 1389-1394.

DELBOEUF, J. (1886), «De l'influence de l'imitation et de l'éducation dans le somnambulisme provoqué», *Revue philosophique,* XXII, págs. 146-171.

DELEUZE, G. (1968), *Différence et répétition,* París, PUF (trad. esp.: *Repetición y diferencia).*

DERRIDA, J. (1973), *L'archéologie du frivole,* París, Galilée.

DESCARTES, R. (1953), *Œuvres et lettres (OC),* París, Gallimard (trad. esp.: *Obras completas,* Barcelona, Altaya, 1993).

DIAMOND, H. W. (1856), «On the application of photography to the physiognomic and mental phenomena of insanity», en *The face of Madness. H. W. Diamond,* Nueva York, Brunnel/Mazel, 1976, págs. 19-24.

DIDEROT, D. (1772), *Sur les femmes, OC,* París, Gallimard, 1951, págs. 949-958.

— (1773), *Paradoxe sur le comédien, ídem,* págs. 1003-1058 (trad. esp.: *Paradoja acerca del comediante,* Madrid, Aguilar, 1964).

DOSTOIEVSKI, F. (1873), *Les démons,* trad. de B. de Schloezer, París, Gallimard, 1955 (trad. esp.: *Los demonios,* Madrid, Alianza, 2000).

DUBOIS, F. (1837), *Histoire philosophique de l'hypocondrie et de l'hystérie,* París, Baillière.

DUCHENNE DE BOULOGNE, G. B. (1862a), *Mécanisme de la physionomie humaine ou analyse électrophysiologique de l'expression des passions,* París, Renouard.

— (1862b), *De l'électrisation localisée et de son application à la pathologie et à la thérapeutique,* París, Baillière, 3.ª ed., 1872.

ELLENBERGER, H. F. (1970), *À la découverte de l'inconscient,* trad. de Feisthauer, Villeurbanne, SIMEP, 1974.

ÉLOIRE, M. (1874), «Vomissements chez une hystérique. Traitement par la fumée de tabac», *Revue médico-photographique des Hôpitaux de Paris,* págs. 102-105.

ESQUIROL, J. (1838), *Les maladies mentales considérées sous les rapports médical, hygiénique et médico-légal,* París, Baillière, 2 vols.

FÉDIDA, P. (1977), *Le concept et la violence,* París, UGE.

FÉRÉ, C. (1886), *De l'asymétrie chromatique de l'iris considérée comme stigmate névropathique (stigmate iridien),* París, Delahaye y Lecrosnier.

— (1892), *La pathologie des émotions. Études physiologiques et cliniques,* París, Alcan.

FLIESS, W. (1897), *Les relations entre le nez et les organes génitaux féminins, présentés selon leurs significations biologiques,* trad. de Ach y Guir, París, Seuil, 1977.

FOUCAULT, M. (1961), *Histoire de la folie à l'âge classique,* París, Plon; reed., París, Gallimard, 1972 (trad. esp.: *Historia de la locura en la época clásica,* Madrid, FCE de España, 1979).

— (1963), *Naissance de la clinique. Une archéologie du regard médical,* París, PUF; 2.ª ed. rev., 1972 (trad. esp.: *El nacimiento de la clínica: una arqueología de la mirada médica,* Madrid, Siglo XXI de España, 1999).

— (1966), *Les mots et les choses. Une archéologie des sciences humaines,* París, Gallimard (trad. esp.: *Las palabras y las cosas: una arqueología de las ciencias humanas,* Madrid, Siglo XXI de España, 1997).

— (1969), *L'archéologie du savoir,* París, Gallimard.

— (1976), *Histoire de la sexualité. 1. La volonté de savoir,* París, Gallimard (trad. esp.: *Historia de la sexualidad,* Madrid, Siglo XXI de España, 1979).

FOVEAU DE COURMELLES (1890), *L'hypnotisme,* París, Hachette.

FREUD, S. (1873-1939), *Correspondance,* trad. de Berman y Grossein, París, Gallimard, 1966 (trad. esp.: *Correspondencia de Freud,* Madrid, Biblioteca Nueva, 6 vols.).

— (1886a), «Bericht über meine mit Universitäts-Jubiläums Reisestipendium unternommene Sutdienreise nach Paris und Berlin», *SE,* I, págs. 3-15.

— (1886b), Prefacio a *Neue Vorlesungen über die Krankheiten des Nervensystems insbesondere über Hysterie,* trad. de Charcot, *SE,* I, págs. 19-22.

— (1888), «Hystérie», *SE,* I, págs. 39-59.

— (1888-1893), «Quelques considérations pour une étude comparative des paralysies motrices organiques et hystériques», *GW,* I, págs. 39-55 («Estudio comparativo de las parálisis motrices orgánicas e histéricas», en *OC,* vol. 1, Madrid, Biblioteca Nueva, 1996, págs. 13-21).

— (1892), «Esquisses pour la "Communication préliminaire" de 1893», *GW,* XVII págs. 9-13.

— (1892-1894), «Préface et notes à la traduction de Charcot: *Leçons du mardi, 1887-1888*», *SE*, I, págs. 131-143.
— (1893), «Charcot», *GW*, I, págs. 21-35 («Charcot», en *OC*, vol. 1, Madrid, Biblioteca Nueva, 1996, págs. 30-38).
— (1894), «Les psychonévroses de défense. Essai d'une théorie psychologique de l'hystérie acquise, de nombreuses phobies et obsessions et de certaines psychoses hallucinatoires», trad. de Laplanche, en *Névrose, psychose et perversion*, París, PUF, 1973 (3.ª ed., 1978), págs. 1-14 («La neuropsicosis de defensa», en *OC*, vol. 1, Madrid, Biblioteca Nueva, 1996, págs. 169-177).
— (1895), «Esquisse d'une psychologie scientifique», trad. de Berman, en *La naissance de la psychanalyse*, París, PUF, 1956 (3.ª ed., 1973), págs. 307-396 («Proyecto de una psicología para neurólogos», en *OC*, vol. 1, Madrid, Biblioteca Nueva, 1996, págs. 209-256).
— (1896a), «L'hérédité et l'étiologie des névroses», en *Névrose, psychose et perversion...*, págs. 47-59 («La herencia y la etiología de las neurosis», en *OC*, vol. 1, Madrid, Biblioteca Nueva, 1996, págs. 276-285).
— (1896b), «Nouvelles remarques sur les psychonévroses de défense», trad. de Laplanche, *ídem*, págs. 61-81 («Nuevas observaciones sobre la neuropsicosis de defensa», en *OC*, vol. 1, Madrid, Biblioteca Nueva, 1996, págs. 286-298).
— (1896c), «L'étiologie de l'hystérie», trad. de Bissery y Laplanche, *ídem*, págs. 83-112 («La etiología de la histeria», en *OC*, vol. 1, Madrid, Biblioteca Nueva, 1996, págs. 299-316).
— (1899), «Sur les souvenirs-écrans», trad. de Berger, Bruno, Guérineau y Oppenot, *ídem*, págs. 113-132 («Los recuerdos encubridores», en *OC*, vol. 1, Madrid, Biblioteca Nueva, 1996, págs. 330-342).
— (1900), *L'interprétation des rêves,* trad. de Meyerson, revisada por Berger, París, PUF, 1926 (ed. 1967) («La interpretación de los sueños», en *OC*, vol. 1, Madrid, Biblioteca Nueva, 1996, páginas 343-720).
— (1901), *Psychopathologie de la vie quotidienne,* trad. de Jankélévitch, París, Payot, 1948 (ed. 1979) («Psicopatología de la vida cotidiana», en *OC*, vol. 1, Madrid, Biblioteca Nueva, 1996, páginas 755-906).
— (1901-1905), «Fragments d'une analyse d'hystérie», trad. de Bonaparte y Loewenstein, revisada por Berman, en *Cinq psychanalyses,* París, PUF, 1954 (ed. 1979), págs. 1-91 («Análisis fragmentario de una histeria», en *OC*, vol. 1, Madrid, Biblioteca Nueva, 1996, págs. 933-966).
— (1905a), *Trois essais sur la théorie de la sexualité,* trad. de Reverchon-Jouve, París, Gallimard, 1962 («Tres ensayos para una teoría sexual», en *OC*, vol. 2, Madrid, Biblioteca Nueva, 1996, págs. 1169-1230).

— (1905b), «De la psychothérapie», trad. de Berman, en *La tech-nique psychanalytique,* París, PUF, 1953 (ed. 1977), págs. 9-22 («Sobre psicoterapia», en *OC,* vol. 1, Madrid, Biblioteca Nueva, 1996, págs. 1007-1013).

— (1908), «Les fantasmes hystériques et leur relation à la bisexualité», trad. de Laplanche y Pontalis, en *Névrose, psychose et perversion...,* páginas 149-155 («Fantasías histéricas y su relación con la bisexualidad», en *OC,* vol. 2, Madrid, Biblioteca Nueva, 1996, págs. 1349-1353).

— (1909), «Considérations générales sur l'attaque hystérique», trad. de Guérineau, *ídem,* págs. 161-165 («Generalidades sobre el ataque histérico», en *OC,* vol. 2, Madrid, Biblioteca Nueva, 1996, págs. 1358-1360).

— (1909-1910), *Cinq leçons sur la psychanalyse,* trad. de Lelay, París, Payot, 1950 (ed. 1968) («Psicoanálisis: cinco conferencias pronunciadas en la Clark University, Estados Unidos», en *OC,* vol. 2, Madrid, Biblioteca Nueva, 1996, págs. 1533-1563).

— (1910), «Le trouble psychogène de la vision dans la conception psychanalytique», trad. de Guérineau, en *Névrose, psychose et perversion...,* págs. 167-173 («Concepto psicoanalítico de las perturbaciones psicógenas de la visión», en *OC,* Madrid, Biblioteca Nueva, 1996, págs. 1631-1635).

— (1912), «Note sur l'inconscient en psychanalyse», trad. de Laplanche y Pontalis, en *Métapsychologie,* París, Gallimard, 1968, págs. 175-187 («Algunas observaciones sobre el concepto de lo inconsciente en el psicoanálisis», en *OC,* vol. 2, Madrid, Biblioteca Nueva, 1996, págs. 1697-1701).

— (1914a), «Contribution à l'histoire du mouvement psychanalytique», trad. de Jankélévitch, en *Cinq leçons sur la psychanalyse,* París, Payot, 1936 (ed. 1968), págs. 67-155 («Historia del movimiento psicoanalítico», en *OC,* vol. 2, págs. 1895-1940).

— (1914b), «Remémoration, répétition et perlaboration», trad. de Berman, en *La technique psychanalytique...,* págs. 105-115 («Recuerdo, repetición y elaboración», en *OC,* vol. 2, Madrid, Biblioteca Nueva, 1996, págs. 1683-1688).

— (1914c), «Pour introduire le narcissisme», trad. de Berger y Laplanche, en *La vie sexuelle,* París, PUF, 1969 (ed. 1977), págs. 81-105 («Introducción al narcisismo», en *OC,* vol. 2, Madrid, Biblioteca Nueva, 1996, págs. 2017-2033).

— (1915a), «Observations sur l'amour de transfert», trad. de Berman, en *La technique psychanalytique...,* págs. 116-130 («Observaciones sobre el amor de transferencia», en *OC,* vol. 2, Madrid, Biblioteca Nueva, 1996, págs. 1689-1696).

— (1915b), «Considérations actuelles sur la guerre et la mort», trad. de Jankélévitch, revisada por Hesnard, en *Essais de psychanalyse,*

París, Payot, 1951 (ed. 1968), págs. 235-267 («Consideraciones de actualidad sobre la guerra y la muerte», en *OC,* vol. 2, Madrid, Biblioteca Nueva, 1996, págs. 2101-2117).

— (1915c), «Le refoulement», trad. de Laplanche y Pontalis, en *Métapsychologie*, págs. 45-63 («La represión», en *OC,* vol. 2, Madrid, Biblioteca Nueva, 1996, págs. 2053-2060).

— (1915d), «L'inconscient», trad. de Laplanche & Pontalis, *ídem,* págs. 65-123 («El inconsciente», en *OC,* Madrid, Biblioteca Nueva, 1996, págs. 2061-2082).

— (1921), «Psychologie collective et analyse du Moi», trad. de Jankélévitch, revisada por Hesnard, en *Essais de psychanalyse...,* págs. 83-175 («Psicología de las masas y análisis del yo», en *OC,* vol. 3, Madrid, Biblioteca Nueva, 1996, págs. 2563-2660).

— (1925), *Ma vie et la psychanalyse,* trad. de Bonaparte, París, Gallimard, 1950 (ed. 1968) («Autobiografía», en *OC,* vol. 3, Madrid, Biblioteca Nueva, 1996, págs. 2761-2800).

— (1926), *Inhibition, symptôme et angoisse,* trad. de Tort, París, PUF, 1951 (ed. 1978) («Inhibición, síntoma y angustia», en *OC,* vol. 3, Madrid, Biblioteca Nueva, 1996, págs. 2833-2883).

— (1933), *Nouvelles conférences sur la psychanalyse,* trad. de Berman, París, Gallimard, 1936 (ed. 1971) («Nuevas lecciones introductorias al psicoanálisis», en *OC,* vol. 3, Madrid, Biblioteca Nueva, 1996, págs. 3101-3206).

— Véase *Obras completas,* 3 vols., Madrid, Biblioteca Nueva, 1996.

FREUD, S. y BREUER J., cfr. BREUER y FREUD.

GALTON, F. (1883), *Inquiries into human faculty and its development,* Londres, Macmillan.

GAUCHET, M. y SWAIN, G. (1980), *La pratique de l'esprit humain. L'institution asilaire et la révolution démocratique,* París, Gallimard.

GILARDI, A. (1976), *Storia sociale della fotografia,* Milán, Feltrinelli.

GILLES DE LA TOURETTE, G. (1887), *L'hypnotisme et les états analogues au point de vue médico-légal,* prefacio de Brouardel, París, Plon-Nourrit.

— (1888), «L'attitude et la marche dans l'hémiplégie hystérique», *NIS,* págs. 1-12.

— (1889), «De la superposition des troubles de la sensibilité et des spasmes de la face et du cou chez les hystériques», *NIS,* páginas 107-129 y 170-187.

— (1891-1895), *Traité clinique et thérapeutique de l'hystérie, d'après l'enseignement de la Salpêtrière,* prefacio de Charcot, 3 vols.

— (1893), «Jean-Martin de Charcot», *NIS,* págs. 241-250.

— (1898), *Leçons de clinique thérapeutique sur les maladies du système nerveux,* París, Plon-Nourrit.

GILLES DE LA TOURETTE, G., GUINON, G. y HUET, E. (1890), «Contribution à l'étude des baillements hystériques», *NIS,* págs. 97-119.

GRASSET, J. (1886), *Traité pratique des maladies du système nerveux*, París, Coulet, Montpellier & Delahaye & Lecrosnier (3.ª ed.).

GUÉBHARD, A. (1890), «L'auréole photographique», *Moniteur de la Photographie*, núm. 29, págs. 115-119.

— (1897), «Sur les prétendus enregistrements photographiques de fluide vital», *La vie scientifique*, núms. 106, 108 y 110.

— (1897-1898), «Petit manuel de photographie spirite sans "fluide"», *La photographie pour tous*.

— (1898), «Pourquoi les lointains viennent trop en photographie», *Photo-midi*, núm. 1, págs. 3-7.

GUILLAIN, G. (1955), *J.-M. Charcot (1825-1893). Sa vie. Son œuvre*, París, Masson.

GUILLAIN, G. y MATHIEU, P. (1925), *La Salpêtrière*, París, Masson.

GUINON, G. (1889), *Les agents provocateurs de l'hystérie*, París, Progrès médical/Delahaye & Lecrosnier.

— (1891-1892), «Documents pour servir à l'histoire des somnambulismes», *Progrès médical*, reed. en Charcot, 1892-1893, II, páginas 70-167 y 177-265.

GUINON, G. y WOLTKE, S. (1891a), «De l'influence des excitations sensitives et sensorielles dans les phases cataleptique et somnambulique du grand hypnotisme», *NIS*, págs. 77-88.

— (1891b), «De l'influence des excitations des organes des sens sur les hallucinations de la phase passionnelle de l'attaque hystérique», *Archives de Neurologie*, núm. 63; reed. en Charcot, 1892-1893, II, págs. 36-55.

GUIRAUD, P. (1978), *Dictionnaire historique, stylistique, rhétorique, étymologique de la littérature érotique*, París, Payot.

HABERBERG, G. (1979), *De Charcot à Babinski. Étude du rôle de l'hystérie dans la naissance de la neurologie moderne*, Tesis de Medicina, Faculté de Créteil.

HAHN, G. (1894), «Charcot et son influence sur l'opinion publique», *Revue des questions scientifiques*, 2ème série, VI, págs. 230-261 y 353-379.

HARDY, A. y MONTMÉJA, A. (1868), *Clinique photographique de l'Hôpital Saint-Louis*, París, Chamerot & Lauwereyns.

HEGEL, G. W. F. (1807), *La phénoménologie de l'esprit*, trad. de Hyppolite, París, Aubier-Montaigne, 1947, 2 vols. (trad. esp.: *Fenomenología del espíritu*, Madrid, FCE de España, 1981).

— (1817-1830), *Encyclopédie des sciences philosophiques en abrégé*, trad. de Gandillac, París, Gallimard, 1970 (trad. esp.: *Enciclopedia de las ciencias filosóficas*, Madrid, Alianza, 1997).

HEIDEGGER, M. (1927), *L'Être et le Temps*, trad. de Boehm y Waelhens, París, Gallimard, 1964 (trad. esp.: *El ser y el tiempo*, Madrid, FCE de España, 2000).

— (1935-1952), *Introduction à la métaphysique*, trad. de Kahn, París, Gallimard, 1967 (trad. esp.: *Introducción a la metafísica*, Barcelona, Gedisa, 1992).

— (1949), *Chemins qui ne mènent nulle part*, trad. de Brokmeier, París, Gallimard, 1962 (ed. 1980) (trad. esp.: *Caminos del bosque*, Madrid, Alianza, 1997).

HÉNOCQUE, A. (1887), «Photographie. Applications aux sciences médicales», *DESM*, 2ème serie, vol. 24, págs. 414-418.

HERVEY DE SAINT-DENYS (1867), *Les rêves et les moyens de les diriger. Observations pratiques*, París, Amyot.

HIRT, L. (1883), *Das Hospiz «La Salpêtrière» in Paris und die Charcot'sche Klinik für Nervenkrankheiten*, Breslau, Grass-Barth.

HUSSON, A. (1862), *Étude sur les hôpitaux considérés sous le rapport de leur construction, de la distribution de leurs bâtiments, de l'ameublement, de l'hygiène et du Service des salles de malades*, París, Dupont.

— (1863), *Rapport sur le service des aliénés du département de la Seine pour l'année 1862*, París, Dupont.

JANET, P. (1889), *L'automatisme psychologique. Essai de psychologie expérimentale sur les formes inférieures de l'activité humaine*, París, Alcan.

— (1893), *État mental des hystériques. Les stigmates mentaux*, París, Rueff.

— (junio de 1895), «J.-M. Charcot. Son œuvre psychologique», *Revue philosophique*, págs. 569-604.

JANOUCH, G. (1968), *Conversations avec Kafka*, trad. de Lortholary, París, Les Lettres nouvelles, 1978 (trad. esp.: *Conversaciones con Kafka*, Barcelona, Destino, 2006).

JONES, E. (1953), *La vie et l'œuvre de S. Freud*, trad. de Berman, París, PUF, 1958 (2.ª ed., 1970), 3 vols. (trad. esp.: *Vida y obra de Sigmund Freud*, Barcelona, Anagrama, 2003).

JOYCE, J. (1939), *Finnegans Wake* (fragmentos adaptados por Du Bouchet), París, Gallimard, 1962 (trad. esp.: *Anna Livia Plurabelle [Finnegans Wake*, I, viii], Madrid, Cátedra, 1992).

KANT, E. (1790), *Critique de la Faculté de juger*, trad. de Philonenko, París, Vrin, 1979 (4.ª ed.) (trad. esp.: *Crítica del juicio*, Madrid, Espasa-Calpe, 2005).

— (1798), *Anthropologie du point de vue pragmatique*, trad. de Foucault, París, Vrin, 1970 (2.ª ed.) (trad. esp.: *Antropología en sentido pragmático*, Madrid, Alianza, 2004).

KIERKEGAARD, S. (1843), *Le journal du séducteur*, trad. de Tisseau, *OC*, III, París, L'Orante, 1970, págs. 283-412 (trad. esp.: *Diario de un seductor*, Madrid, Espasa-Calpe, 2003).

KRAUSS, R. (1978), «Tracing Nadar», *October*, núm. 5, págs. 29-47.

LACAN, E. (1856), *Esquisses photographiques à propos de l'Exposition universelle et de la guerre d'Orient*, París, Grassart.

LACAN, J. (1953-1954), *Le Séminaire. I. Les écrits techniques de Freud,* París, Seuil, 1975.

— (1954-1955), *Le Séminaire. II. Le Moi dans la théorie de Freud et dans la technique de la psychanalyse,* París, Seuil, 1978 (trad. esp.: *El seminario,* Barcelona, Paidós Ibérica, 1981).

— (1956-1957), *Séminaire sur «la relation d'objet»,* inédito.

— (1961-1962), *Séminaire sur l'identification,* Nueva York, International General, s.f., 2 vols.

— (1964), *Le Séminaire. XI. Les quatre concepts fondamentaux de la psychanalyse,* París, Seuil, 1973.

— (1966), *Écrits,* París, Seuil.

— (1968), «La méprise du sujet supposé savoir», *Scilicet,* núm. 1, págs. 31-41.

— (1972-1973), *Le Séminaire. XX. Encore,* París, Seuil, 1975.

— (1973a), *Télévision,* París, Seuil (trad. esp.: *Psicoanálisis: radiofonía y televisión,* Barcelona, Anagrama, 1996).

— (1973b), «L'étourdit», *Scilicet,* núm. 4, págs. 5-52.

LACOUE-LABARTHE, P. (1979a), *Portrait de l'artiste, en général,* París, Bourgois.

— (1979b), *Le sujet de la philosophie (Typographies 1),* París, Aubier-Flammarion.

LAFON, C. y TEULIÈRES, M. (1907), «Mydriase hystérique», *NIS,* págs. 243-251.

LANDOUZY, H. (1846), *Traité complet de l'hystérie,* París, Baillière.

LAPLASSOTTE, F. (1978), «Sexualité et névrose avant Freud: une mise au point», *Psychanalyse à l'université,* III, núm. 10, págs. 203-226.

LAUFENAUER, C. (1889), «Des contractures spontanées et provoquées de la langue chez les hystéro-épileptiques», *NIS,* págs. 203-207.

LAUTRÉAMONT (1970), *Œuvres complètes (OC),* París, Gallimard (trad. esp.: *Obras completas,* Palma de Mallorca, José J. de Olañeta Editor, 1979).

LAVATER, G. (1775-1778), *L'art de connaître les hommes par la physionomie...,* ed. de Moreau, París, Depélafol, 1820, 10 vols.

LE BRUN, C. (1668-1696), «Conférence sur l'expression générale et particulière», *Nouvelle Revue de Psychanalyse,* núm. 21, 1980, págs. 93-121.

LECHUGA, P. (1978), *Introduction à une anatomie de la pensée médicale, à propos de l'hystérie au XIXe siècle,* Tesis de Medicina, Montpellier.

LEDUC-FAYETTE, D. (1980), «La Mettrie et "le labyrinthe de l'homme"», *Revue Philosophique,* núm. 3, págs. 343-364.

LEGENDRE, P. (1976), «La phalla-cieuse», *Vel,* núm. 2, París, UGE.

— (1978), *La passion d'être un autre. Étude pour la danse,* París, Seuil.

LEGROS, C. y ONIMUS, E. (1872), *Traité d'électricité médicale. Recherches physiologiques et cliniques,* París, Alcan (2.ª ed. rev., 1888).

LÉONARD, J. (1978), *La France médicale. Médecins et malades au xix⁰ siècle*, París, Gallimard/Julliard.

LESSING, G. E. (1766), *Laocoon, ou des frontières de la peinture et de la poésie*, trad. de Bialostocka y Klein, París, Hermann, 1964 (trad. esp.: *Laoconte o los límites en la pintura y la poesía*, Barcelona, Folio, 2003).

LIVI, J. (1978), «Vapeurs de femmes», *Ornicar?*, núm. 15, págs. 73-80.

LOMBROSO, C. (1878), *L'homme criminel, criminel-né, fou moral, épileptique, étude anthropologique et médico-légale*, trad. de Régnier y Bournet, París, Alcan, 1887, 2 vols. (trad. esp.: *El Atlas criminal de Lombroso*, Valladolid, Maxtor Librería, 2006).

LOMBROSO, C. y FERRERO, G. (1893), *La femme criminelle et la prostituée*, trad. de Meille, revisada por Saint-Aubin, París, Alcan, 1896.

LONDE, A. (1886), *La photographie instantanée. Théorie et pratique*, París, Gauthier-Villars.

— (1888a), *La photographie moderne. Pratique et applications*, París, Masson.

— (1888b), *La photographie dans les arts, les sciences et l'industrie*, París, Gauthier-Villars.

— (1889a), *Traité pratique du développement. Étude raisonnée des divers révélateurs et de leur mode d'emploi*, París, Gauthier-Villars.

— (1889b), *L'évolution de la photographie*, París, Association Française pour l'avancement des sciences.

— (1893a), *La photographie médicale. Application aux sciences médicales et physiologiques*, prefacio de Charcot, París, Gauthier-Villars.

— (1893b), *Aide-mémoire pratique de la photographie*, París, Baillière.

— (1896), *La photographie moderne. Traité pratique de la photographie et de ses applications à l'industrie et à la science*, París, Masson.

— (1905), *La photographie à l'éclair magnésique*, París, Gauthier-Villars.

— (1914), *La photographie à la lumière artificielle*, París, Doin.

— (s.f.), *Le service photographique de la Salpêtrière*, París, Doin.

LORDE, A. de (1909), *Théâtre d'épouvante*, París, Charpentier et Fasquelle.

LOSSERAND, J. (1978), «Épilepsie et hystérie. Contribution à l'histoire des maladies», *Revue française de psychanalyse*, XLII, núm. 3, págs. 411-438.

LOUYER-VILLERMAY, J. B. (1816), *Traité des maladies nerveuses en vapeurs et particulièrement de l'hystérie et de l'hypocondrie*, París, Méquignon, 2 vols.

LUYS, J. (1873), *Iconographie photographique des centres nerveux*, París, Baillière.

— (1881), *Traité clinique et pratique des maladies mentales*, París, Delahaye y Lecrosnier.

— (1887), *Les émotions chez les sujets en état d'hypnotisme. Études de psychologie expérimentale faites à l'aide de substances médicamenteuses ou toxiques impressionnant à distance les réseaux nerveux périphériques*, París, Baillière.

— (1890), *Leçons cliniques sur les principaux phénomènes de l'hypnotisme dans leurs rapports avec la pathologie mentale*, París, Carré.

MAGNAN, V. (1876-1893), *Recherches sur les centres nerveux. Alcoolisme, folie des héréditaires dégénérés, paralysie générale, médecine légale*, París, Masson, 2 vols.

MALDINEY, H. (1975), *Aîtres de la langue et demeures de la pensée*, Lausana, L'âge d'homme.

— (1976), «Pulsion et présence», *Psychanalyse à l'université*, núm. 5, págs. 49-77.

MALLARMÉ, S. (1945), *Œuvres complètes (OC)*, París, Gallimard.

— (s.f.), *Pour un Tombeau d'Anatole*, ed. de Richard, París, Seuil, 1961 (trad. esp.: *Para una tumba de Anatole*, Vitoria-Gasteiz, Bassarai Ediciones, 2005).

MANNONI, O. (1980), *Un commencement qui n'en finit pas. Transfert, interprétation, théorie*, París, Seuil (trad. esp.: *Un comienzo que no termina: transferencia, interpretación, teoría*, Barcelona, Paidós Ibérica, 1982).

MAREY, E. J. (1878), *La méthode graphique dans les sciences expérimentales et principalement en physiologie et en médecine*, París, Masson, 1885 (2.ª ed.).

— (1885), *Le développement de la méthode graphique par la photographie*, París, Masson.

MARIN, L. (1977), *Détruire la peinture*, París, Galilée.

MEIGE, H. (1896), «La maladie de la fille de Saint-Géosmes, d'après Jean-François-Clément Morand» (1754), *NIS*, págs. 223-256.

— (1907), «Une révolution anatomique», *NIS*, págs. 97-115 y 174-183.

MILLER, G. (1975), «Crime et suggestion», seguido de «Note sur Freud et l'hypnose», *Ornicar?*, núm. 4, págs. 27-51.

MILLER, J. A. (1969), «Some aspects of Charcot's influence on Freud», *Journal of the American Psychoanalytic Association*, núm. 2, págs. 608-623.

MOEBIUS, P. J. (1886), *Allgemeine Diagnostik der Nervenkrankheiten*, Leipzig, Vogel.

— (1901), *De la débilité mentale physiologique chez la femme*, trad. de Roche, París, Solin, 1980.

MONTMÉJA, A. de (1874), «Machine d'induction», *Revue Médico-photographique des Hôpitaux de Paris*, pág. 250.

MONTMÉJA, A. de y RENGADE, J. (1869), Prefacio a la *Revue photographique des Hôpitaux de Paris*, I, sin paginar.

MOREL, B. A. (1852), *Études cliniques. Traité théorique et pratique des maladies mentales*, París, Grimblot & Raybois, Nancy/Masson, 2 vols.

— (1857), *Traité des dégénérescences physiques, intellectuelles et morales de l'espèce humaine, et des causes qui produisent ces variétés maladives*, París, Baillière.

MOREL, P. y QUETEL, C. (1979), *Les fous et leurs médecines de la Renaissance au XIXᵉ siècle*, París, Hachette.

NADAR (1900), *Quand j'étais photographe*, prefacio de Daudet, París, Flammarion.

NANCY, J.-L. (1979), *Ego sum*, París, Flammarion.

NASSIF, J. (1968), «Freud et la science», *Cahiers pour l'analyse*, núm. 9, págs. 147-167.

— (1977), *Freud. L'inconscient. Sur les commencements de la psychanalyse*, París, Galilée.

NIETZSCHE, F. (1886), *Par-delà Bien et Mal*, trad. de Heim, *OC*, VII, París, Gallimard, 1971, págs. 1-212 (trad. esp.: *Más allá del bien y del mal: preludio de una filosofía del futuro*, Madrid, Alianza, 1997).

NOICA, M. (1908), «Le mécanisme de la contracture chez les spasmodiques, hémiplégiques ou paraplégiques», *NIS*, págs. 25-26.

ONIMUS, E. (1872), «De l'action thérapeutique des courants continus», *Revue photographique des Hôpitaux de Paris*, págs. 286-292 y 332-341.

PINEL, P. (1809), *Traité médico-philosophique sur l'aliénation mentale ou la manie* (2.ª ed.), París, Richard (trad. esp.: *Tratado médico-filosófico de la enajenación mental o la manía*, Madrid, Nieva, 1988).

PITRES, A. (1891), *Leçons cliniques sur l'hystérie et l'hypnotisme*, París, Doin, 2 vols.

PONTALIS, J. B. (1973), «Entre Freud et Charcot: d'une scène à l'autre», en *Entre le rêve et la douleur*, París, Gallimard, 1977, págs. 11-17.

RABELAIS, F. (1955), *Œuvres complètes (OC)*, París, Gallimard (trad. esp.: *Obras completas*, Madrid, Isidoro Ibarra Editor, 1910).

RÉGNARD, P. (1887), *Les maladies épidémiques de l'esprit. Sorcellerie, magnétisme, morphinisme, délires des grandeurs*, París, Plon-Nourrit.

RÉGNARD, P. y RICHER, P. (1878), «Études sur l'attaque hystéro-épileptique faites à l'aide de la méthode graphique», *Revue mensuelle de médecine et de chirurgie*, págs. 641-661.

Revue Neurologique (1925), «Centenaire de Charcot», núm. 6, págs. 731-1192.

RICHER, P. (1881-1885), *Études cliniques sur la grande hystérie ou hystéro-épilepsie*, París, Delahaye & Lecrosnier, 1881 (2.ª ed. rev. y aum.).

— (1889), «Observation de contracture hystérique guérie subitement après une durée de deux années», *NIS*, págs. 208-213.

— (1891), «Diathèse de contracture», *NIS,* págs. 344-353.

— (1892), *Paralysies et contractures hystériques,* París, Doin.

RIMBAUD, A. (1972), *Œuvres complètes (OC),* París, Gallimard (trad. esp.: *Poesía completa,* Madrid, Cátedra, 1996; *Prosa completa,* Madrid, Cátedra, 1991).

RUMMO, G. (1890), *Iconografia fotografica del Grande Isterismo – Istero-epilessia. Omaggio al prof. J.-M. Charcot,* Nápoles, Clinica Medica Propedeutica di Pisa.

SAFOUAN, M. (1979), *L'échec du principe de plaisir,* París, Seuil.

SARTRE, J.-P. (1940), *L'imaginaire. Psychologie phénoménologique de l'imagination,* París, Gallimard (trad. esp.: *La imaginación,* Barcelona, Edhasa, 1980).

SCHAFFER, C. (1893 y 1894), «De la morphologie des contractures réflexes intrahypnotiques et de l'action de la suggestion sur ces contractures», *NIS,* págs. 305-321, y *NIS,* págs. 22-34.

SCHEFER, J.-L. (1975), *L'invention du corps chrétien. Saint-Augustin, le dictionnaire, la mémoire,* París, Galilée.

— (1976), *Le Déluge, la Peste, Paolo Uccello,* París, Galilée.

— (1978), *L'espèce de chose mélancolie,* París, Flammarion.

— (1980), *L'homme ordinaire du cinéma,* París, Cahiers du Cinéma/Gallimard.

SHAKESPEARE, W. (1959), *Œuvres complètes (OC),* París, Gallimard, 2 vols. (trad. esp.: *Obras completas,* Madrid, Aguilar, 1969).

SIBONY, D. (1974), *Le nom et le corps,* París, Seuil.

— (1980), *Le groupe inconscient. Le lien et la peur,* París, Bourgois.

SOLLIER, P. (1897), *Genèse et nature de l'hystérie. Recherches cliniques et expérimentales de psycho-physiologie,* París, Alcan, 2 vols.

SONOLET, J. (1958), *Trois siècles d'histoire hospitalière. La Salpêtrière,* Exposición.

SONTAG, S., (1979), *La photographie,* trad. de Durand, París, Seuil (trad. esp.: *Sobre la fotografía,* Barcelona, Edhasa, 1996).

SOUQUES, A. (1891), «Contribution à l'étude des syndromes hystériques "simulateurs" des maladies organiques de la moelle épinière», *NIS,* págs. 1-52, 130-150, 300-326, 366-406, 409-455.

— (1925), *Charcot intime,* París, Masson.

STAROBINSKI, J. (1980), «Le passé de la passion. Textes médicaux et commentaires», *Nouvelle revue de psychanalyse,* núm. 21, págs. 51-76.

TEBALDI, A. (1884), *Fisionomia ed espressione studiate nelle loro deviasioni con una appendice sulla espressione del delirio nell'arte,* Verona, Drucker e Tedeschi.

THYSSEN, E. H. M. (1888), *Contribution à l'étude de l'hystérie traumatique,* París, Davy.

VALÉRY, P. (1939), «Centenaire de la Photographie», en *Vues,* París, La Table ronde, 1948.

VEITH, I. (1965), *Histoire de l'hystérie,* trad. de Dreyfus, París, Seghers, 1973.

VILLECHENOUX, C. (1968), *Le cadre de la folie hystérique de 1870 à 1918, contribution à l'histoire de la psychiatrie, aspects de l'évolution des idées sur la frontière entre la névrose et la psychose,* París, Tesis de Medicina.

VOISIN, A. (1876), *Leçons cliniques sur les maladies mentales professées à la Salpêtrière,* París, Baillière.

— (1883), *Leçons cliniques sur les maladies mentales et sur les maladies nerveuses,* París, Baillière.

VOISIN, F. (1826), *Des causes morales et physiques des maladies mentales et de quelques autres affections nerveuses, telles que l'hystérie, la nymphomanie et le satyriasis,* París, Baillière.

WAJEMAN, G. (1976), «Psyché de la femme: note sur l'hystérique au XIXe siècle», *Romantisme,* núm. 13-14, págs. 57-66.

— (1978), «La convulsion de Saint-Médard», *Ornicar?,* núm. 15, págs. 13-30.

— (1980), «Théorie de la simulation», *Ornicar? – Analytica,* vol. 22, págs. 17-33.

ZOLA, E. (1876), *Son Excellence Eugène Rougon,* París.

Índice onomástico

Índice

EL ENCANTO DE Y HACIA AUGUSTINE

ENSAYOS ARTE CÁTEDRA

TÍTULOS PUBLICADOS

ARNHEIM, Rudolf, *Ensayos para rescatar el arte.*

BALTRUSAITIS, Jurgis, *La Edad Media fantástica.* Antigüedades y exotismo en el arte gótico, 3ª. ed.

BARASCH, Moshe, *La ceguera.* Historia de una imagen mental.

BLUNT, Anthony, *Teoría de las artes en Italia, 1450-1600,* 10ª. ed.

BORNAY, Erika, *La cabellera femenina.*

BORNAY, Erika, *Las hijas de Lilith,* 5ª. ed.

BORNAY, Erika, *Mujeres de la Biblia en la pintura del Barroco.* Imágenes de la ambigüedad.

CALZADA FERNÁNDEZ, César, *Arte prehistórico en la vanguardia artística de España.*

CARPO, Mario, *La arquitectura en la era de la imprenta.*

CARRILLO, Jesús, *Arte en la red.*

DAIX, Pierre, *Historia cultural del arte moderno.* De David a Cézanne.

DAIX, Pierre, *Historia cultural del arte moderno.* El siglo XX.

FRANCASTEL, Pierre, *Pintura y sociedad.* Nacimiento y destrucción de un espacio plástico, del Renacimiento al Cubismo, 2ª. ed.

GÁLLEGO, Julián, *Visión y símbolos en la pintura española del Siglo de Oro,* 4ª. ed.

GRAU, Cristina, *Borges y la arquitectura,* 4ª. ed.

GUILLÉN, Esperanza, *Retratos del genio.* El culto a la personalidad artística en el siglo XIX.

HERNANDO, Javier, *El pensamiento romántico y el arte en España.*

HERRERA, Javier, *Picasso, Madrid y la generación del 98: la revista "Arte Joven".*

KRIS, E. y KURZ, O., *La leyenda del artista,* 4ª. ed.

LAVER, James, *Breve historia del traje y la moda,* 10ª. ed.

MAYAYO, Patricia, *Historias de mujeres, historias del arte,* 2ª. ed.

MURRAY, Chris (ed.), *Pensadores clave sobre el arte: el siglo XX.*

PANOFSKY, Erwin, *Idea.* Contribución a la historia de la teoría del arte, 9ª. ed.

RAMÍREZ, Juan Antonio Y CARRILLO, Jesús, *Tendencias del arte, arte de tendencias a principios del siglo XXI.*

REYERO, Carlos, *Apariencia e identidad masculina.* De la Ilustración al Decadentismo, 2ª. ed.

ROSA ARMENGOL, Laia, *Dalí, icono y personaje.*

SCHNEIDER-ADAMS, Laurie, *Arte y psicoanálisis.*

TAPIÉ, Víctor L., *Barroco y Clasicismo,* 4ª. ed.

TOMLINSON, Janis, *Francisco de Goya. Los cartones para tapices y sus comienzos en la Corte de Madrid.*

TOMLINSON, Janis, *Goya en el crepúsculo del Siglo de las Luces.*